D0227825

Het vergeten dat ons wacht

FSC
Mixed Sources
Productgroep uit goed beheerde bossen
en andere gecontroleerde bronnen.
www.fsc.org Cert no. SGS-COC-001940
© 1996 Forest Stewardship Council

Héctor Abad

Het vergeten dat ons wacht

Vertaald uit het Spaans door
Jos den Bekker

DE GEUS – OXFAM NOVIB

De vertaler ontving voor deze vertaling een werkbeurs van het Nederlands Letterenfonds en het Vlaams Fonds voor de Letteren

Deze vertaling is gemaakt op basis van de veertiende editie (november 2008), verschenen bij Editorial Planeta, Colombia. Op verzoek van de auteur zijn in de Nederlandse vertaling sommige persoonsnamen weggelaten. Ook zijn in overleg met de auteur enkele fouten gecorrigeerd.

Oorspronkelijke titel *El olvido que seremos*, verschenen bij Editorial Planeta

Published by arrangement with Literarische Agentur Mertin Inh. Nicole Witt e K., Frankfurt am Main, Germany

Publicatie in samenwerking met Oxfam Novib
Omslagontwerp Berry van Gerwen

ISBN 978 90 445 1499 5
NUR 302

Aan Alberto Aguirre en Carlos Gaviria, overlevenden.

En omwille van de herinnering
draag ik op mijn gezicht mijn vaders gezicht.
YEHUDA AMICHAI

Een jongetje aan de hand van zijn vader

I

In het huis woonden tien vrouwen, een jongetje en een meneer. De vrouwen waren Tatá, die kindermeisje was geweest van mijn oma en die bijna honderd was en half doof en blind, twee dienstmeisjes – Emma en Teresa –, mijn vijf zussen – Maryluz, Clara, Eva, Marta en Sol –, mijn moeder en een non. Het jongetje – ik – hield het meest van al van de meneer, mijn vader. Ik hield meer van hem dan van God. Op een dag moest ik kiezen tussen God en mijn vader, en ik koos voor mijn vader. Het was het eerste theologisch dispuut in mijn leven en ik voerde het met zuster Josefa, de non die voor Sol en mij, de twee kleinsten, zorgde. Als ik mijn ogen dichtdoe hoor ik nog haar harde, grove stem tegen mijn kinderstemmetje. Het was een stralende ochtend en we zaten in de zon op de patio naar de kolibries te kijken, die de ronde maakten langs de bloemknoppen. Opeens zei zuster Josefa tegen me: 'Je vader gaat naar de hel.'

'Waarom?' vroeg ik.

'Omdat hij niet naar de mis gaat.'

'En ik?'

'Jij gaat naar de hemel, want jij bidt elke avond met mij.'

's Avonds, terwijl zij zich omkleedde achter het kamerscherm met de eenhoorns, baden wij onzevaders en weesgegroetjes. En tot slot, voor het slapengaan, baden we het credo: 'Ik geloof in God de Almachtige Vader, Schepper van hemel en aarde, van al wat zichtbaar en onzichtbaar is …' Zij trok haar habijt achter het kamerscherm uit, want we mochten haar haar niet zien – ze had ons gewaarschuwd dat het een doodzonde was om de haren van een non te zien. Ik ben niet dom, ik doe er alleen enige tijd over om de dingen te verwerken, en die dag had ik me aldoor voorgesteld dat ik in de hemel was zonder mijn vader (ik keek door een raam van het paradijs en zag hem daar beneden om hulp roepen terwijl hij brandde in de vlammen van de hel). 's Avonds, toen zij achter het kamerscherm met de eenhoorns de gebeden begon op te zeggen, zei ik tegen haar: 'Ik bid niet meer.'

'O, nee?' vroeg ze berispend.

'Nee. Ik wil niet meer naar de hemel. Ik vind het niet leuk in de hemel zonder mijn vader. Ik ga liever samen met hem naar de hel.'

Zuster Josefa stak haar hoofd om het kamerscherm (het was de enige keer dat we haar zonder nonnenkap zagen, de enige keer dus dat we zondigden door naar haar ongetooide haardos te kijken) en riep: 'Ssst!' Daarna sloeg ze een kruisteken.

De liefde die ik voor mijn vader koesterde, voelde ik pas weer opnieuw bij de geboorte van mijn kinderen. Toen ik kinderen kreeg, herkende ik die liefde meteen, want ze was even intens, hoewel anders en in zekere zin tegengesteld. Ik had vroeger het gevoel dat mij niets kon overkomen zolang ik bij mijn vader was. En nu heb ik het gevoel dat mijn kinderen niets kan overkomen zolang ze bij mij zijn. Dat wil zeggen dat ik zonder ook maar één moment te aarzelen mijn leven zou geven om mijn kinderen te beschermen. Ik weet dat mijn vader zonder één moment te aarzelen zijn leven zou hebben gegeven om mij te beschermen. Het idee dat ik als kind het meest ondraaglijk vond, was dat mijn vader zou kunnen doodgaan, en daarom had ik me voorgenomen me in de rivier de Medellín te werpen als hij zou komen te overlijden. En ik weet ook dat er iets veel ergers is dan doodgaan – namelijk dat een van mijn kinderen doodgaat. Het is allemaal erg primitief, een oergevoel in het diepst van je wezen dat aan het denken voorafgaat. Het is iets waar je niet over nadenkt, het ís er gewoon, zonder reserve, want het is iets wat je niet met je hoofd weet, maar met je onderbuik.

Ik hield van mijn vader met een dierlijke liefde. Ik hield van zijn geur, en ook van de nageur op zijn bed, als hij op reis ging, en ik smeekte de dienstmeisjes en mijn moeder om de lakens en zijn kussensloop niet te verschonen. Ik hield van zijn stem, ik hield van zijn handen, zijn nette kleren en de smetteloze reinheid van zijn lichaam. Als ik 's nachts bang was, kroop ik bij hem in bed, en altijd maakte hij plaats voor me, nooit weigerde hij. Mijn moeder protesteerde, ze zei dat hij me bedierf, maar mijn vader schoof naar de rand van het bed en liet me erin. Ik voelde voor mijn vader hetzelfde als wat mijn vriendjes zeiden dat ze voor hun moeder voelden. Ik rook aan mijn vader, legde een arm over hem heen, stak mijn duim in mijn mond en sliep vast, tot het geluid van paardenhoeven en het bellen van de melkkar de ochtend aankondigden.

2

Ik mocht van mijn vader alles wat ik wilde. Álles is overdreven. Ik mocht geen viezigheid uithalen, zoals in mijn neus peuteren of zand eten, ik mocht mijn kleine zusje niet slaan – nog niet met een veertje – ik mocht niet zonder iets te zeggen van huis gaan, ik mocht niet oversteken zonder eerst naar links en naar rechts te kijken, ik moest beleefder zijn tegen Emma en Teresa – of tegen elk van de andere dienstmeisjes die we in die tijd hadden: Mariela, Rosa, Margarita – dan tegen een willekeurig familielid of een willekeurige bezoeker, ik moest elke dag in bad, ik moest voor het eten mijn handen wassen en na het eten mijn tanden poetsen, ik moest mijn nagels schoonmaken ... Maar omdat ik van nature gedwee was, leerde ik die elementaire dingen erg snel. Wat ik bedoel met álles is bijvoorbeeld dat ik zonder enig voorbehoud zijn boeken en zijn platen mocht gebruiken, dat er niets was waar ik van af moest blijven (van zijn scheerkwast, zijn zakdoeken, zijn flesje eau de cologne, zijn pick-up, zijn schrijfmachine, zijn balpen) als ik niet eerst om toestemming had gevraagd. Ik hoefde hem ook niet om geld te vragen.

Zo zou hij het tegen me gezegd hebben: 'Alles wat van mij is, is van jou. Daar is mijn portemonnee, pak maar wat je nodig hebt.'

En daar was de portemonnee van mijn vader, altijd in zijn achterzak. Ik pakte hem en telde zijn geld. Ik wist nooit of ik nu één peso moest pakken of twee of vijf. Ik dacht even na en besloot niets te nemen. Mijn moeder had ons vaak gewaarschuwd: '*Niñas!*'

Mijn moeder zei altijd *niñas* ('meisjes') in plaats van *niños* ('jongens'), omdat bij ons de meisjes in de meerderheid waren en daarom die grammaticale regel (dat één man onder duizend vrouwen het geslacht van de hele groep bepaalt) voor haar niet gold.

'*Niñas!* Professoren worden in dit land slecht betaald, ze verdienen haast niets. Maak geen misbruik van je vader, hij is een sul en hij geeft jullie alles wat je vraagt, ook al kan hij het niet missen.'

Ik dacht dat ik al het geld in zijn portemonnee mocht pakken. Soms, als er meer geld in zat, aan het begin van de maand, pakte ik een biljet van twintig peso's als mijn vader siësta hield en nam het mee naar mijn kamer. Ik speelde er een poosje mee, in de overtuiging dat het van mij was, en kocht er in mijn verbeelding spullen mee (een voetbal, een elektrische racebaan, een microscoop, een verrekijker, een paard), alsof ik de loterij had gewonnen. Maar daarna stopte ik het weer op zijn plaats terug. Er zaten meestal maar weinig bankbiljetten in zijn portemonnee en aan het eind van de maand soms niet één, want we waren niet rijk, al leek het zo, want we hadden een *finca**, een auto, dienstmeisjes en zelfs een huisnon. Als wij aan onze moeder vroegen of we rijk waren of arm, antwoordde ze steevast hetzelfde: '*Niñas*, het een noch het ander: we hebben het goed.' Vaak gaf mijn vader me geld zonder dat ik erom vroeg, en dus nam ik het zonder gewetensbezwaar aan.

Ik was zo onzeker over het grammaticaal geslacht, of over mijn eigen identiteit, dat ik de eerste keer van mijn leven dat ik erin slaagde zelf mijn haar te kammen, met de scheiding kaarsrecht aan de rechterkant (de verkeerde kant), aan mijn zussen vroeg: 'Heeft broertje haar haartjes mooi gekamd?'

Ik hoor nóg het schaterlachen in koor van vijf *niñas*. Sindsdien heb ik mijn haar nooit meer gekamd.

---

* Boerderij, landbouwperceel, maar vaak ook als buitenhuis of landgoed gebruikt.

Volgens mijn moeder – en ze had gelijk – had mijn vader totaal geen benul van de huishoudportemonnee. Zij was begonnen te werken op een kantoortje in de binnenstad – tegen de zin van haar man in – omdat we met het geld van de professor nooit het einde van de maand haalden en omdat we geen reserves hadden om op terug te vallen, aangezien mijn vader geen enkele notie van sparen had. Als de rekeningen kwamen voor gas, water en elektriciteit, of als mijn moeder tegen hem zei dat de dakdekker betaald moest worden die een paar lekken in het dak had gedicht, of de elektricien die een kortsluiting had verholpen, dan werd mijn vader chagrijnig en sloot zich op in de bibliotheek, waar hij ging zitten lezen of naar keiharde klassieke muziek luisteren om te kalmeren. Hij had zelf die dakdekker laten komen, maar altijd vergat hij vooraf te vragen hoeveel het hem ging kosten, zodat ze naar eigen goeddunken rekenden. Als mijn moeder daarentegen iemand in de arm nam, vroeg ze altijd twee offertes, dong af, en dan waren er naderhand nooit verrassingen.

Mijn vader had nooit genoeg geld omdat hij altijd aan iedereen die het vroeg geld gaf of leende: familie, bekenden, vreemden, bedelaars. De studenten op de universiteit maakten misbruik van hem. En ook de beheerder van onze finca, don Dionisio, een brutale Joegoslaaf, nam een loopje met hem: hij vroeg om voorschotten voor appels en peren en mediterrane vijgen, die hij zogenaamd in onze moestuin zou planten, maar die daar nooit groeiden. Uiteindelijk slaagde hij erin wat aardbeien en groenten te laten opkomen, begon zijn eigen handeltje op een lapje grond dat hij met de voorschotten van mijn vader gekocht had, en boerde goed. Vervolgens stelde mijn vader don Feliciano en doña Rosa, de ouders van Teresa, de dienstmeid, als beheerders aan, omdat ze in Amalfi, een dorp in het noordoosten, van de honger zaten om te komen. Alleen was don Feliciano bijna tachtig en leed hij aan artritis en kon de moestuin niet bewerken, zodat de groenten en de aardbeien van don Dionisio verpieterden en er na zes maanden alleen nog maar een kaal veldje overbleef.

Maar we lieten doña Rosa en don Feliciano niet van de honger omkomen, want dat zou nog erger zijn. Er zat niets anders op dan te wachten tot de oudjes doodgingen om andere beheerders aan te stellen, en zo geschiedde. Daarna kwamen Edilso en Belén, die daar nog steeds wonen, dertig jaar later, met een heel raar contract dat mijn vader had bedacht: wij stellen het land beschikbaar, maar de koeien en de melk zijn van hen.

Ik wist dat de studenten hem geld te leen vroegen, want ik vergezelde hem vaak naar de universiteit, en zijn kantoor leek wel een pelgrimsoord. De studenten stonden in de rij voor de deur. Er waren er een paar bij die kwamen voor academische of persoonlijke raad, maar de meesten om geld van hem te lenen. Elke keer als ik er was, trok mijn vader herhaalde keren zijn portemonnee om bankbiljetten aan de studenten te overhandigen die ze hem nooit terugbetaalden, en daarom had hij altijd een hele zwerm bedelaars om zich heen.

'Arme jongens', zei hij dan. 'Ze hebben zelfs geen geld om tussen de middag te eten, en als je honger hebt kun je niet studeren.'

3

Ik had er een hekel aan, voor ik naar de kleuterschool ging, om de hele dag thuis te blijven zitten met Sol en de non. Als ik genoeg had van mijn solitaire spelletjes (op de grond mijn fantasie uitleven met kastelen en soldaatjes), kon zuster Josefa niets leukers bedenken – behalve bidden – dan op de binnenplaats van het huis naar de kolibries te gaan zitten kijken die zich aan de bloemen te goed deden, of een eindje in de buurt te gaan wandelen met de kinderwagen, waar ze mijn zusje in zette, die meteen in slaap viel, en waar ik staande op de achterstang op meereed als ik moe was geworden van het lopen, terwijl zij de wagen over de stoep voortduwde. Omdat die dagelijkse sleur me verveelde, vroeg ik aan mijn vader of ik met hem mee mocht naar kantoor.

Hij werkte op de medische faculteit, naast het ziekenhuis San Vicente de Paúl, bij de vakgroep Volksgezondheid en Preventieve Geneeskunde. Als ik niet met hem mee kon, omdat hij het 's ochtends druk had, nam hij me minstens mee in de auto voor een blokje om. Hij zette me bij zich op schoot en dan stuurde ik, onder zijn hoede. De auto was een oude mastodont, groot, luidruchtig, hemelsblauw, van het merk Plymouth, met een automatische versnellingsbak, die bij het eerste het beste heuveltje onmiddellijk heet werd en rook onder de motorkap begon uit te slaan. Wanneer hij maar kon, ten minste één keer in de week, nam mijn vader me mee naar de universiteit. Bij de ingang kwamen we langs de snijkamer, waar de colleges anatomie werden gegeven en ik zeurde hem aan zijn kop over dat ik de lijken wilde zien. Altijd antwoordde hij: 'Nee, nog niet.' Elke week hetzelfde liedje: 'Papa, ik wil een dode zien.' 'Nee, nog niet.'

Op een keer, toen hij wist dat er geen college gegeven werd en er ook geen lijken waren, gingen we de snijkamer binnen, een erg oud lokaal in de vorm van een amfitheater met oplopende rijen zodat de studenten het ontleden van de lijken goed konden zien. Midden in het lokaal stond een marmeren tafel, waarop de hoofdpersoon van het college kwam te liggen, net als op het schilderij van Rembrandt. Maar die dag was er geen lijk in de snijkamer en ook geen studenten en geen professor anatomie. Maar toch hing in die ruimte een bepaalde doodsgeur, een soort ongrijpbare, spookachtige aanwezigheid die me bewust maakte, op datzelfde moment, van mijn hart dat in mijn borstkas klopte.

Terwijl mijn vader college gaf wachtte ik op hem in zijn kantoor, waar ik tekende of achter de schrijfmachine ging zitten om te doen of ik typte, net als hij, met twee wijsvingers. Zijn secretaresse, Gilma Eusse, keek van een afstand met een ondeugende glimlach toe. Waarom ze glimlachte weet ik niet. Ze had een ingelijste trouwfoto, waarop ze in bruidsjurk stond samen met mijn vader. Ik vroeg haar telkens weer waarom ze met mijn vader was getrouwd, en zij legde me glimlachend uit dat ze met een Mexicaan was getrouwd, Iván Restrepo, met de handschoen, en dat mijn vader in zijn plaats met haar naar het altaar was gegaan. Als ze me over dat huwelijk vertelde (dat voor mij net zo onbegrijpelijk was als dat van mijn ouders, die ook met de handschoen waren getrouwd en die alleen huwelijksfoto's hadden waarop mijn moeder met oom Bernardo trouwde) glimlachte Gilma Eusse, ze glimlachte zo vrolijk en hartelijk als je je maar voor kunt stellen. Ze leek de gelukkigste vrouw van de wereld, tot ze op een dag, zonder op te houden met glimlachen, een kogel door haar verhemelte schoot, en niemand wist ooit waarom. Maar op die ochtenden van mijn kindertijd hielp zij me een vel papier in de typemachine te draaien zodat ik kon typen. Ik kon nog niet schrijven, maar ik schreef toch, en toen mijn vader van zijn college terugkwam liet ik hem het resultaat zien.

'Kijk eens wat ik geschreven heb.'

Het waren een paar regels abracadabra:

Jasiewiokkejjmdero
jikemehoqpicñq.zkc
ollq2"sa9lokjdoooo

'Heel goed!' zei mijn vader met een tevreden schaterlach, en hij feliciteerde me met een klapzoen op mijn wang, vlak bij mijn oor. Die daverende klapzoenen van hem verdoofden je en ze bleven nog lang nagalmen in je oor, als een pijnlijke en tegelijk blije herinnering. De week daarop gaf hij me een taak voor hij naar zijn college ging, een velletje met klinkers, eerst de a, dan de e en zo verder, en in de weken daarna steeds meer medeklinkers, eerst de meest voorkomende: de c, de p, de t, en daarna alle andere, tot aan de x en de h toe, die weliswaar niet werd uitgesproken en weinig voorkwam, maar die ook belangrijk was, want het was de letter waarmee onze voornaam begon. Zo kwam het dat ik, toen ik naar school ging, al alle letters van het alfabet kende, niet bij naam, maar wel bij hun uitspraak, en toen de juffrouw van de eerste klas, Lyda Ruth Espinosa, onze leerde lezen en schrijven, begreep ik meteen hoe de vork in de steel zat, als bij toverslag, alsof ik bij mijn geboorte al kon lezen.

Er was echter één woord dat ik maar niet in mijn hoofd kreeg en dat ik pas na jaren correct kon lezen. Telkens als het in een tekst voorkwam (en gelukkig was het een niet veel voorkomend woord) stokte ik, ik kon geen geluid uitbrengen. Als ik het tegenkwam, begon ik te bibberen, ik wist zeker dat ik het niet goed kon uitspreken. Het was het woord *párroco* ('pastoor'). Ik wist niet waar ik het accent moest leggen, en het absurde is dat ik altijd, in plaats van de klemtoon op een van de klinkers te leggen (bovendien altijd op een van de twee o's), alle nadruk legde op de r: *parrrrrroco*. En dan legde ik de klemtoon ofwel op de voorlaatste lettergreep, *parróco*, of op de laatste, *parrocó*, maar nooit op de eerste. Mijn zus Clara mocht graag de draak steken met mijn handicap, en telkens wanneer ze haar kans schoon zag schreef ze het voor me op en vroeg met een stralende glimlach:

'Hé, dikke, wat staat hier?' Ik hoefde het woord maar te zien of ik werd rood en kon het niet oplezen.

Precies hetzelfde overkwam me jaren later met dansen. Mijn zussen konden allemaal geweldig dansen en ik had ook wel een goed gehoor, net als zij, tenminste met zingen, maar als zij met me gingen dansen, dan stapte ik steeds mis, ik was totaal uit de maat, of ik deed het op dezelfde maat als waarop zij lachten wanneer ze me met de voetjes van de vloer zagen gaan. En hoewel er ooit een moment kwam dat ik het woord *párroco* vlekkeloos leerde uitspreken, bleef de dansvloer voor altijd een gesloten gebied voor mij. Een moeder hebben is moeilijk; ik zal maar niet zeggen hoe moeilijk het is om er zes te hebben.

Ik denk dat mijn vader al snel doorhad dat er één manier was om te maken dat ik iets nooit meer deed: met me spotten. Als ik merkte dat iets wat ik deed een belachelijke, ridicule indruk kon maken, dan waagde ik nooit meer een poging. Wellicht dat hij daarom alles prees wat ik schreef, tot aan de regels met abracadabra toe, en hij onderwees me heel rustig hoe elke letter voor een bepaalde klank stond, zodat mijn beginnersfouten niet de lachlust opwekten. Dankzij zijn geduld leerde ik het hele alfabet, de getallen en de leestekens op zijn schrijfmachine. Misschien is daarom een toetsenbord – veel meer dan een potlood of een balpen – voor mij het ware kenmerk van schrijven. De geluiden van die toetsen als je ze de diepte in jaagt, net als bij een piano, om ideeën te transformeren in letters en woorden, dat leek me vanaf het begin – en lijkt me nog steeds – een van de grootste wereldwonderen.

Bovendien, met die verbluffende taalvaardigheid die vrouwen eigen is, gaven mijn zussen me nooit de kans om te praten. Telkens als ik mijn mond opendeed om iets te zeggen, hadden zij het al gezegd, veel vollediger en veel beter, veel sierlijker en veel intelligenter. Ik denk dat ik moest leren schrijven om me af en toe te kunnen uitdrukken, en van heel kleins af aan stuurde ik mijn vader brieven, die ze ontving met een opgetogenheid alsof het epistels van Seneca waren, of literaire meesterwerken.

Als ik besef hoe beperkt mijn schrijftalent is (vrijwel nooit slaag ik erin mijn woorden even helder te laten klinken als mijn ideeën; wat ik uitbreng komt me voor als een pover, stuntelig gestamel vergeleken met wat mijn zussen gezegd zouden hebben), dan denk ik terug aan het vertrouwen dat mijn vader in me stelde. En dan recht ik mijn rug en ga door. Als hij zelfs plezier had in mijn abracadabra, wat maakt het dan nog uit dat wat ik schrijf míj niet bevredigt? Ik geloof dat de enige reden waarom ik al deze jaren heb kunnen doorgaan met schrijven, en mijn geschriften voor publicatie aanbieden, is dat ik weet dat mijn vader er meer dan wie ook van genoten zou hebben alles van mij te lezen wat hij nooit heeft kunnen lezen. Wat hij nooit zal lezen. Dat is een van de meest trieste paradoxen van mijn leven: bijna alles wat ik geschreven heb was bestemd voor iemand die het niet kan lezen, en dit boek zelf is niets anders dan een brief aan een schim.

4

Mijn vriendjes en kameraadjes lachten me uit om een ander gebruik bij ons, een gebruik waar hun spotternijen niettemin geen einde aan konden maken. Als ik thuiskwam, begroette mijn vader me met een omhelzing, hij gaf me kusjes en zei een heleboel lieve woordjes tegen me, waarna hij het geheel ook nog eens afsloot met een schaterlach. De eerste keer dat ze me uitlachten om 'die homoachtige-verwende-jongetjes-begroeting', was ik op die spottende reactie niet voorbereid. Tot op dat moment was ik er vast van overtuigd geweest dat het de normale, gangbare manier was waarop alle vaders hun kinderen begroetten. Maar nee, dat bleek in Antioquia helemaal niet het geval te zijn. Een begroeting tussen mannen, tussen vader en zoon, diende afstandelijk te zijn, kortaf en zonder openlijke affectie.

Een tijdlang ging ik, als er vreemden bij waren, die uitbundige begroetingen uit de weg, want ik vond ze pijnlijk, en ik wilde niet dat ze de spot met mij dreven. Maar het vervelende was dat ik er behoefte aan had, ook als er anderen bij waren, het versterkte mijn zelfvertrouwen, dus na een tijdlang onverschillig doen, besloot ik me weer zoals vanouds te laten begroeten, al lachten mijn kameraadjes me uit – ze deden maar. Per slot van rekening was het iets van hém, die liefdevolle begroetingen, niet van míj, en het enige wat ik deed was me er niet tegen verzetten. Maar niet al mijn kameraadjes lachten me uit. Ik herinner me een keer, het was al tegen het einde van de puberteit, dat een vriend van me bekende: 'Man, ik was altijd jaloers dat jij zo'n vader had. De mijne heeft me zijn hele leven nog nooit gekust.'

'Jij schrijft omdat je als kind verwend bent, je was een *spoiled child,'* zei een keer iemand tegen me die zich mijn vriend noemde. Hij zei het met die woorden, in het Engels, zodat het des te harder aankwam, en ik werd kwaad, maar ik denk dat hij gelijk had.

Mijn vader vond altijd – en ik vind dat hij gelijk had en ik doe het hem na – dat je kinderen verwennen de beste manier van opvoeden is. In een schrift met aantekeningen (dat ik na zijn dood bezorgd heb onder de titel 'Handboek der tolerantie') schreef hij het volgende: 'Als je wilt dat je kind een goed mens wordt, maak het dan gelukkig; als je wilt dat het een beter mens wordt, maak het dan nóg gelukkiger. Wij maken ze gelukkig opdat ze goede mensen worden en opdat hun goedheid later hun geluk vergroot.' Het zou kunnen dat niemand, ook ouders niet, zijn kinderen helemaal gelukkig kan maken. Maar wat wel als een paal boven water staat, is dat ouders hun kinderen heel óngelukkig kunnen maken. Hij sloeg ons nooit, ook niet zachtjes, niemand van ons, hij was wat ze in Medellín een *alcahueta* noemen, een lobbes. Als ik hem iets te verwijten heb, dan is het dat hij een buitensporige liefde voor mij aan de dag heeft gelegd, hoewel ik niet zeker weet of er in de liefde wel zoiets als buitensporigheid bestaat. Misschien ook wel, want er zijn ook ziekelijke liefdes, en bij ons thuis lachten we altijd om een van de eerste zinnetjes die ik zei toen ik nog maar nauwelijks praten kon: 'Pappie, je moet me niet zo aanbidden!'

Toen ik vele jaren later *Brief an den Vater* van Franz Kafka las, dacht ik: ik zou net zo'n brief kunnen schrijven, maar dan omgekeerd, precies het tegenovergestelde, met situaties die daar lijnrecht tegenover staan. Ik was niet bang voor mijn vader, ik was vertrouwelijk met hem. Hij was geen tiran, maar tolerant tegenover mij. Door hem voelde ik me niet zwak, maar sterk. Hij vond niet dat ik dom was, maar briljant. Zonder dat hij een verhaal, laat staan een boek, van me gelezen had, alsof hij mijn geheim geraden had, vertelde hij aan iedereen dat ik een schrijver was. Maar dat maakte me kwaad, omdat hij als feit voorstelde wat alleen maar een droom was. Hoeveel mensen zullen er zijn die kunnen zeggen dat ze de vader hadden die ze zich zouden wensen als ze opnieuw geboren werden? Ik.

Nu denk ik dat je na verloop van jaren alleen de hardheid van het leven kunt verdragen als je ouders je in je jeugd veel liefde hebben gegeven. Zonder de overdreven liefde van mijn vader zou ik veel minder gelukkig zijn geweest.

Veel mensen klagen over hun ouders. In mijn stad hebben ze een navrant gezegde: 'Een moeder, daar heb je er maar één van, maar een vader, dat kan elke klootzak zijn.' Ik kan misschien nog instemmen met het eerste – het is een citaat uit een tango – hoewel ik, zoals ik al heb uitgelegd, wel zes moeders had. Maar met het tweede deel van dat spreekwoord kan ik niet instemmen. Integendeel, ik denk dat ik zelfs te veel vader had. Hij was, en hij is in zekere zin nog steeds, een constante aanwezigheid in mijn leven. Nu nog gehoorzaam ik hem, hoewel niet altijd (hij leerde me ook ongehoorzaam te zijn als het nodig was). Als ik iets moet beoordelen wat ik gemaakt of gedaan heb, of wat ik ga maken of doen, dan probeer ik me altijd voor te stellen wat mijn vader ervan zou denken. Veel morele dilemma's heb ik eenvoudig opgelost door zijn vitale levensinstelling in mijn herinnering terug te roepen, zijn voorbeeld en de dingen die hij zei.

Dit alles wil niet zeggen dat hij ons nooit een standje gaf. Zijn stem donderde als hij kwaad werd en hij sloeg met zijn vuist op tafel als we morsten of iets doms zeiden onder het eten. In het algemeen was hij heel toegeeflijk tegenover onze zwakheden wanneer hij ze als een ongeneeslijke ziekte beschouwde. Maar hij was totaal niet inschikkelijk als hij vond dat we beter konden. Als hygiënist duldde hij niet dat we niet proper waren op ons lijf en we moesten van hem onze handen wassen en onze nagels schoonmaken, bijna op de rituele manier van een chirurg voor hij aan een operatie begint. Bovenal stoorde het hem enorm als we geen blijk gaven van sociaal bewustzijn en niets wisten van het land waarin we woonden. Op een dag, toen hij ziek was en niet naar de universiteit kon, klaagde hij dat veel studenten een buskaartje zouden kopen en voor niets naar college kwamen.

Ik zei tegen hem: 'Waarom bel je ze niet op om ze te waarschuwen?'

Hij werd witheet van woede. 'In welk deel van de wereld denk je dat je leeft? In Europa? In Japan? Of dacht je dat iedereen hier in net zo'n buurt woont als wij? Weet je niet dat er in Medellín hele wijken zijn waar zelfs geen stromend water is, en dan dacht jij dat ze telefoon hadden?'

Ik herinner me nog heel goed een andere woedeaanval van hem, een even harde als onvergetelijke les. Samen met een groepje jongens uit de buurt (ik zal zo'n tien, twaalf jaar oud geweest zijn) nam ik een paar keer deel aan een soort vandalistische expedities, een Kristallnacht in miniatuur. Schuin tegenover ons woonde een joods gezin, de familie Manevich. En de leider van onze buurt, een opgeschoten jongen die de baard al in de keel kreeg, zei tegen ons dat we stenen naar het huis van de joden gingen gooien en scheldwoorden roepen. Ik sloot me bij de bende aan. De stenen waren niet erg groot, het waren meer kiezelsteentjes die we van de straatkant opraapten en die alleen maar van de ruiten ketsten, zonder ze te breken. Daarbij schreeuwden we iets waarvan ik nooit geweten heb waar het vandaan kwam: 'De joden eten brood! De joden eten brood!' Ik neem aan dat het te maken had met een cultureel pleidooi voor de *arepa**. Op een dag, terwijl we daarmee bezig waren, kwam mijn vader van kantoor en zag en hoorde wat we deden. Hij stapte ziedend uit de auto, greep me met een voor mij ongekende kracht bij de arm en bracht me naar de deur van de familie Manevich.

'Zoiets doe je niet! Nooit! En nu gaan we meneer Manevich roepen en bied jij je verontschuldigingen aan.'

Hij belde aan en een meisje deed open, beeldschoon en hoog-

* Maïskoekje.

hartig, en na een poosje kwam meneer César Manevich, stug en afstandelijk.

'Mijn zoon wil zijn verontschuldigingen aanbieden, en ik verzeker u dat het nooit meer zal gebeuren', zei mijn vader.

Hij kneep in mijn arm en ik zei met neergeslagen ogen: 'Neemt u mij niet kwalijk, meneer Manevich.' 'Harder!' drong mijn vader aan en ik herhaalde met luidere stem: 'Neemt u mij niet kwalijk, meneer Manevich!' Meneer Manevich knikte, gaf mijn vader een hand en deed de deur dicht. Dat was de enige keer dat een afstraffing van mijn vader een merkteken op mijn lichaam had achtergelaten: een schram van zijn nagel op mijn arm. En het was een teken dat ik verdiende en waar ik me nog voor schaam, na alles wat ik daarna dankzij hem te weten ben gekomen over de joden, en ook omdat ik mijn stomme en primitieve daad niet op eigen initiatief deed, niet omdat ik goed of kwaad dacht over de joden, maar enkel en alleen om erbij te kunnen horen, en misschien komt het daardoor dat ik, toen ik volwassen werd, alle groepen, partijen, verenigingen en massabijeenkomsten meed, al dat crapuul dat ervoor kan zorgen dat ik ophoud als individu te denken en deel word van de massa en beslissingen neem, niet op grond van persoonlijke overwegingen, maar op grond van de zwakheid die voortkomt uit de behoefte om bij een groep, een kudde te horen.

Toen we thuiskwamen van de familie Manevich sloot mijn vader – zoals altijd gebeurde op belangrijke momenten – zich met mij op in de bibliotheek. Hij keek me recht in de ogen en zei dat er nog steeds een plaag in de wereld heerste die antisemitisme heette. Hij vertelde me wat de nazi's nog maar krap vijfentwintig jaar geleden met de joden hadden gedaan en dat alles uitgerekend was begonnen met het ingooien van ruiten, tijdens die verschrikkelijke Kristallnacht. Daarna liet hij me een paar schokkende beelden zien van de concentratiekampen. Hij vertelde me dat zijn beste vriendin en medestudente Klara Gottman, de eerste vrouwelijke arts die afstudeerde aan de universiteit van Antioquia, joods was en dat de joden de mensheid een aantal van de grootste genieën van de afgelopen eeuw hadden geschonken, op het gebied van de natuurkunde, de medische wetenschap en de literatuur. Dat als zij er niet geweest waren er veel meer lijden en minder geluk in de wereld zou zijn. Hij herinnerde me eraan dat Jezus zelf een jood was, dat veel inwoners van Antioquia – en misschien wijzelf wel – joods bloed in de aderen hadden, want in Spanje werden ze gedwongen zich te bekeren, en dat ik de plicht had ze allemaal te respecteren, te behandelen als ieder ander menselijk wezen, of beter nog, want de joden behoorden tot de volkeren – net als de indianen, de negers en de zigeuners – die de afgelopen eeuwen het meeste onrecht in de geschiedenis te verduren hadden gehad. En dat, als mijn vrienden doorgingen met die barbaarse activiteit, ik me nooit meer op straat met ze moest inlaten. Maar mijn buurjongens, die van de overkant van de straat getuige waren geweest van het voorval, onthielden zich verder, alleen al door het zien van 'de woede van doctor Abad', van stenen gooien of scheldwoorden roepen naar het huis van de familie Manevich.

5

Toen ik naar de kleuterschool ging, waar strenge regels golden, voelde ik me verstoten en misdeeld. Net alsof ze me in de gevangenis hadden gezet terwijl ik niets misdaan had. Ik haatte de school: het in de rij staan, de schoolbanken, de bel, de lestijden, de dreigementen van de nonnen als er maar even een schaduw van blijdschap of een vleugje vrijheid over ons gleed. Mijn eerste school, Maria Opdracht – waar mijn moeder op gezeten had en waar al mijn zussen op zaten – was een nonnenschool. Het was een meisjesschool, maar in de twee kleuterschoolklassen lieten ze ook jongetjes toe, al waren we een zeldzame minderheid. Meer nog: ik herinner me geen enkel ander jongetje onder mijn klasgenoten, zodat die nonnenschool voor mij een soort voortzetting was van bij ons thuis: vrouwen, vrouwen en nog eens vrouwen, met als enige uitzondering de bus, waar we de chauffeur hadden en nog een ander jongetje. Alleen in de bus zat ik naast een jongetje. Allebei waren we gekleed in een wit overhemd met donkerblauwe korte broek, en we zaten op de achterste banken, en ik herinner me nog dat het jongetje de hele rit, vanaf het moment van instappen tot we bij school kwamen, zijn piemeltje uit een van zijn broekspijpen haalde en het onophoudelijk kneedde en krabde en eraan trok. Idem dito op de terugrit, van school totdat de bus voor zijn huis stopte. Ik keek er sprakeloos naar, ik durfde niets te zeggen, want ik begreep er niets van, en ik begrijp het nog steeds niet, al ben ik het nooit vergeten.

Elke ochtend wachtte ik bij de voordeur op de schoolbus, maar als de neus van de bus om de hoek verscheen, kromp mijn hart ineen en snelde ik als een haas naar binnen.

'Waar ga je naartoe?' schreeuwde zuster Josefa woedend terwijl ze me bij mijn bloes probeerde te pakken.

'Ik kom zo. Ik ga afscheid nemen van papa', antwoordde ik vanaf de onderste traptreden.

Ik ging naar boven naar zijn kamer, liep de badkamer in (op dat tijdstip stond hij zich te scheren), sloeg mijn armen om zijn benen en begon hem te kussen en, naar ik aanneem, afscheid van hem te nemen. De afscheidsceremonie duurde zo lang dat de buschauffeur het toeteren en wachten moe werd. Tegen de tijd dat ik naar beneden kwam was de bus weg en hoefde ik niet meer naar Maria Opdracht. Weer een dag respijt. Josefa, de non, werd boos, ze zei dat er van die jongen nooit iets terecht zou komen, als ze zo doorgingen met hem te bederven. Maar mijn vader antwoordde haar schaterlachend: 'Maak je niet zo druk, zuster. Alles op zijn tijd.'

Dat tafereel herhaalde zich zo vaak dat mijn vader zich uiteindelijk met mij in de bibliotheek opsloot, me recht in de ogen keek en heel ernstig vroeg of ik echt nog geen zin had om naar school te gaan. Ik zei van nee en meteen werd mijn gang naar de school een jaar uitgesteld. Het was geweldig, het was zo'n grote opluchting voor me dat ik me nu nog, veertig jaar later, licht in het hoofd voel als ik eraan terugdenk. Was het verkeerd? Ik kan verzekeren dat ik het jaar daarop geen dag meer thuis wilde blijven en dat ik van toen af aan niet één schooldag meer miste, behalve als ik een keertje ziek was, en in al de jaren op de lagere en de middelbare school en de universiteit heb ik nooit voor een vak een onvoldoende gehaald. 'De beste opvoedkundige methode is gelukkig zijn', zei mijn vader nogmaals, misschien met een overdaad aan optimisme, maar hij zei het omdat hij er echt in geloofde.

In mijn eerste, onderbroken jaar miste ik haast altijd de bus door eigen schuld, maar het jaar daarop geen enkele keer. Of liever gezegd: ik miste hem één keer en die keer zal ik nooit vergeten. Ik herinner me dat ik een paar weken nadat ik weer naar dezelfde nonnenschool was gegaan – de tweede poging om me van huis te spenen – 's morgens had lopen talmen, ik had een hele tijd zitten genieten van de dooier van mijn gebakken ei en de bus vertrok zonder mij. Ik zag hem de hoek omgaan en ik rende erachteraan, maar niemand hoorde me roepen. Niemand in huis had gemerkt dat ik de bus had gemist en ik wilde niet meer terug, zodat ik besloot te gaan lopen. De school van de Zusters van Maria Opdracht, waar de kleuterschool onderdeel van was, stond in het centrum, in Ayacucho, vlak bij de Sint-Jozef-kerk, waar nu het hoofdbureau van politie is. Ik liep de Carrera 78 uit, waar wij woonden, naar Avenue 33 en vervolgde mijn weg naar het centrum, met slechts een vaag idee waar het was.

Toen ik het verkeersplein van Bulerías overstak, toeterden de auto's en werd ik bijna aangereden door een taxi, die me keihard remmend met piepende banden ontweek. Ik zweette met mijn leren tas over mijn schouder en liep zo hard ik kon langs de kant van de straat. Bulerías was een bijna onoverkomelijk obstakel geweest, maar dat had ik overwonnen en ik ging door, in de richting van de rivier, waar ik dacht dat de bus langskwam. Toen ik de brug over de rivier de Medellín overstak, naast de Cerro Nutibara, stond ik even stil om uit te rusten en tussen de spijlen van de brugleuning naar het stromende water te kijken. Dat was de rivier waarin ik van plan was me te storten als mijn vader zou komen te overlijden, en nog nooit had ik hem van zo dichtbij gezien, zo vuil, zo onheilspellend. Ik had al bijna geen adem meer over, maar ik begon opnieuw te lopen, langs de kant van de straat. Op datzelfde moment – ik verbeeld me nu nog dat ik het hoor – remde er vlak bij me weer een auto met gierende banden. Alweer een taxi die me ging overrijden? Nee, het was een man in een Volkswagen die zei dat hij René Botero heette en die uit het raampje naar me riep: 'Wat doe je daar, jongen, waar ga je naartoe?' 'Naar school', zei ik tegen hem en hij antwoordde boos: 'Stap in, dan breng ik je wel, je wordt hier nog overreden door een auto, of anders word je bestolen!' De school van Maria Opdracht was nog heel wat kilometers ver weg en in het kwartier dat de rit duurde, spraken we geen woord met elkaar.

Die middag, nadat meneer Botero zich over het voorval bij mijn moeder had beklaagd, las zij mij danig de les. Ze zei dat ik gek was om alleen naar het centrum te willen gaan, zonder zelfs maar de weg te kennen. Aan de overkant van de rivier, waarschuwde ze me, zou ik in Barrio Triste* terechtgekomen zijn en daar zou ik onherroepelijk zijn verdwaald, en als René Botero niet langs was gekomen, een man uit onze buurt, dan zou ik het niet na hebben kunnen vertellen. Naderhand, in plaats van me de les te lezen, vertelde mijn vader me nog iets anders.

'Als je ooit weer de bus mocht missen, het maakt niet uit wanneer of om welke reden, ook al is het je eigen schuld, dan vraag je maar aan mij of ik je wil brengen, en dan breng ik je. Te allen tijde. En als ik je niet kan brengen, dan ga je die dag maar niet naar school en blijf je thuis. Het maakt ook niet uit: je gaat lezen en dan leer je nog meer.'

Zelfstandig worden was voor mij een erg langdurig proces. Op mijn achtentwintigste, toen ze mijn vader vermoordden, werd ik nog steeds af en toe door hem of door mijn moeder financieel ondersteund, terwijl ik toen al vijf jaar samenwoonde met mijn eerste vrouw en een dochter had die net leerde lopen. Toen ik op drieëntwintigjarige leeftijd mijn Italiaanse vriendin Barbara volgde en in Turijn ging studeren, schreef ik mijn vader een bezorgde brief over het feit dat hij me nog steeds moest onderhouden. Ik bewaar zijn antwoord nog, gedateerd 30 juni 1982 (ik was twee weken daarvoor naar Europa vertrokken), waarin hij schrijft: 'Jouw bezorgdheid om je langdurige *economische afhankelijkheid* deed me denken aan mijn colleges antropologie, waar ik leerde dat, hoe meer geëvolueerd een diersoort is, des te langer de kindertijd en de adolescentie duren. En ik meen dat onze *familiesoort* in alle opzichten behoorlijk geëvolueerd

---

* Letterlijk: Treurige Buurt.

is. Ook ik was tot mijn zesentwintigste *afhankelijk*, maar daar maakte ik me eerlijk gezegd nooit zorgen om. Je kunt gerust zijn dat, zolang je nog studeert en werkt zoals je doet, jouw *afhankelijkheid* voor ons geen last is maar een zeer aangename plicht, die we met heel veel genoegen en trots vervullen.'

6

Mijn vader en ik hadden een affectie voor elkaar (ook nog eens fysiek) die veel van onze familieleden schandalig, haast ziekelijk vonden. Sommigen zeiden dat mijn vader een homo van me maakte met al die verwennerij. En mijn moeder hield zich, misschien ter compensatie, liever met mijn vijf zussen bezig en behandelde me streng doch rechtvaardig (nooit onbillijk, niet overdreven goed of slecht, altijd evenwichtig), maar besteedde veel meer tijd en aandacht aan mijn zussen dan aan mij. Misschien kwam het omdat ik het enige jongetje was, en het vijfde kind, dat mijn vader een voorliefde voor mij koesterde, of misschien was het wel andersom en werd hij doordat ik een voorliefde voor hem had tot zijn voorkeur verleid, want ouders houden niet van al hun kinderen evenveel, ook al zeggen ze van wel. Om precies te zijn houden ouders meestal meer van de kinderen die van henzelf houden, dat wil zeggen dat ze in wezen meer van die kinderen houden die hun ouders harder nodig hebben. Bovendien (ik zal nooit zeggen dat hij volmaakt was) gedroeg hij zich met zijn voorliefde voor mij – vooral vanwege het feit dat hij veel meer tijd vrijmaakte voor serieuze gesprekken met mij en om me dingen te leren – zeer onrechtvaardig en als een echte macho ten opzichte van sommige zussen van mij.

De overige familieleden, hoewel ik niet geloof dat ze er veel belang aan hechtten, bekeken dit alles met scheve ogen. Het huizenblok waarin wij woonden werd gekoloniseerd door de familie Abad. Wij woonden aan het eind van de Calle 34A op de hoek met de Carrera 79; naast ons was het huis van oom Bernardo, en daar weer naast woonde oom Antonio, en op de andere hoek, met de Carrera 78, was het huis van onze grootouders van vaderszijde, Antonio en Eva, die er met een dochter woonden, tante Inés, die weduwe was, en met een andere dochter, tante

Merce, die ongetrouwd was, en nog wat verre familieleden die zich daar tijdelijk hadden gevestigd: neef Martín Alonso, die uit Pereira kwam en een hippiekunstenaar en hasjroker was en die later twee onderhoudende romans schreef; oom Darío, in de tijd dat zijn vrouw bij hem was weggelopen; neef Raúl en nicht Lyda voordat ze trouwden; de neven Bernardo en Alonso en nicht Olga Cecilia, die wees waren; en nog zo wat meer.

Mijn ooms of mijn grootvader – voorzover ik me kan herinneren – kusten hun zonen nooit, of alleen heel af en toe, want dat was niet gebruikelijk in de harde, ruige bergen van Antioquia, waar zelfs het landschap bars is. Mijn grootvader had mijn vader opgevoed zonder uiterlijke tekenen van affectie, met de zweep en met harde hand, en zo gedroegen ook mijn ooms zich tegenover mijn neven (met de vrouwen gingen ze wat minder ruw om). Mijn vader vergat nooit de keer dat mijn grootvader hem sloeg met de leren teugels van het paard dat hem had afgegooid, tien zweepslagen – 'opdat je leert een paard als een man te bestijgen' – en ook niet de keren dat hij hem midden in de nacht de wei in stuurde om de beesten op stal te zetten, zomaar, alleen om hem zijn angst voor het donker af te leren 'en hem te harden'. Ze wisselden geen liefkozingen uit en raakten elkaar niet aan, tussen hen geen spoor van toegeeflijkheid, en als het al eens tot een uiting van broederlijke affectie kwam, dan was die voorbehouden voor de laatste dag van het jaar, aan het eind van de eet- en slemppartij, na een hele rits aguardientes die het gemoed verzachtten. Allemaal vousvoyeerden ze elkaar en bewaarden in hun spraak een zekere ceremoniële distantie. Het tonen van affectie tussen mannen was over de rand van aanstellerij, het was homogedoe, en daverende schouderkloppen en krachttermen waren de enige toegestane uitingen van diepe vriendschap. Grootmoeder Eva zei dat het 'volslagen onmogelijk was jongetjes op te voeden zonder de zweep en de duivel', en dat liet ze ook mijn moeder weten, die geen van beide gebruikte. Mijn grootvader zei weleens over mij: 'Die jongen ontbeert een harde hand.' Maar dan antwoordde mijn vader: 'Als hij die nodig heeft, dan geeft het leven hem die wel, want het leven is per slot van rekening hard voor ons allemaal; om te lijden is het leven meer dan genoeg, daar ga ik niet bij helpen.'

Nu ik erbij stilsta, geloof ik niet dat grootvader Antonio minder verwend was dan ik, wat hij ook zei. Soms ging ik op zondag bij hem langs, of op maandagmiddag, om de zak met spullen op te halen die hij voor elk van zijn kinderen meebracht van de boerderij in de streek Suroeste van Antioquia: cassave, limoenen, eieren, kazen in heliconiabladeren, en vooral grapefruits, hele bergen grapefruits, die mijn grootvader 'pompelmoezen' noemde en waaraan hij wondere krachten toeschreef, met name – zoals ik later begreep – de werking van een afrodisiacum. Als ik de zak ging ophalen, trof ik vaak oma Eva aan die voor hem op haar knieën zat om zijn schoenen uit te trekken. Altijd deed ze hetzelfde, 's morgens en 's middags, als hij terugkwam van de veemarkt, waar hij als tussenhandelaar werkte, of van zijn veehandelskantoor: ze knielde voor hem neer, trok zijn schoenen uit en deed hem zijn pantoffels aan, als in een onderwerpingsritueel. Oma Eva moest 's morgens ook zijn kleren uit de kast halen en op bed klaarleggen, in de volgorde waarin opa ze aantrok: onderbroek, sokken, overhemd, broek, riem, stropdas, colbertje en witte zakdoek. En als ze ooit vergat zijn kleren uit de kast te halen – of ze in de verkeerde volgorde op bed legde – werd opa ziedend en begon in zijn blote kont te schreeuwen dat hij niet wist wat hij die dag moest aantrekken, sodeju, en wat had je ook aan een vrouw die niet eens zijn kleren voor hem klaar kon leggen.

Zijn kinderen en kleinkinderen hadden allemaal eerbied, vermengd met angst, voor opa Antonio. Hij mat ongeveer één meter vijfentachtig en was de rijkste, de langste en de blankste van de hele familie. Ze noemden hem 'el Mono Abad' omdat hij blond haar had en blauwe ogen. De enige die niet bang voor hem was en de enige die een antwoord had op zijn stelligheden was mijn vader, misschien omdat hij de oudste zoon was en degene die het het verst had geschopt in zijn studie en zijn werk. Er was een zekere afstand tussen hen, alsof er in hun beider verleden iets was geknapt. Meer nog, ik denk dat er in de volmaakte vorm waarmee mijn vader ons behandelde een stil protest school tegen de behandeling die hij had ondervonden van zijn eigen vader, en tegelijk het doelbewuste voornemen zijn kinderen nooit te behandelen zoals hij zelf was behandeld. Als ik de zak met de cassaves, de kazen en de pompelmoezen oppakte en vertrok, riep opa me na: 'Kom, m'n jong!' en dan haalde hij een leren beurs uit zijn zak en begon met halfopen mond te snuiven terwijl hij zorgvuldig de kleinste muntjes uitzocht, waarvan hij me er, zonder het zorgelijk snuiven te staken, twee of drie gaf: 'Hier, koop daar maar iets voor, m'n jong, of liever, doe het maar in je spaarpot.' Grootvader had zijn hele leven lang gespaard en een zeker fortuin vergaard met zijn veebedrijf in Suroeste en met dieren die hij liet grazen op grote landerijen aan de Atlantische kust. Bij zijn duizendste vleeskalf gaf hij een groot feest, met bruine bonen, aguardiente en kaantjes, en iedereen die wilde kon zich te goed doen. Na zijn dood zijn we er nooit achter gekomen waar die duizend vleeskalveren gebleven waren. Mijn ooms, die ook veehandelaar waren en met hem op de veemarkt werkten, zeiden dat het er zo veel niet waren.

Drie of vier keer per jaar ging ik met opa mee naar La Inés, de veeboerderij die hij van zijn ouders had geërfd, in Suroeste, tussen Puente Iglesias en La Pintada. We gingen 's morgens vroeg weg in een rode Ford pick-up, met oom Antonio achter het stuur, ik in het midden, en opa rechts bij het raampje. Hij droeg een *carriel* (een heuptas) van otterbont, die in Jericó gemaakt was, het dorp waar zowel hij als mijn vader geboren was, en altijd op zeker moment tijdens de reis liet hij me de revolver met zes kogels zien die hij daarin had zitten, 'voor het geval dat'. De *carriel* had ook een geheim vakje waar hij een pak bankbiljetten in gestopt had om het tweewekelijkse loon van de opziener en de landarbeiders te betalen. Dat was nóg een verschil tussen mijn opa en mijn vader, want don Antonio was altijd gewapend, terwijl mijn vader een afkeer had van wapens en ze zijn leven lang nog niet eens wilde aanraken. Als we 's avonds inbrekers in huis hoorden, ging mijn vader naar de badkamer, pakte een nagelschaartje en kwam naar buiten, al roepend: 'Wat moet je, zeg op, wat moet je, zeg op!' En ook brandde hem het geld in de zak, reden waarom ik bij hem nooit zulke dikke pakken bankbiljetten heb gezien. Ik heb van hem dezelfde aversie tegen wapens geërfd, of geleerd, en dezelfde moeite om geld in mijn zak te houden, hoewel mijn motieven egoïstischer zijn, want ik koop er liever iets voor dan dat ik het weggeef. Bij mijn grootvader thuis zeiden ze dat er twee soorten intelligentie waren: 'de goede' intelligentie en 'die andere', waarvan weliswaar niet gezegd werd dat ze slecht was, maar je snapte het wel, want 'de goede' intelligentie (waarover een paar ooms en neven van me beschikten), daarmee verdiende je geld, terwijl 'die andere' alleen maar diende om de zaken ingewikkelder en het leven gecompliceerder te maken.

Om bij La Inés te komen moesten we nog een half uur te paard, en de landarbeiders stonden ons aan de kant van de weg op te wachten, naast een groot gebouw dat ze 'de garages' noemde (omdat daar de auto's in werden gestald), met een stoet muilezels, een os en een stel gezadelde paarden. Ze wisten dat ze elke donderdag om tien uur 's morgens daar klaar moesten staan, en als de rit niet doorging, werd er een boodschap omgeroepen op Radio Santa Bárbara: 'Mededeling voor de opziener van La Inés in Palermo: ga deze donderdag niet naar de weg, want don Antonio komt niet.' Als we op weg gingen, vroeg ik aan opa Antonio op welk paard ik moest rijden en dan antwoordde hij altijd hetzelfde: 'Op Overblijfje, m'n jong. Op Overblijfje.'

Het vreemde voor mij was dat Overblijfje altijd een andere gang en een andere vacht had, en pas veel later kwam ik erachter wat opa eigenlijk bedoelde, toen mijn neef Bernardo, die een beetje ouder en veel minder naïef was dan ik, het me uitlegde.

'Stommeling! Overblijfje bestaat niet. Wat opa wilde zeggen was dat kinderen niks te kiezen hebben, maar dat ze op het paard moeten rijden dat overblijft.'

We bleven in La Inés tot zaterdagmiddag, en overdag vermaakte ik me met koeien melken, paardrijden, de beesten tellen met de punt van de zweep, kijken naar het castreren van de stierkalveren en de veulens, naar het onderdompelen van de runderen in een desinfecterende vloeistof om ze van teken te ontdoen, naar het insmeren van de gezwollen koeienuiers met methyleenblauw, of het brandmerken van kalveren met roodgloeiende ijzers. Ook ik dompelde me onder, maar zonder insecticide, in een waterval van ongeveer twee meter hoog in de bergkloof die ze 'de waterval van papa Félix' noemden. Papa Félix was de grootvader van mijn opa en de waterval was naar hem genoemd omdat hij, volgens de overlevering, twee keer per jaar uit Jericó kwam, in de paasweek en met Kerstmis, voor de twee enige keren in het jaar dat hij in bad ging.

Al die bezigheden overdag vond ik verrukkelijk, maar als de avond viel, als het begon te schemeren, werd ik bevangen door een naamloos verdriet, een soort heimwee naar overal als het maar niet La Inés was, en dan ging ik in een hangmat naar de ondergaande zon liggen kijken en luisteren naar het troosteloze sjirpen van de krekels terwijl ik stilletjes huilde en aan mijn vader dacht, met een heimwee die mijn hele lijf doortrok. Tegelijkertijd luisterde mijn grootvader naar de tergende dreun van een nieuwszender die de duisternis leek aan te trekken, terwijl hij puffend van de warmte in een stoel op de galerij voor het huis zat, onophoudelijk schommelend op het ritme van mijn wanhoop.

Als de nacht was gevallen, gaf mijn grootvader opdracht de generator aan te zetten, een Pelton-waterturbine die door de waterval werd aangedreven. Dat monotone, constante bonken dat de lichtpeertjes slechts van een flikkerend, bleek licht wist te voorzien, was voor mij het zoveelste symbool van troosteloze verlatenheid. Die verschrikkelijke aandoening van kinderen die hun ouders missen noemen ze in de stad waar ik vandaan kom *mamitis*, maar ik gaf er stiekem een andere naam aan, die voor mij veel nauwkeuriger uitdrukte wat ik voelde: *papitis*. Want de enige persoon die ik in mijn leven miste, zo erg dat ik ervan moest huilen in die lange donkere nachten van La Inés, was mijn vader.

Als we zaterdags tegen de avond naar Medellín terugkeerden, zat mijn vader me al in het huis van opa Antonio op te wachten. Hij onthaalde me op luide schaterlachen, uitroepen, klapzoenen en verstikkende omhelzingen. Na die begroeting legde hij zijn handen op mijn schouders, ging op zijn hurken voor me zitten, keek me recht in de ogen en stelde me de vraag waarmee hij mijn grootvader het meest op de kast joeg: 'Zo, lieve jongen, en vertel eens, hoe heeft opa zich gedragen?'

Hij vroeg niet aan mijn grootvader hoe ik me had gedragen, maar liet mij de rechter zijn over die tripjes. Ik antwoordde altijd hetzelfde: 'Heel netjes', en dat maakte de verontwaardiging van opa alleen maar groter. Maar één keer maakte ik – een jongetje van zeven jaar – een draaibeweging met mijn hand, het gebaar van 'zo-zo'.

'Zo-zo? Waarom?' vroeg mijn vader met grote ogen van schrik en plezier tegelijk.

'Omdat ik van hem maïspap moest eten.'

Grootvader snoof verontwaardigd en voegde me een waar woord toe, dat ik me dien aan te trekken en dat slaat op een van de ergste gebreken in mijn leven: 'Ondankbare!' Maar mijn vader gaf hem geen gelijk, nee, hij schaterlachte vrolijk, pakte mij bij de hand, en tevreden gingen we naar huis om in de bibliotheek te gaan lezen, of hij nam me mee naar El Múltiple voor een vanille-ijsje met rozijnen, 'om je de smaak van maïspap te doen vergeten'. Later thuis vertelde hij mijn zussen over het gebaar dat ik naar opa had gemaakt en dan draaide hij met zijn hand en lachte daverend om het gezicht dat don Antonio had getrokken. Thuis hoefde ik nooit iets te eten wat ik niet lustte en tegenwoordig eet ik alles. Behalve maïspap.

7

Lijden is niet iets wat ik uit eigen ondervinding of van huis uit heb leren kennen, maar bij anderen. Want mijn vader vond het belangrijk dat wij, zijn kinderen, wisten dat niet iedereen zo gelukkig en zo goed af was als wij, en hij vond het nodig dat wij van kleins af aan getuige waren van de ellende die veel Colombianen te verduren hadden, bijna altijd gebreken en ziekten die te maken hadden met armoede. Mijn vader ging soms weekenden, als hij toch geen colleges hoefde te geven, in de armenwijken van Medellín werken. Ik herinner me nog dat er op zeker moment, toen ik nog heel klein was, een lange, oude, alleraardigste Amerikaan met grijs haar bij ons thuis kwam, doctor Richard Saunders, die samen met mijn vader had besloten een programma op te zetten dat hij had ontwikkeld in een aantal Afrikaanse en Latijns-Amerikaanse landen. Het programma heette 'Future for the Children' ('Toekomst voor de kinderen'). Die aardige Amerikaan kwam om het half jaar, en als hij arriveerde (hij bleef een paar weken bij ons logeren), zette ik het Amerikaanse volkslied op om hem te verwelkomen. Wij hadden thuis een plaat met de belangrijkste volksliederen van de hele wereld, allemaal voor orkest, van de Stars and Stripes en de Internationale tot het volkslied van Colombia toe, dat het lelijkste was van allemaal, ook al zeiden ze op school dat het het op een na mooiste was, na de Marseillaise.

De logeerkamer bij ons thuis heette 'de kamer van doctor Saunders' en de fijnste lakens in huis – ik zie ze nog voor me: pastelblauwe – waren 'de lakens van doctor Saunders', omdat ze alleen gebruikt werden als hij kwam. Als doctor Saunders er was, werd het porseleinen servies tevoorschijn gehaald, alsmede de linnen servetten en tafelkleden die door mijn grootmoeder geborduurd waren, en het zilveren bestek: 'het servies van doctor Saunders', 'het tafelkleed van doctor Saunders' en 'het bestek van doctor Saunders'.

Doctor Saunders en mijn vader spraken Engels met elkaar en ik zat verrukt naar die onbegrijpelijke klanken en woorden te luisteren. De eerste Engelse uitdrukking die ik leerde was *it stinks*, want dat hoorde ik doctor Saunders heel duidelijk zeggen, ik herinner het me nog goed, toen we de brug van de Calle San Juan over de rivier de Medellín overstaken. Hij mompelde het met pijnlijke verontwaardiging toen een bus recht in ons gezicht een dikke vieze zwarte rookwolk uitbraakte.

'Wat betekent *it stinks*?' vroeg ik. Zij lachten en doctor Saunders verontschuldigde zich, want, zo zei hij, het was een lelijk woord.

'Zoiets als *hediondo* ("walgelijk"),' zei mijn vader.

Zo leerde ik twee woorden in één klap, een in het Engels en een in het Spaans.

Mijn vader nam mij en doctor Saunders mee naar de armste krottenwijken van Medellín (maar hij ging ook vaak met mij alleen, als doctor Saunders naar huis in Albuquerque, in de Verenigde Staten, was teruggekeerd). Bij aankomst belegden ze een bijeenkomst met alle leidende figuren in de buurt, en mijn vader tolkte als doctor Saunders zijn ideeën uiteenzette over gemeenschapswerk waarmee ze hun levensomstandigheden konden verbeteren. Ze kwamen bij elkaar op een straathoek, of in de pastorie, als de pastoor het goed vond (niet allemaal waren ze gediend van dit maatschappelijk werk), en hij praatte op ze in en stelde veel vragen over hun problemen en elementaire behoeften, en mijn vader schreef alles op in een notitieboekje. Vooreerst moesten ze zich organiseren, om op zijn minst goed drinkwater te krijgen, want de kinderen gingen dood aan diarree en ondervoeding. Ik zal vijf of zes jaar geweest zijn, en mijn vader zette mij naast andere kinderen van mijn leeftijd, of zelfs oudere, om aan de buurtleiders te laten zien dat sommige kinderen mager waren, heel klein en ondervoed, en dat ze zo niet goed konden leren. Hij kleineerde ze niet, hij motiveerde ze om in actie te komen. Hij mat de schedelomtrek van pasgeboren baby's, die hij in tabellen noteerde, en nam foto's van magere kindertjes met bolle buikjes van de parasieten, om ze daarna in zijn colleges op de universiteit te tonen. Hij vroeg ook om de honden en de varkens te mogen zien, want als die dieren zo uitgemergeld waren dat hun ribben te zien waren, dan wilde dat zeggen dat er in de huizen geen kruimeltje eten over was en dat ze honger leden. 'Zonder voeding kun je niet eens zeggen dat we allemaal gelijk geboren worden, want die kinderen hebben al een achterstand als ze op de wereld komen', zei hij.

Soms gingen we verder weg, naar een paar dorpen, en af en toe werden we vergezeld door het hoofd van de vakgroep Architectuur van de Universidad Pontificia, doctor Antonio Mesa Jaramillo, die technische voorlichting gaf over hoe je een goed werkende watertank moest bouwen en hoe je de waterleidingen naar de huizen aan moest leggen, want drinkwater was de eerste prioriteit. Daarna kwamen de latrines ('voor de adequate afvoer van excrementen', zoals mijn vader heel geleerd zei), of zo mogelijk de aanleg van een riolering, die ze gezamenlijk in de weekenden aanlegden. Nog weer later kwamen de inentingscampagnes en voorlichting over hygiëne en eerste hulp in huis, volgens een programma dat mijn vader samen met de intelligentste en ontvankelijkste vrouwen van elke buurt had uitgewerkt en dat vervolgens in heel Colombia werd toegepast onder de naam 'Rurale Gezondheidsbevordering'. Soms werden we opgehaald door een bus van de universiteit, en dan gingen we met al zijn studenten op reis, want hij wilde graag dat ze werkten en leerden tegelijk. Hij ging voor in de bus staan, microfoon in de hand, en zei heel ernstig: 'Het vak van arts leer je niet alleen in ziekenhuizen en laboratoria, door patiënten te zien en weefsels te bestuderen, maar ook op straat, in de wijken, waar we zien waarom en waardoor mensen ziek worden.'

Op een keer voerden ze in Santo Domingo in het hele centrum campagne voor de bestrijding van darmparasieten, met zo'n goed resultaat dat de rioolbuizen verstopt raakten van alle wormen die de plattelandsbevolking in één dag uitpoepte. Thuis bewaarden wij een foto van een van die rioolbuizen, die verstopt zat met een enorme prop wormen, als een klont bruinzwarte spaghetti.

Schoon water was een van de eerste obsessies in het leven van mijn vader, en dat bleef zo tot aan het eind. Toen hij nog medicijnen studeerde, startte hij een volksgezondheidscampagne in een studentenblaadje dat hij in augustus 1945 oprichtte en dat hij iets langer dan een jaar leidde, tot oktober 1946, toen het ophield te verschijnen, misschien omdat hij niet zou hebben kunnen afstuderen als hij ermee was doorgegaan. Het was een maandblad op tabloidformaat met de futuristische naam *U-235*. In een van de eerste nummers, van mei 1946, stelde hij de vervuiling van het water en van de melk in de stad aan de kaak: HET GEMEENTEBESTUUR VAN MEDELLÍN, EEN NATIONALE SCHANDE, kopte de voorpagina, en de ondertitel luidde: 'De waterleiding verspreidt tyfusbacteriën. De melk is ondrinkbaar. De gemeente heeft geen ziekenhuis.' Op grond van deze aanklachten, onderbouwd met cijfers en laboratoriumonderzoek, werd mijn vader uitgenodigd op een openbare zitting van de gemeenteraad van Medellín. Het was de eerste keer dat een eenvoudige student werd toegelaten om zijn aantijgingen in een publiek debat ten overstaan van de verantwoordelijke functionarissen te uiten. Daar, twee avonden achtereen en ten overstaan van de wethouder van volksgezondheid, hield hij een nuchtere, wetenschappelijke uiteenzetting, waar de wethouder geen verweer tegen had en die hij probeerde te saboteren met persoonlijke beledigingen en de gebruikelijke retoriek. Maar de triomf van de rede was onmiskenbaar, en zo bereikte hij, alleen met woorden en exacte cijfers, dat korte tijd later begonnen werd met de aanleg van een fatsoenlijke waterleiding voor de hele stad (de eerste kiem van een systeem waar we nog steeds de vruchten van plukken), met een adequate waterzuivering en een modern leidingnet dat gescheiden was van het rioolwater, want het rioolstelsel was oud en bestond uit poreuze buizen die het drinkwater vervuilden.

Een andere discussie die hij met zijn krantje, en later met zijn doctoraalscriptie, opende ging over de kwaliteit van melk en frisdranken. Hepatitis en tyfus heersten nog in Medellín toen mijn vader met zijn aanklachten kwam. Twee ooms van mijn moeder waren aan tyfus overleden vanwege het slechte drinkwater, en mijn grootmoeder was er ziek van geworden, en ook de vader van opa Antonio was in Jericó aan tyfus gestorven. Misschien dat daar de obsessie van mijn vader met hygiëne en drinkwater vandaan kwam: het was een kwestie van leven of dood, het was een manier om ten minste één onnodig leed te verhelpen in deze wereld die al zo vol is van fataal lijden. Maar de directe aanleiding voor zijn strijd tegen het verontreinigde water was de dood, eveneens als gevolg van tyfus, van een van zijn studievrienden. Mijn vader was getuige geweest van zijn doodsstrijd en zijn overlijden, een jongen met dezelfde idealen als hij, en hij besloot dat dit nooit meer mocht gebeuren in Medellín. Zijn hartstochtelijke aanklachten in het studentenblaadje en zijn gloedvolle betoog voor de gemeenteraad, die sommigen als opruiend kwalificeerden, waren geen politiek spelletje – ook daarvan beschuldigden ze hem – maar een uit het hart gegrepen daad van compassie met het menselijk lijden en van verontwaardiging over het kwaad dat vermeden kon worden met een minimum aan maatschappelijke inspanning. Mijn vader verwoordde het tegenover de medisch historicus Tiberio Álvarez als volgt.

'Ik begon me bezig te houden met sociale gezondheidszorg toen ik zag dat veel kinderen in het ziekenhuis aan difterie overleden en er geen inentingscampagnes werden gehouden. Ik begon na te denken over sociale gezondheidszorg toen een vriend van ons, Enrique Lopera, aan tyfus overleed, en de oorzaak was dat ze geen chloor aan het drinkwater toevoegden. Ook veel mensen in de wijk Buenos Aires, met zijn mooie meisjes, vriendinnen van ons, overleden aan tyfus, en ik wist dat dit te voorkomen was door chloor aan het drinkwater toe te voegen … Ik kwam in opstand in de tijd van *U-235*, en toen die openbare zitting werd gehouden, noemde ik de wethouders *misdadig* omdat ze de mensen aan tyfus lieten doodgaan in plaats van een goede waterleiding aan te leggen. Dat wierp vruchten af, want er volgde een grote campagne voor drinkwater: "Campagne H_2O" geheten, en als gevolg daarvan werd de waterleiding verbeterd en voltooid.'

Je hoeft maar een paar hoofdartikelen in *U-235* te lezen om de sterk romantische inslag van de idealen van die jonge student medicijnen te onderkennen. In elk nummer start hij wel een campagne voor een belangrijke zaak die vrijwel onmogelijk te realiseren was voor een dorpsjongen die nog maar kort tevoren in de hoofdstad van het departement was gearriveerd. Maar hij gebruikte zijn kolommen niet alleen voor zijn eigen drang om te strijden voor idealen die verder reikten dan egoïstische motieven (of die berustten op dat andere, nog diepere egoïsme, dat iemand drijft tot een romantische heroïek vol overgave en zelfverloochening), want hij stelde ze ook beschikbaar voor schrijvers die hem tot zijn idealen inspireerden.

Wellicht het belangrijkste artikel dat in *U-235* werd gepubliceerd stond in het eerste nummer. Het was getekend door de grootste en misschien wel enige filosoof die onze streek ooit heeft voortgebracht: Fernando González. Mijn vader vertelde dat hij al van heel jongs af aan de 'denker van Otraparte' las en dat hij zijn boeken onder het matras verstopte, omdat mijn grootvader ze een keer, toen hij merkte dat zijn zoon ze las, bij het vuilnis had gegooid. Hij was zelf naar Envigado gegaan om aan de maestro te vragen of hij voor het eerste nummer van zijn krantje een artikel over de medische professie wilde schrijven. González stemde toe, en ik denk dat de raadgevingen die hij de medici bij die gelegenheid gaf voor altijd in het geheugen van mijn vader gegrift bleven. Wat Fernando González in dat artikel aanbeveelt, dat was wat mijn vader de rest van zijn leven in praktijk probeerde te brengen.

'Hij die de artsenij onderwijst moet op pad gaan, hij moet observeren, onderzoeken, kijken, luisteren, betasten en alles doen om te genezen, met zijn gevolg van leerlingen die hem de allerhoogste titel toedichten: maestro! ... Jawel, doktertjes: het is geen zaak om goede sier mee te maken en hoge rekeningen te schrijven en pillen te verkopen ... Het is een kwestie van eropuit trekken om te genezen en geneeswijzen te vinden, kortom: van dienstbaar zijn.'

8

Mijn vader vond dat een medicus onderzoek moest doen en het verband zien tussen economische omstandigheden en gezondheid, dat hij zich van een medicijnman moest transformeren tot een sociaal activist en een wetenschapper. In zijn doctoraalscriptie fulmineerde hij tegen de arts als magiër: 'Voor hen moet de medicus de pontifex maximus blijven, hooggeplaatst en machtig, die als een goddelijk wezen goede raad en troost uitdeelt, die liefdadigheid bedrijft aan de nooddruftigen, met het aureool van een door de hemel gezonden priester die op het onverbiddelijke uur van de dood frases prevelt en zijn onkunde verdoezelt met Griekse termen.' Hij werd woedend op medici die tyfus alleen maar wilden 'behandelen' in plaats van voorkomen door middel van hygiënische maatregelen. Hij ergerde zich mateloos aan 'wonderkuren' en 'nieuwe injecties' die medici aan hun 'particuliere patiënten' gaven die dik voor hun consulten betaalden. En dezelfde weerzin voelde hij voor artsen die kinderen 'genazen' in plaats van in te grijpen in de werkelijke oorzaken van hun ziekten, die van maatschappelijke aard waren.

Ik herinner het me niet, maar mijn oudere zussen wel, die hij soms ook meenam naar het ziekenhuis San Vicente de Paúl. Maryluz, de oudste, weet nog heel goed dat hij haar een keer meenam naar het kinderziekenhuis en haar van het ene paviljoen naar het andere sleepte, om een voor een de zieke kinderen te bezoeken. Hij leek wel een gek, een bezetene, vertelde mijn zus, want bij bijna elk patiëntje stopte hij en vroeg: 'Wat heeft dit kind?' En dan antwoordde hij zelf: 'Honger.' En even verderop: 'Wat heeft dit kind?' 'Honger.' 'Wat heeft dit kind? Hetzelfde: honger.' 'En dit hier? Niets: honger. Al deze kinderen hebben alleen maar honger, en een eitje en een glaasje melk per dag zouden genoeg zijn om ervoor te zorgen dat ze hier niet lagen. Maar zelfs dat kunnen we ze niet geven: een eitje en een glaasje melk! Dat niet eens, niet eens! Het is het toppunt!'

Dankzij zijn compassie en zijn idee-fixe van een hygiëne die voor iedereen te realiseren is door middel van voorlichting en openbare voorzieningen, kreeg hij tijdens zijn studie ook voor elkaar – ondanks tegenwerking van de veehandelaren die dachten dat het ze geld ging kosten – dat de melk voordat ze verkocht werd eerst naar behoren gepasteuriseerd diende te worden, want in zijn laboratoriumonderzoek had hij amoeben, tbc-bacillen en fecaliën aangetroffen in de melk die in Medellín en de omringende dorpen werd verkocht. Hij zei dat die ene maatregel van schoon drinkwater en schone melk meer levens redde dan de methode van zieke individuen genezen, die de enige was die de meesten van zijn collega's bereid waren toe te passen, gedeeltelijk om zich te verrijken, en gedeeltelijk om hun prestige als tribale magiërs te vergroten. Hij zei dat de operatiekamers, de ingewikkelde ingrepen, de nieuwste diagnostische technieken (die maar voor een paar mensen waren weggelegd), de specialisten van welke discipline ook, of zelfs de antibiotica – hoe geweldig ze ook waren – minder levens redden dan schoon drinkwater. Hij maakte zich sterk voor het elementaire maar revolutionaire idee (omdat het voor iedereen en niet voor een minderheid gold) dat drinkwater de eerste prioriteit heeft en dat er pas middelen aan andere zaken besteed mogen worden als de hele bevolking gegarandeerd over schoon drinkwater beschikt. 'De epidemiologie heeft meer levens gered dan alle geneeswijzen bij elkaar', schreef hij in zijn doctoraalscriptie. En veel medici hadden een hekel aan hem omdat hij die stelling verkondigde én omdat hij tegen hun grootse projecten was met privéklinieken, laboratoria, diagnostische technieken en specialismen. De aversie was diep, en wellicht begrijpelijk, want de regering was altijd in tweestrijd over de besteding van de openbare middelen, die schaars waren, en als ze waterleidingen aanlegden, dan konden ze geen hypermoderne apparatuur kopen en geen ziekenhuizen bouwen.

En niet alleen sommige medici hadden een hekel aan hem. In de stad werd zijn werkwijze over het algemeen met scheve ogen bekeken. Zijn collega's zeiden: 'Om te doen wat die "medicus" doet, daar heb je geen diploma voor nodig', want voor hen hield het vak van arts uitsluitend in: particuliere patiënten behandelen. De geldmagnaten vonden dat hij, met zijn obsessie voor gelijkheid en sociaal bewustzijn, de armen aanzette tot een revolutie. Als hij naar de gehuchten op het platteland ging en met de boeren praatte over gemeenschapsacties, dan praatte hij te veel over rechten en te weinig over plichten, zeiden zijn critici in de stad. Wanneer hadden ze ooit meegemaakt dat de armen hun stem verhieven? Een vooraanstaand politicus, Gonzalo Restrepo Jaramillo, had in de Club Unión – de meest exclusieve club van Medellín – gezegd dat die Abad Gómez de best gearticuleerde marxist van de stad was en een gevaarlijk links sujet dat gekortwiekt diende te worden. Mijn vader had zijn opleiding genoten aan een pragmatisch instituut in de Verenigde Staten (de universiteit van Minnesota) en had nooit iets van Marx gelezen, en hij haalde Hegel en Engels door elkaar. Om te weten waar ze hem precies van beschuldigden besloot hij ze te gaan lezen, en hij vond lang niet alles onzin: stukje bij beetje, geleidelijk aan, veranderde hij in iets wat leek op de linkse activist die hij volgens hun beschuldigingen was. Aan het eind van zijn leven zei hij dat zijn ideologie een mengelmoes was: christelijk in religieus opzicht, vanwege de aimabele figuur van Jezus met zijn manifeste liefde voor de zwakken; marxist in economisch opzicht, omdat hij een hekel had aan economische uitbuiting en het schandelijk misbruik van het kapitalisme; en liberaal in politiek opzicht, omdat hij geen inbreuk op de vrijheid en geen dictatuur duldde, ook niet die van het proletariaat, want de armen, als ze aan de macht kwamen en ophielden arm te zijn, waren niet minder despotisch en meedogenloos dan de rijken die de macht hadden.

'Jawel, een kruising tussen een paard en een koe, die niet kan draven en die geen melk geeft', zei Alberto Echavarría spottend.

Hij was een hematoloog die met mijn vader had gestudeerd en de vader van Daniel, mijn beste vriend, en Elsa, mijn eerste vriendin.

Ook op de universiteit bekritiseerden ze hem en probeerden ze hem op slinkse wijze het leven zuur te maken. Afhankelijk van de rector of de faculteitsdecaan kon hij rustig zijn werk doen of werd hij bedolven onder de protesten, beschuldigende brieven en bedekte dreigementen dat ze hem zijn leerstoel zouden ontnemen. Hoewel hij probeerde al die aanvallen af te slaan, of op zijn minst met een schaterlach af te doen, kwam er een moment waarop schaterlachen niet meer voldoende was om ze te bezweren.

Van de vele aanvallen die op hem werden gelanceerd, herinnert mijn moeder zich nog heel goed die van een van zijn collega's, een vooraanstaand hoogleraar van dezelfde universiteit en hoofd van de vakgroep cardiovasculaire chirurgie, Jaramillo 'de Schele'. Op een keer, in het bijzijn van mijn vader en mijn moeder, zei de Schele heel nadrukkelijk tijdens een bijeenkomst: 'Ik zal pas weer rustig kunnen slapen als ze Héctor aan een boom van de Universiteit van Antioquia hebben opgeknoopt.' Een paar weken nadat ze mijn vader eindelijk vermoord hadden, nadat zo veel mensen het zo lange tijd hadden gewild, kwam mijn moeder Jaramillo de Schele in een supermarkt tegen, en terwijl hij pakjes vlees inlaadde ging ze naar hem toe en zei heel kalm terwijl ze hem recht aankeek: 'Doctor Jaramillo, slaapt u nu weer rustig?' De Schele trok wit weg en wist niet wat hij zeggen moest, zodat hij maar verder liep met zijn boodschappenkarretje.

Er waren ook priesters die hem constant en obsessief attaqueerden. Vooral een, pater Fernando Gómez Mejía, haatte hem uit de grond van zijn hart, met een trouw en een volharding de liefde waardig. De haat voor mijn vader was een tomeloze passie voor hem geworden. Hij had een vaste column in de conservatieve krant *El Colombiano* en op zondag een radioprogramma dat *La Hora Católica* ('Het Katholieke Uur') heette.

Deze priester was een heethoofd en een fanaticus (discipel van de reactionaire bisschop van Santa Rosa de Osos, monseigneur Builes) die overal waar hij keek vleselijke zonden ontwaarde en die links en rechts banvloeken uitdeelde op een zo hoog, driftig toontje en zo repeterend dat zijn programma bekend kwam te staan als *La Lora Católica* ('De Katholieke Papegaai'). Hij wijdde elke maand verscheidene columns en op zijn minst een kwartier van zijn radioprogramma aan het foeteren tegen die gevaarlijke 'communistische dokter' die de geesten van de bewoners van de volkswijken in de stad vergiftigde, want wat mijn vader volgens hem deed, alleen maar door ze bewust te maken van de ellende waarin ze leefden en ze te wijzen op hun rechten, was 'in de eenvoudige geesten van de armen het gif van de haat, de wrok en de afgunst zaaien'. Mijn moeder leed er erg onder, en hoewel mijn vader er altijd luid om lachte, knaagde het wel aan hem. Eén keer lachte hij niet. De priester las op de radio een communiqué voor van de aartsbisschop van Medellín. Het was gericht tegen mijn vader en ondertekend door de aartsbisschop zelf.

9

Mijn moeder was de dochter van de aartsbisschop van Medellín, Joaquín García Benítez. Ik weet het, het lijkt een godslastering, want katholieke priesters – tenminste, in die tijd – waren celibatair, en de aartsbisschop was het celibatairst van allemaal. In werkelijkheid was mijn moeder niet de dochter van de aartsbisschop, maar zijn nichtje. Omdat ze echter wees was, had hij haar een groot deel van haar jeugd opgevoed, en ze zei altijd dat oom Joaquín als een vader voor haar was geweest. Wij woonden in een doodgewoon huis in de wijk Laureles, maar mijn moeder was opgegroeid 'ten Paleize' van oom Joaquín, het grootste en weelderigste herenhuis in het centrum van de stad, het Palacio Amador, zoals het heette, naar de rijke koopman die het aan het begin van de twintigste eeuw voor zijn zoon had laten bouwen, met materialen uit Italië en ingericht met meubels uit Parijs. Een patriciërshuis dat de curie na de dood van de rijke erfgenaam kocht en omdoopte in 'Bisschoppelijk Paleis'. Oom Joaquín was een grote, trage man, als een makke os, hij praatte met een Franse brouw-r, en zijn buik was zo groot dat ze aan het hoofd van de tafel waar hij zat een ronde inkeping hadden moeten maken zodat hij op zijn gemak kon eten.

Er deed een legendarisch verhaal de ronde over zijn verleden, toen hij in Mexico werkte, in de jaren twintig van de vorige eeuw, in Xalapa, waar hij een nieuw seminarie had gesticht waarvan hij de prefect was en bovendien docent theologie, Latijn en Spaans. In onze familie werd verteld dat oom Joaquín tijdens de Cristero-oorlog – die woedde tussen de Mexicaanse regering en duizenden door het Vaticaan opgehitste, opstandige katholieken die tegen de grondwet van 1917 waren – uit het seminarie was gevlucht (waar een paar nonnen waren aangerand) en een goed heenkomen had gezocht naar Papantla. Daar werd hij gevangengenomen en ter dood veroordeeld. Maar toen hij voor het vuurpeloton stond, werd het vonnis omgezet in twintig jaar gevangenisstraf, omdat hij een buitenlander was. Het is niet precies bekend hoe hij erin slaagde uit de gevangenis te ontsnappen, maar hij werd opnieuw in Papantla opgepakt, door generaal Gabriel Gaviria, een volgeling van Pancho Villa, en in een strafkamp geplaatst. Ook daaruit ontsnapte hij, met hulp van enkele zusters, en het verhaal gaat dat hij naar Havana voer, waar zijn broer consul was, in een roeiboot die hij samen met andere vervolgde priesters in Veracruz had bemachtigd. Ze zeiden dat ze de Golf van Mexico roeiend waren overgestoken en de woeste baren van de Caribische Zee op eigen kracht hadden bedwongen.

Als mijn moeder over het paleis praatte liet ze het lidwoord weg: 'Paleis' of 'ten Paleize' zei ze altijd (je hóórde de hoofdletter). Als ze bijvoorbeeld samen met de kokkin Emma iets speciaals klaarmaakten in de keuken, laten we zeggen een gecompliceerd toetje van ijs met sawoevruchten, een paar goddelijke *tamales santandereanos**, een paar bewerkelijke aspergesalades met curubasap, of een kunstige mandarijnenlikeur die vier maanden in aardewerken kruiken onder de grond moest worden bewaard, zei mijn moeder altijd: 'Dit is een recept van Paleis.'

Mijn vader spotte: 'Hoe zou het toch komen dat ik, toen we nog niet getrouwd waren en jij in het Bisschoppelijk Paleis woonde, nooit iets exquisers voorgezet heb gekregen dan een toetje van bramen met melk?' En dan schalde weer zijn gebruikelijke schaterlach.

Aan het eind van zijn leven verloor de aartsbisschop stukje bij beetje zijn geheugen. Soms was hij in de kathedraal zo de draad

---

* Een *tamal* is een gerecht van maïsmeel met verschillende soorten vlees en groenten dat in een dichtgevouwen bananenblad wordt gaargestoofd. Elke streek heeft zijn eigen recept. De *santandereanos* zijn van het departement Santander.

kwijt dat hij delen van de mis oversloeg of – nog erger – na de consecratie niet meer wist hoe het verder moest en zich omdraaide en opnieuw begon: In nomine Patris et filii ... In die tijd werd de mis nog met de rug naar de gelovigen toe opgedragen en in het Latijn gezegd, want het was nog in de tijd van vóór het Tweede Vaticaans Concilie. Een paar parochianen hadden te doen met hun pastoor en andere lachten hem uit. De paters in zijn staf maakten misbruik van zijn falende geheugen. Op een keer legde een secretaris, die ook een hekel had aan mijn vader, hem een brief ter ondertekening voor. Oom Joaquín tekende het papier zonder het te lezen, want hij vertrouwde op zijn ondergeschikte en dacht dat het een van de gebruikelijke paperassen was. Het bleek een communiqué te zijn waarin hij mijn vader kapittelde over zijn activiteiten in de wijken van Medellín, die onmiskenbaar socialistisch waren, en over zijn 'opruiende' artikelen in de kranten, 'vol antireligieuze stellingen in strijd met de gezonde traditie, in staat om de zeden te verpesten van geesten die nog niet tot oordelen in staat zijn, en vol dodelijk en goddeloos gif, dat met zijn opruiende intentie het volk aanzet tot opstand en tot ontwrichting van de natie'.

Toen mijn moeder het communiqué over de radio hoorde, in *La Hora Católica*, begon ze te beven, zowel van woede als van angst. Onmiddellijk pakte ze de telefoon om haar oom te bellen en hem te vragen waarom hij die onheuse en onterechte aanval op haar man had ondertekend. Oom Joaquín had niet het flauwste benul van wat hij getekend had. Hoewel hij het nooit eens was met wat mijn vader zei of schreef – want hij was een bisschop van de oude stempel en in alle opzichten erg star (hij deed films in de ban omdat er een blote enkel in te zien was en verbood, op straffe van excommunicatie, het bezoek van actrices en zangers aan de stad) – zou hij nooit zo impertinent geweest zijn om in het openbaar iemand de les te lezen die welbeschouwd zijn schoonzoon was.

Toen hij zijn handtekening onder dat communiqué zag (waar

hij het wel mee eens was, maar wat hij niet op die manier bekend wilde maken), voelde hij zich verraden en was zo in zijn wiek geschoten dat hij binnen een paar dagen besloot zijn ontslag bij het aartsbisdom in te dienen. Een paar maanden later kwam vanuit Rome de goedkeuring – de paus had er even over gedaan – en hij trok zich terug in het huis van mijn grootmoeder, diep terneergeslagen en met een gevoel van grote mislukking. De aartsbisschop bezat bij zijn vertrek geen cent, want hij was een van de weinige bisschoppen die hun geloften serieus namen, niet alleen die van kuisheid, maar ook die van armoede, en daarom moest hij bij mijn grootmoeder gaan inwonen, tot een groep bemiddelde personen in Medellín een huis voor hem kocht in de Calle Bolivia, waar hij met zijn broer en secretaris, oom Luis, ging wonen. En daar vergat hij geleidelijk aan alles, tot aan zijn eigen naam toe. Zijn hoofd liep leeg, hij hield op met praten, en na korte tijd stierf hij, precies een maand voor mijn geboorte en na verscheidene maanden geen geluid te hebben uitgebracht.

Op de dag van zijn dood schonk mijn grootmoeder het vestzakhorloge van monseigneur de aartsbisschop aan mijn vader, een met goud beslagen uurwerk van het merk Ferrocarril de Antioquia, dat echter in Zwitserland was gemaakt en dat ik nog steeds heb, want mijn moeder gaf het me op de dag dat ze mijn vader vermoordden, en ik zal het als een getuigenis en een standaard (al weet ik niet waarvan) aan mijn zoon doorgeven op de dag van mijn dood.

10

Dankzij de aartsbisschop, of liever: dankzij zijn nagedachtenis, hadden wij een huisnon, een luxe die alleen de rijkste families van Medellín zich konden veroorloven. Oom Joaquín had zijn steun verleend aan de stichting van een nieuwe religieuze orde, de Zusters van Maria-Boodschap, die zich wijdde aan de zorg aan huis voor kinderen, en als dank voor die initiële hulp had zuster Berenice, de stichtster en moeder-overste van het klooster, gratis en voor niets zuster Josefa naar ons huis gestuurd, om mijn moeder, in de tijd dat ze haar kantoor opzette, te helpen met de zorg voor de kleinste kinderen.

Mijn moeder en zuster Berenice waren dikke vriendinnen. Men zei dat zuster Berenice wonderen verrichtte. Als we naar het klooster gingen legde zuster Berenice mijn moeder, die aan hoofdpijnen leed, de hand op. Ze liet haar handen een poosje op haar hoofd rusten terwijl ze een paar onverstaanbare bezweringen prevelde. Mijn kleine zusje en ik keken vanuit een hoek van het vertrek sprakeloos naar deze ceremonie, bang dat er elk moment vonken uit haar vingers konden spatten. Mijn moeder was dan een paar dagen verlost van migraine – althans, dat zei ze. Jaren later stierf moeder-overste Berenice, in een geur van heiligheid, en in het proces van haar zaligverklaring werd mijn moeder opgeroepen om te getuigen van die wonderbare genezingen. Jaren vóór haar dood brachten Sol en ik enkele weekenden door in het klooster van de Zusters van Maria-Boodschap. Ik herinner me nog de eindeloos lange gangen met vloeren die in de was waren gezet en glanzend gewreven, de kloosterhof, de vijgen- en de rozenstruiken, de oneindige, hypnotiserende gebeden in de kapel, de scherpe geur van wierook en kaarsvet die in je neus prikte. Mijn kleine zusje, die drie of vier jaar oud was en op een renaissance-engeltje leek met haar blonde krulletjes en groenblauwe ogen, werd aangekleed als een klein nonnetje, waarna ze in de kapel een liedje moest zingen dat 'Eens, in vrome mijmerij' heette en dat over het moment van de hemelse roeping gaat. Veertig jaar later kent ze het nog steeds uit haar hoofd:

Eens, in vrome mijmerij
Schuilde ik onder het loof
Toen klonk er een stem die zei
Kom, kom tot het geloof.

Ondanks dit vroege apostolaat is mijn zus Sol nooit non geworden (ofschoon ze er wel iets van weg heeft, met haar vrome bijgelovigheid en vurige opwellingen), maar arts, en wel epidemioloog, en soms, als ik naar haar luister, hoor ik mijn vader weer, want ook zij hamert op hetzelfde aambeeld van schoon drinkwater, inenting, preventie, basisvoeding, alsof de geschiedenis zich herhaalt en dit land er een is van doven waar nog steeds kinderen doodgaan aan diarree en ondervoeding.

Ik heb nog een andere herinnering aan dat klooster, die verband houdt met het beroep van medicus. Een kennis van mijn vader van de faculteit geneeskunde, een gynaecoloog, deed goede zaken dankzij de nonnenkloosters van Medellín. Volgens een nogal buitenissige theorie die hij had bedacht, zouden baarmoeders die ongebruikt blijven voor de voortplanting tumoren veroorzaken: 'een vrouw die geen kind baart, baart vleesbomen'. En dus hield hij zich bezig met het verwijderen van de baarmoeders bij alle nonnen in de stad, of ze nu vleesbomen hadden of niet. Mijn vader zei, met een vette knipoog die mijn moeder noch de aartsbisschop noch zuster Berenice kon waarderen, dat die dokter dat niet deed om het geld, nee, helemaal niet, hij deed het om problemen met de aankondigingen van de engelen of de Heilige Geest te voorkomen. En dan schalde zijn godslasterlijke schaterlach terwijl hij enkele bekende dichtregels van Ñito Restrepo citeerde:

Een non die wel hield van innemen
Nam in tot ze tolde op haar benen
Haar buik werd zo rond als een tonnetje
Maar wat erin zat was een klein nonnetje.

Het was weleens gebeurd, zonder dat iemand wist hoe of wanneer, dat een non, zelfs een van de Clarissen, die in strenge afzondering leefden, zwanger werd, en niet van de Heilige Geest. Zonder één bruikbare baarmoeder in huis kwam dit probleem niet meer voor, en de kuisheid van de nonnen – op zijn minst voor de buitenwacht – was een leven lang verzekerd. Ik weet niet of deze anticonceptiemethode, die zo veel drastischer is dan alle andere die door de kerk verboden zijn, nog steeds ergens in een klooster wordt toegepast.

II

Toen mijn moeder ervan overtuigd was dat met het geld van de professor, waar zijn grenzeloze vrijgevigheid nog vanaf ging, en elk moment bedreigd door een acute ontzetting uit zijn ambt aan de universiteit, onmogelijk het huishouden in stand kon worden gehouden, althans niet op het niveau van goede smaak en lekker eten dat ze 'ten Paleize' had leren kennen, hielp zuster Berenice haar en bood haar gratis extra hulp in het huishouden aan, zodat mijn moeder met een gerust hart naar haar werk kon gaan. Dat was zuster Josefa, de gouvernante die elke week van maandag tot en met vrijdag, als mijn moeder werkte, voor Sol en mij zorgde, tot we allebei naar school gingen. Mijn vader, met het onvermijdelijke restje machismo van zijn opvoeding, wilde niet dat mijn moeder ging werken en de materiële en mentale onafhankelijkheid verwierf van iemand die zijn eigen geld verdient. Maar zij wist haar zin door te drijven, met haar sterke wil en vastberadenheid, gepaard aan een onverwoestbare levensvreugde die haar tot op de dag van vandaag nooit verlaten heeft en die maakt dat ze immuun is voor rancune en blijvende wrok. Verzet tegen haar vastberadenheid, vermomd als vrolijkheid, is altijd onbegonnen werk geweest.

Soms nam mijn moeder me ook mee naar haar kantoor. Omdat zij geen auto had, gingen we met de bus, of mijn vader zette ons op weg naar de universiteit af op het kruispunt van de avenida's La Playa en Junín. Mijn moeder had een klein hokje als kantoor ingericht in een nieuw gebouw, La Ceiba, dat in die tijd het grootste gebouw was van de stad en dat voor ons reusachtig leek. Het stond, en staat, in het centrum, aan het eind van de Avenida La Playa, naast het gebouw van Contejer. We gingen naar een van de hoogste verdiepingen in grote liften, zoals in ziekenhuizen, van het merk Otis, die bediend werden door wonderschone negerinnen die altijd in smetteloos wit gekleed gingen, alsof ze verpleegsters van mechanische werktuigen waren. Ik was zo verkikkerd op ze dat ik soms uren in de lift bleef, terwijl mijn moeder werkte, omhoog en omlaag ging ik naast die negerinnen, die roken naar een goedkoop soort parfum die ook nu nog, de zeldzame keren dat ik hem weer ruik, een melancholieke, kinderlijke erotiek in me opwekt.

Het kantoor van mijn moeder bevond zich in de ruimte waar de schoonmaakspullen voor het gebouw werden bewaard. Daar hing een doordringende geur van zeep en wc-verfrissers, ronde, glanzend roze tabletten die naar kamfer roken en die in de urinoirs werden gelegd. Er stonden ook dozen vol vloerzeep, bleekmiddel, bezemstelen, zwabbers en pakken met rollen goedkoop wc-papier in een hoek op elkaar gepakt.

Aan een stalen bureau deed mijn moeder handmatig de administratie voor het gebouw: met een geel, scherp geslepen potlood schreef ze in een reusachtig kasboek met een groene, harde kaft. Daarnaast moest ze de notulen uitschrijven van de bestuursvergaderingen van het gebouw, in een ouderwetse stijl die ze had geleerd van oom Luis, de broer van de aartsbisschop, die permanent secretaris van de Historische Academie was geweest. 'De weledele heer Floro Castaño, veehandelaar, neemt het woord om mede te delen dat er bezuinigd dient te worden op wc-papier, zodat de gezamenlijke kosten van het condominium niet onnodig stijgen. De secretaresse, mevrouw Cecilia Faciolince de Abad, tekent aan dat de heer Floro weliswaar groot gelijk heeft, maar dat het, om fysiologische redenen, onvermijdelijk is dat er bepaalde kosten worden gemaakt. Desalniettemin stelt zij de mede-eigenaren ervan op de hoogte dat een van de gebruikers van het gebouw, doctor John Quevedo, die zich metterwoon in zijn kantoor heeft gevestigd en dit ten onrechte als woonruimte benut, 's morgens vroeg de dames-wc op de zesde verdieping pleegt te gebruiken om zich te wassen, waarna hij, bij gebrek aan een handdoek, zijn lichaam afdroogt met grote hoeveelheden wc-papier, dat hij, eenmaal gebruikt, op de grond achterlaat, hetgeen ...'

Mijn moeder was een kei in typen en steno (ze nam ongelooflijk snel dictaat op, met prachtige onleesbare hanepoten als Chinese karakters), want ze had de secretaresseopleiding gevolgd aan de 'Remington School voor Jongedames', en voordat ze trouwde was ze secretaresse geweest van de manager van Avianca in Medellín, doctor Bernardo Maya. Sterker nog, ze vertelde dat ze, omdat de directeur van Avianca smoorverliefd op haar was, besloten had met doctor Maya te trouwen als mijn vader, die op dat moment zijn master deed in de Verenigde Staten, zijn trouwbelofte niet zou nakomen. Het gebeurde weleens, hoewel zelden, dat mijn vader en moeder ruzie hadden en een hele middag niet tegen elkaar praatten, en dan vroegen mijn zussen haar spottend: 'Mama, was je niet liever met Bernardo Maya getrouwd?'

Een van de dingen waar ik me als kind het meest benauwd over maakte, was die onoplosbare – of verkeerd gestelde – vraag of ik nu wel of niet geboren zou zijn, en hoe, als mijn moeder niet met mijn vader maar met Bernardo Maya was getrouwd. Mijn leven gaf ik niet op, dus stelde ik me voor dat ik in dat geval niet op mijn vader had geleken maar op Bernardo Maya. Dat was echter een verschrikkelijke conclusie, want als ik niet op mijn vader leek maar op Bernardo Maya, dan zou ik niet meer ik zijn, maar heel iemand anders, dus was ik niet wat ik was, en dat stond gelijk aan niets zijn. Doctor Maya woonde vlak bij ons, de hoek om en dan twee straten verder, en hij had geen kinderen, wat mijn metafysische doodsangst om nooit te hebben bestaan nog vergrootte, want misschien was hij wel onvruchtbaar. Ik bekeek hem met angstige argwaan. Soms kwamen we elkaar tegen in de kerk, hij dodelijk serieus, en dan groette hij mijn moeder met een nostalgisch, heimelijk gebaar dat van heel ver leek te komen. En omdat mijn vader nooit naar de mis ging, was de kerk voor mij de plaats waar mijn moeder en doctor Maya de doodzonde van de wederzijdse begroeting begingen, alsof elke zwaai van zijn kwijnende hand een geheim teken was van de dingen die ooit hadden kunnen zijn maar die nooit werkelijkheid waren geworden.

Daarna kreeg mijn moeder haar eerste medewerkster op kantoor, die, gezien de omstandigheden, heel toepasselijk Socorro* heette. En met haar kwam de eerste rekenmachine, een apparaatje met een hendel dat mij sprakeloos maakte, want het loste in een paar handbewegingen alle rekenkundige bewerkingen op die mij bij mijn huiswerk uren kostten. Met het verstrijken van de jaren kwamen er steeds meer werknemers op dat kantoor, altijd vrouwen, alleen maar vrouwen, nooit mannen, inclusief mijn drie oudste zussen, tot het kantoor van mijn moeder zestig employees telde en uitgroeide tot de onderneming die de meeste gebouwen in Medellín administreerde. Van de schoonmaakruimte in La Ceiba verhuisde mijn moeder naar een echt kantoor op de tweede verdieping van hetzelfde gebouw, dat ze uiteindelijk kocht, en daarna bleef haar onderneming groeien en kreeg een steeds betere huisvesting. Nu neemt het kantoor een groot pand van twee verdiepingen in beslag, waar mijn moeder, met haar tachtig rijke jaren, nog elke dag naartoe gaat, van acht uur 's morgens tot zes uur 's middags, in haar automaat, die ze even behendig en zeker bestuurt als ze haar stok hanteert, als een bisschopsstaf, en vrijwel even geanimeerd als ze een halve eeuw geleden haar stenoschriften vulde met die rappe, mysterieuze Chinese karakters.

Er waren een paar mannelijke uitzonderingen in het personeelsbestand van mijn moeders kantoor, en net als thuis geloof ik dat ik de eerste was die de ongeschreven, maar erg verstandige, regel overtrad dat de wereld veel beter zou functioneren als alleen vrouwen het voor het zeggen hadden. In elk geval nam mijn moeder me, in weerwil van het feit dat ik een man

* *Socorro* betekent 'hulp'.

was, elke schoolvakantie in dienst om te helpen bij het opstellen van brieven, rapporten en verslagen, op een niet-bestaande 'Afdeling Rapporten en Correspondentie'. Daar werkte ik de handelscorrespondentie af en redigeerde circulaires met op- en aanmerkingen, waarbij ik onfrisse zaken te behandelen kreeg (hondenstront, overspel, dronkemansgezang, exhibitionisme van erectiele organen in liften en open ramen, mariachi's om vier uur 's nachts, pierewaaiende maffiosi op veroveringstocht, kinderen van vooraanstaande families die overvallen pleegden en verslaafde kinderen van puriteinse ouders), ik verfraaide rouwbrieven en ontslagbrieven en volbracht zo de langste en moeilijkste leerperiode in mijn schrijversbestaan. Een paar van mijn vrienden en vriendinnen die daarna ook boeken schreven, hebben dezelfde inwijding gehad op de 'Afdeling Rapporten en Correspondentie' van mijn moeders bedrijf, dat ze op haar eigen feministische wijze 'Faciolince & Dochters' had willen dopen, maar dat ze van mijn vader 'Abad Faciolince BV' moest noemen, opdat hij noch ik buitengesloten werd, zoals kennelijk de vrouwen in ons huis van plan waren.

12

Een paar jaar na de dood van de aartsbisschop, en in dezelfde periode dat ik mijn vader en doctor Saunders vergezelde op hun sociale werkbezoeken aan de armste wijken van Medellín, deed *La Gran Misión* met veel geraas haar plechtige intrede in de stad. *La Gran Misión* stond voor een ander soort maatschappelijk werk, de vrome soort. Het was bij wijze van spreken een katholieke reconquista van Amerika, onder auspiciën van de Spaanse caudillo, opperbevelhebber van het Groot-Spaanse Rijk en apostel van het christendom, zijne excellentie Francisco Franco Bahamonde. De beweging stond onder leiding van een Spaanse jezuïet, pater Huelin, een dorre, sombere man met een ascetisch voorkomen, uitgeteerd en hologig als de stichter van de Sociëteit van Jezus, met een krachtige, fanatieke, doordringende intelligentie. Zijn oordelen waren streng en onverbiddelijk, zoals van een vertegenwoordiger van de Inquisitie, en hij werd met algemeen enthousiasme ontvangen in Medellín, als een gezant van het hiernamaals die was gekomen om de wanorde in het hiernumaals te herstellen door middel van de Mariadevotie.

Tegelijk met de missionarissen van de Spaanse reconquista kwam een klein beeldje van Onze-Lieve-Vrouw van Fatima. In die tijd wilde de katholieke kerk dit naar voren schuiven als het belangrijkste godvruchtig symbool van het katholicisme. Om de wereld te redden van het goddeloze communisme had de Heilige Vader de gelovigen in de oude Spaanse koloniën – en in de hele wereld – opgeroepen vuriger en veelvuldiger dan ooit de rozenkrans te bidden. Het was de tijd van de Cubaanse Revolutie en de legendarische Latijns-Amerikaanse guerrilla's, die nog niet waren veranderd in roversbenden die zich toeleggen op ontvoering en drugshandel en waaromheen dus nog een zeker strijdbaar heldenaureool hing, want het was makkelijk je te identificeren met de radicale hervormingen en sociale gerechtigheid waar zij voor stonden.

Om deze tweespalt zaaiende stromingen in te dammen diende de Onze-Lieve-Vrouw van Fatima te fungeren als een bovennatuurlijke hulp die de massa's weer op het pad bracht van devotie, van de waarheid, van de christelijke lijdzaamheid, of van de uiterst onderdanige Katholieke Sociale Leer. De verschijning van de Heilige Maagd in Portugal werd, meer dan de armoede, het drinkwater of de landbouwhervormingen, hét gespreksonderwerp bij de mensen thuis, bij de naaisters, de kappers en in de cafés. In veel van die gesprekken werd gespeculeerd, en er ontsponnen zich lange theologische disputen over de geheimen die de Heilige Maagd aan de herdertjes van Cova da Iria, aan wie ze verschenen was, had geopenbaard. Het Derde Geheim, dat verschrikkelijk was en dat alleen het laatste nog levende herderinnetje en de Pontifex Maximus kenden, sprak het meest tot de verbeelding en voedde derhalve de fantasie van de mensen. De theorie die door de meesten werd aangehangen, en die alle priesters stiekem in hun preken lieten doorschemeren, was vreselijk en behelsde de naderende Derde Wereldoorlog tussen de Verenigde Staten en Rusland, dat wil zeggen tussen het Goed en het Kwaad, een oorlog die niet met geweren en kanonnen zou worden uitgevochten maar met atoombommen, en die dus zou zijn als de beslissende strijd tussen God en de Duivel. Allemaal moesten we ons voorbereiden op het Grote Offer en ondertussen elke dag de rozenkrans bidden en de mensen van goede wil smeken opdat Rusland, die tegenstrever van God en handlanger van de Vijand, niet zou overwinnen. Voor dat Derde Geheim, dat neerkwam op de aankondiging van de Derde Wereldoorlog, waren bovendien in de contemporaine geschiedenis veel reële aanwijzingen te vinden, want het was zeker waar dat we in die decennia van de Koude Oorlog op de rand balanceerden van een megaramp, puur om futiele redenen van eer en nationalisme, of zelfs als gevolg van een nucleair ongeluk.

De opzet van *La Gran Misión* was het verbreiden van de cultus van Onze-Lieve-Vrouw van Fatima in Latijns-Amerika en de massa's het goede van de christelijke lijdzaamheid voor te houden, want uiteindelijk zal God de gelukzalige armen in het hiernamaals belonen, zodat het niet nodig is naar welzijn te streven in het hier en nu. De komst van de Maagd ging gepaard met een rigoureus plan om de eeuwige waarheden van het katholieke geloof te verdedigen en een moreel reveil te bewerkstelligen van het enige ware geloof. Spanje mocht dan nog weinig politiek gewicht in de schaal van onze naties leggen, maar met hulp van de Kerk zocht de generalissimo de verloren invloed in onze regio terug te winnen. Een soort reconquista door middel van het geloof, steunend op de oude blanke patriciërsfamilies in de verschillende regio's. Het openingsoffensief bestond uit verscheidene weken van ceremoniën, kerkpreken, aanbidding van het beeld dat uit de Oude Wereld was overgebracht en dat door de Heilige Vader was gezegend, bijeenkomsten en retraites met de meest representatieve katholieken van elke stad. En met de jongeren, de beoefenaars van de vrije beroepen, de journalisten, de sportlieden, de politiek leiders ... Die bekeringsactiviteiten herhaalden zich in alle landen van Latijns-Amerika, ook ter herdenking van de eerste bekering van Amerika door de conquistadores.

Het hoogtepunt van deze campagne was het bevorderen van de praktijk van de Ochtendrozenkrans. Om vier uur 's morgens, voor zonsopgang, verzamelde zich een talrijke groep parochianen in de voorhof van de parochiekerk, waarna ze door de straten van de wijk trokken, al lofzangen aanheffend en weesgegroetjes biddend. De wijk van Medellín die door pater Huelin was uitgekozen voor de Ochtendrozenkrans was Laureles, waar wij woonden, want dat was een speerpuntwijk, een wijk van de jonge bourgeoisie, de yuppen, die later misschien tot in de diepste geledingen van de maatschappij zouden doordringen en de grootste invloed uitoefenen. De vrome gelovigen vertrokken om vier uur 's ochtends met gezang en tromgeroffel en kaarsen om aandacht te trekken. Pater Huelin ging voorop met het beeld, met wapperende vlaggen en banieren van de kruisvaarders, terwijl achter hem de processie met luide stem de rozenkrans bad. Duizend of tweeduizend mensen, voor het merendeel vrouwen en kinderen, doorkruisten de wijk om het geloof op te wekken in de Heilige Maagd en in het voorbijgaan de lakse geesten wakker te schudden die nog diep in slaap tussen de lakens gekleefd lagen. Mijn moeder, zuster Josefa, de dienstmeisjes en mijn oudere zussen namen deel aan die processies, maar mijn vader en ik bleven thuis de slaap der heilige onschuld slapen.

Doctor Antonio Mesa Jaramillo, hoofd van de vakgroep Architectuur van de Universidad Pontificia en metgezel van mijn vader en doctor Saunders op hun strooptochten door de volkswijken, was het eerste slachtoffer van de Ochtendrozenkrans. Hij was een van de groten van de architectuur in Medellín. Hij had in Zweden gewoond en van daaruit de hartstocht voor het moderne design meegenomen. Omdat dit luidruchtig geloofsvertoon hem stoorde (hij was een nuchtere gelovige die zijn religie in beslotenheid beleed) schreef hij een artikel voor *El Diario*, de liberale avondkrant, waarin hij protest aantekende tegen het helse kabaal dat tijdens die processies werd gemaakt. 'Christendom van de tamboerijn' heette zijn bijdrage, die een furieuze kritiek inhield op het Spaans-katholicisme. 'Was Christus een schreeuwlelijk?' zo vroeg hij zich af. En hij zei: 'Vroeger konden we slapen, in het niets verzinken, in de mystieke leegte van de droom. Het Spaans-katholicisme is ons de stuipen op het lijf komen jagen. Dit is het falangisme: herrie, leegte, gebral. Ze verwarren het geloof van Christus met het stierengevecht. Ochtendorgieën: kreten uit de eeuw van het obscurantisme.' Mijn vader schaarde zich achter zijn standpunt en voegde er sardonisch aan toe dat de Eeuwige Vader niet zo doof was dat je tegen hem moest schreeuwen, en als hij wel doof was, zoals soms het geval leek, dan was het geen doofheid van het gehoor maar van het hart.

Derhalve, om wat hij geschreven had, ontzette monseigneur

Félix Henao Botero, rector van de Universidad Pontificia, doctor Mesa Jaramillo uit zijn ambt als hoofd van de vakgroep Architectuur en verjoeg hem van de faculteit tot in de eeuwen der eeuwen, amen. De krant *El Colombiano* hield een enquête over deze gebeurtenis onder verschillende intellectuelen in de stad. Allemaal stonden ze achter de rector en veroordeelden in harde bewoordingen het artikel van de architect. Alleen mijn vader, die in de krant werd aangeduid als 'de bekende voorman van links', verklaarde zich solidair met de moedige daad van doctor Mesa Jaramillo en zei dat we in een vrij land leefden en dat hij, ook al was hij het niet in alles met hem eens, zijn leven zou geven voor het recht van eenieder om zijn mening te uiten.

Mijn vader, die slechts losse banden onderhield met de Kerk, vond dit achterlijke Spaans-katholicisme schadelijk voor het land. Feit was dat de prelaten van de kerk andersdenkende priesters en gelovigen vervolgden die een opener katholicisme voorstonden, dat beter paste bij de moderne tijd. Hij was altijd verstandige priesters tegengekomen die hart hadden voor de problemen van hun gelovigen, goede priesters (slechte voor de Kerk), vooral in de volkswijken waar hij in de weekenden naartoe ging, en mijn vader haalde altijd het voorbeeld aan van pater Gabriel Díaz, die een engel was – hij wel – de goedheid zelve, reden waarom hij van de bisschoppen niet in alle rust zijn werk mocht doen en telkens werd overgeplaatst als hij te geliefd en te veel een voorbeeld voor zijn parochianen begon te worden. Iedereen die de armen wakker schudde en tot participatie aanzette, werd als een gevaarlijke activist beschouwd die de onwrikbare orde van Kerk en maatschappij in gevaar bracht. Toen enkele jaren later de wijken van Medellín veranderden in poelen des doods en een kweekvijver werden voor messentrekkers en huurmoordenaars, had de Kerk het contact al met ze verloren, net als de staat. Ze dachten dat het beter was om zich maar niet met ze te bemoeien, en aan hun lot overgelaten veranderden ze in oorden waar hordes woeste moordenaars als onkruid opschoten.

13

Een paar decennia eerder had een vooraanstaande Duitse filosoof de dood van God verkondigd, maar in deze afgelegen bergstreken van Antioquia was dat nieuws nog niet doorgedrongen. Meer dan een halve eeuw later verkeerde God ook hier in doodsstrijd, dat wil zeggen, enkele jongeren kwamen tegen hem in opstand en poogden met schandalen aan te tonen (de nadaïstische* dichters legden bijvoorbeeld verzamelingen aan van gewijde hosties en gooiden met stinkbommen op bijeenkomsten van katholieke schrijvers) dat het de Almachtige niet kon schelen wat er in dit tranendal gebeurde, want de vuurpijlen van zijn toorn straften de verdoemden niet en de zegeningen van zijn goedertierenheid regenden niet altijd op de goeden neer.

Ik had het gevoel dat er in mijn eigen familie een soortgelijke oorlog woedde tussen twee levensopvattingen: tussen een razende God in doodsstrijd, die ze met schrik en beven bleven vereren, en een goedaardig, ontluikend rationalisme. Of beter: tussen de sceptici die met hel en verdoemenis werden bedreigd en de gelovigen die zeiden dat ze pal stonden voor het goede, maar die niet zelden gemotiveerd werden door kwaadaardige woede. Deze onderhuidse oorlog tussen oude en nieuwe opvattingen, deze strijd tussen humanisme en goddelijkheid, was iets uit het verleden, zowel in de familie van mijn moeder als in die van mijn vader.

---

* Het 'nadaïsme' – letterlijk 'niksisme' – was een Colombiaanse literaire stroming in de jaren 1950-1965, voornamelijk beperkt tot de stad Medellín. De stroming was verwant aan de Amerikaanse *counterculture* en had haar wortels in het surrealisme en dadaïsme.

Mijn grootmoeder van moederskant kwam uit een geslacht van benepen, fijn katholieke aartsconservatieven. Haar vader, José Joaquín García, die halverwege de negentiende eeuw werd geboren en in het begin van de twintigste eeuw stierf, was een schoolmeester die artikelen schreef onder het pseudoniem 'Arturo' en die de geweldige *Crónicas de Bucaramanga* had geschreven. Daarnaast was hij voorzitter van de conservatieve partij, honorair consul van België en viceconsul van Spanje. Twee broers van mijn grootmoeder waren geestelijken, de ene bisschop en de andere monseigneur. Een andere broer, oudoom Jesús, was minister geweest in de tijd van de Conservatieve Hegemonie*, en de jongste was tientallen jaren gevolmachtigd consul in Havana, en allemaal hadden ze trouw gezworen aan de glorieuze partij van hun ouders, die van de traditie, het gezin en de eigendom. Ondanks die afkomst, of misschien juist dankzij – want altijd stoorde ze zich aan de buitengewoon starre zeden van haar broers, die geshockeerd waren door elke vernieuwing in de mores van de wereld – was mijn grootmoeder getrouwd met Alberto Faciolince, een opgewekte, vrijdenkende liberaal met wie ze korte tijd gelukkig was, want na vier jaar huwelijk, toen mijn moeder net begon te praten, werd de liberaal voor God (die toen nog niet dood was) geroepen, want hij kwam vlak bij Duitama, in het departement Boyacá, onverwacht om het leven op een weg die hij als civiel ingenieur bezig was aan te leggen.

In lijn met die joodse afkomst, die niet tot uitdrukking komt in onze geloofsovertuigingen, maar wel in onze gewoonten, nam na korte tijd de broer van Alberto, Wenceslao Faciolince, de weduwe van zijn broer de ingenieur tot vrouw. Die Wenceslao was een chagrijnige jurist, rechter in Girardota, die de godganse tijd, elke dag als hij opstond, als eerste zei: 'Dit is het ontwaken van

* Periode, van 1886 tot 1930, waarin de Conservatieve Partij de macht had in Colombia.

een ter dood veroordeelde.' Mijn grootmoeder werd nooit gelukkig met hem, want hij leek helemaal niet op zijn geliefde broer, in bed noch aan tafel, de twee belangrijkste plekken in huis, en mijn moeder (die van toen af aan weinig ophad met juristen en dat vooroordeel aan mij heeft doorgegeven) vermoordde hem ten slotte ongewild doordat ze hem per abuis een injectie gaf met een contra-indicatie voor hartpatiënten.

Twintig jaar later, in weerwil van de opvoeding die ze van meneer de aartsbisschop, volgens de regels van de strengste catechismus, had ontvangen, trad mijn moeder in de voetsporen van haar moeder, mijn grootmoeder, door wederom de knellende banden te verbreken, door toe te geven aan haar verlangen het aloude juk af te werpen, want in een vlaag van vrijheidsdrang trouwde ze met weer een andere vrolijke radicaal, mijn vader. Voor veel leden van haar familie, vooral haar oom Jesús, de minister, was dat geen passend huwelijk, want een meisje van conservatieven huize dat met zo'n liberaal trouwde, dat was als een verbintenis tussen de Montagues en de Capulets.

Ik meen bij mijn grootmoeder Victoria, en ook bij mijn moeder, iets te bespeuren van een gekweld gemoed dat voortkomt uit de contradicties in hun leven. Mijn moeder en grootmoeder zijn altijd qua temperament in hart en nieren liberaal geweest, tolerant, hun tijd vooruit, zonder ook maar een spoortje van schijnheiligheid. Ze waren vitaal en vrolijk en wilden voor ze onder de groene zoden belandden van het leven genieten. Ze waren vrijgevochten, flirterig, maar moesten die neiging verhullen met een opgelegd keurslijf van katholieke devotie en zedig vertoon. Mijn grootmoeder – in flagrante tegenstelling tot haar broers, die priesters waren en conservatieve politici – was suffragette geweest, en ze zei zelfs dat ze een van de gelukkigste dagen van haar leven had beleefd toen in het midden van de twintigste eeuw een militair die totalitair heette te zijn (want hier zijn de contradicties niet alleen een zaak van families, maar van het hele land), het kiesrecht voor vrouwen invoerde. Maar tegelijk kon ze zich niet losmaken van haar ouderwetse opvoeding. En zo probeerde ze haar liberale temperament te compenseren met een buitensporig vertoon van geloofsijver en trouw aan de kerk, alsof ze haar manieren, en in het voorbijgaan haar ziel, kon redden met de obligate rozenkransen die ze bad en de gewaden die ze naaide voor de jonge priesters van arme parochies.

Iets heel vergelijkbaars gebeurde met mijn moeder, die een feministe avant la lettre was en die heel actief was, niet in de theorie van het feminisme, maar wel in de dagelijkse praktijk, zoals ze aantoonde door tegen de zin van mijn vader (die ideologisch gezien liberaal was, maar conservatief in zijn patriarchale opvatting van het huwelijk) haar plan om een eigen zaak te beginnen doorzette en twee dienstmeisjes voor het huishouden inhuurde, waarna ze op kantoor ging werken, buiten het bereik van de economische voogdij en het wakend oog van haar echtgenoot.

Bovendien was in de jaren daarvoor zelfs de rots van religieuze eenstemmigheid in haar familie – die sinds de verovering van Amerika onwrikbaar had geleken – bezweken. Net zoals een militaire loopbaan – en een journalistieke en een politieke en soms een literaire – een zaak is van families, zo zat de religieuze roeping de familie van mijn moeder in het bloed. Maar twee van haar volle neven, René García en Luis Alejandro Currea, hoewel opgeleid in de meest starre beginselen van het traditioneel katholicisme, en gewijd in de traditie van hun voorvaderen, werden al na korte tijd rebelse priesters op de uiterste linkervleugel van de Kerk, aanhangers van de bevrijdingstheologie. Natuurlijk droeg diezelfde generatie ook een vrucht van de andere extreme tak, want weer een andere neef, Joaquín García Ordóñez, was eveneens tot priester gewijd, en die ontpopte zich als de meest reactionaire pastoor van Colombia, wat heel wat zeggen wil. Als beloning voor zijn reactionaire ijver, voor zijn drieste verzet tegen elke verandering, en als erfgenaam van monseigneur Builes (een bisschop voor wie 'liberalen vermoorden' slechts 'een dagelijkse zonde' was), was hij tot bisschop van het van oudsher meest conservatieve bisdom van het land benoemd: Santa Rosa de Osos.

Van de rebelse priesters werkte er een als arbeider in een fabriek, om het sluimerend bewustzijn van het proletariaat wakker te schudden, en de andere organiseerde landbezettingen in de armenwijken van Bogotá, in flagrante ongehoorzaamheid aan het kerkelijk gezag. Ik herinner me een avond dat ik met mijn vader en moeder naar de gevangenis ging om wat dekens te brengen voor René en Luis Alejandro, die in La Ladera in een kale cel gevangenzaten en doodgingen van de kou. Ze werden beschuldigd van opstand tegen het wettig gezag, samen met andere priesters van de Grupo Golconda, een beweging in de geest van Camilo Torres, de priester-guerrillero. Die beweging wilde ernst maken met de aansporing van het Tweede Vaticaans Concilie om zich bij voorkeur op de armen te richten. Van toen af aan begreep ik dat er ook in de Kerk een stille oorlog woedde en dat er weliswaar bij ons thuis en in mijn hoofd veel tegenstrijdigheden omgingen, maar dat daarbuiten de zaken niet veel anders waren. Sommigen van die rebelse priesters, die zich identificeerden met de onderklasse, verzetten zich niet alleen tegen het barbaarse kapitalisme, maar waren ook tegen het celibaat en vóór abortus en het gebruik van condooms, en stemden later in met de priesterwijding voor vrouwen en het homohuwelijk.

De familie aan vaderskant was al evenmin helemaal recht in de leer. Mijn grootvader Antonio, die ook uit een conservatieve en traditionele familie kwam, die van Don Abad, een van de drie zogenaamde blanken van Jericó (de enigen die de titel 'Don' mochten voeren), had de brutaliteit begaan de eerste liberaal in meer dan honderd jaar van zijn familie te worden, en hij had het aan de stok gekregen met zijn eigen schoonvader, Bernardo Gómez, die officier was geweest in het leger van de conservatieven tijdens de Duizenddaagse Oorlog*, en die later senator – een van

* Colombiaanse burgeroorlog, die woedde van 1899-1902.

de meest verstokt conservatieve – voor dezelfde partij werd. Als kolonel had hij gevochten tegen generaal Tolosa, een liberaal, van wie de grootmoeder van mijn vader zei dat hij 'zo slecht was dat hij de conservatieven doodde terwijl ze nog in de buik van hun moeder zaten'.

Om onder de conservatieve invloed van zijn familie en de Kerk uit te komen, was mijn grootvader vrijmetselaar geworden, want dat was een genootschap van onderlinge bijstand dat een alternatief bood voor de Kerk en dat hetzelfde soort cliëntelisme bedreef.

Na onenigheid met een paar nichten over enkele lappen grond, en om zich te distantiëren van de kletspraat, de kritiek en de roddel van zijn familie, had hij gezworen een bloedtransfusie te ondergaan en zijn achternaam Abad te veranderen in Tangarife, wat minder joods en meer Arabisch klonk (een dwaas dreigement dat hij nooit uitvoerde).

Jaren later, tijdens de *Violencia*, de periode van geweld halverwege de vorige eeuw, zou mijn grootvader worden bedreigd door de conservatieve *chulavitas**, die in het noorden van het departement Valle del Cauca liberalen zoals hij vermoordden. Don Antonio was tijdens de economische crisis van de jaren dertig met zijn hele gezin naar het plaatsje Sevilla verhuisd. De reis te paard, met doña Eva, mijn grootmoeder, die zwanger was en hijzelf, die leed aan een maagzweer, was een dagenlange martelgang die mijn vader zich herinnerde als een bijbelse exodus compleet met blijde intocht in het Beloofde Land, Valle del Cauca, een gebied 'waar de duivel niet bestond'. Daar, na vele opofferingen en in het zweet des aanschijns, werkte mijn grootvader zich op tot notaris en had hij opnieuw een zeker fortuin weten te vergaren

* Conservatieve knokploegen en doodseskaders tijdens de *Violencia*, de periode van geweld, in de jaren 1940 en 1950. De naam komt van een dorpje in de streek Boyacá, waar de eskaders voor het eerst werden gevormd.

in de vorm van koffieplantages en veeboerderijen.

In Sevilla heeft mijn vader bijna zijn hele schooltijd doorgebracht. Toen ze uit Jericó vertrokken, zat hij in de derde klas van de lagere school, maar bij aankomst in Sevilla zei mijn grootvader tegen hem dat ze onderweg zo veel gesprekken hadden gevoerd en dat hij zo intelligent was dat hij wel naar de vijfde klas kon, en zo gebeurde het. In Sevilla doorliep hij de rest van de lagere en de middelbare school. Op de middelbare school, het Liceo General Santander, raakte hij goed bevriend met de rector, een bekende Ecuadoriaanse banneling, die verschillende keren president van zijn land was geweest, doctor José María Velasco Ibarra, en mijn vader beweerde altijd dat dat een van de belangrijkste politieke invloeden in zijn leven was geweest. De vrienden uit zijn vroege jeugd waren ook *vallunos**, uit Sevilla, maar in de tijd van de *Violencia*, halverwege de vorige eeuw, werden ze een voor een vermoord, omdat ze liberalen waren.

Toen mijn vader na zijn studie medicijnen in Medellín en zijn specialisatie in de Verenigde Staten naar Colombia terugkeerde en voor het ministerie van Volksgezondheid ging werken, als hoofd van de afdeling Epidemiologie, woonde de rest van het gezin nog in Sevilla. In de tijd dat de conservatief Ospina Pérez president van Colombia was, kreeg mijn vader het idee van een verplicht co-schap op het platteland voor alle pas afgestudeerde artsen, en hij stelde de tekst op voor de wet waarmee deze hervorming werd doorgevoerd. Bijna tegelijkertijd, aan het begin van de *Violencia*, werden in Sevilla de beste vrienden uit zijn jeugd, zijn makkers van het Liceo General Santander, een voor een vermoord.

Naar aanleiding van die misdaden, maar vooral vanwege de tragische dood van een van zijn zwagers, de man van tante

---

* Inwoner van het departement Valle del Cauca.

Inés, Olmedo Mora, die door de *pájaros** van de Conservatieve Partij op de vlucht werd neergeschoten, besloten mijn vader en grootvader Sevilla te verlaten en naar Medellín te vluchten, waar de golf van geweld minder hevig was. Don Antonio moest alle bezittingen die hij met meer dan twintig jaar arbeid vergaard had voor weinig geld verkopen en op ruim vijftigjarige leeftijd helemaal opnieuw beginnen. Mijn vader, na ontslag te hebben genomen bij het ministerie van Volksgezondheid met een furieuze brief (gesteld op zijn gebruikelijke geëmotioneerd-romantische toon) waarin hij zei niet medeschuldig te willen zijn aan de moordpartijen van het conservatief bewind, had het geluk dat hij een aanstelling kreeg als medisch adviseur bij de Wereld Gezondheids Organisatie in Washington. Die fortuinlijke ballingschap behoedde hem voor de reactionaire furie die vijf van zijn beste vrienden van de middelbare school en vierhonderdduizend andere Colombianen het leven kostte. Van toen af aan noemde mijn vader zich 'een overlevende van de *Violencia*', omdat hij het geluk had gehad in het buitenland te zitten in de tijd van de wreedste politieke vervolging en de moordpartijen tussen liberalen en conservatieven.

Ook in de generatie van de kinderen van mijn opa Antonio (en later in die van zijn kleinkinderen) bleef het gisten en hielden de ideologische spanningen aan, want terwijl mijn vader zich tot een veel radicaler liberalisme bekeerde, van socialistische en libertijnse snit, werd een andere zoon van hem, mijn oom Javier, in Rome tot priester gewijd in de orde van Opus Dei, de meest rechtse van dat moment, die zich, in tegenspraak met het Tweede Vaticaans Concilie, bij voorkeur op de rijken leek te richten.

---

* Letterlijk 'vogels'; net als de *chulavitas* gewapende strijdgroepen van de Conservatieve Partij, maar de *pájaros* waren voornamelijk actief in het departement Valle del Cauca.

Die strijd tussen het zwartste reactionair katholicisme en de jakobijnse Verlichting, tezamen met een vertrouwen in de vooruitgang op basis van de wetenschap, zette zich voort binnen ons gezin. Bijvoorbeeld: wellicht onder invloed van de *Gran Misión* hielden mijn zusjes en ik, samen met de dienstmeisjes en de non, de hele maand mei (de Mariamaand) tot in alle uithoeken van het huis processies. We namen een klein beeldje van Onze-Lieve-Vrouwe van Eeuwigdurende Bijstand, dat oom Joaquín voor mijn moeder uit Europa had meegebracht, en zetten het op een zilveren dienblad bedekt met een gehaakt kleedje, waarna we het omgaven met bloemen die we in de patio hadden geplukt. Met kaarsen in de hand en gezangen die de non aanhief ('Op dertien mei verscheen de Maagd Maria/ In de hemel boven Cova da Iria./ Ave, ave, ave Maria/ Ave, ave, ave Maria'), liepen we door alle gangen en kamers van het huis terwijl we de Heilige Maagd meetorsten. Waar de Heilige Maagd kwam, kon Satan niet doordringen, en daarom ondernamen we elke week die processie vanaf het begin, achter de wasplaats en de waslijnen, waar de dienstverblijven waren, de kamers van Emma en Teresa en Tatá, vervolgens door de strijkkamer, de keuken, de voorraadkamer, de naaikamer, het 'Chinese kamertje', de woonkamer, de eetkamer en ten slotte een voor een de slaapkamers boven. De laatste kamer die we bezochten, terug op de begane grond, na de garage en de bibliotheek, was 'de kamer van doctor Saunders', die protestants was, iets wat niemand hem kwalijk nam, maar zuster Josefa droomde ervan hem tot het enige ware geloof te bekeren, het rooms-katholieke apostolisch geloof.

Ik nam deel aan die processies, maar 's avonds reed mijn vader die dagelijkse driloefeningen in de wielen door met me te praten en me voor te lezen. Als in een woordeloze strijd om het bezit van mijn ziel passeerde ik van de grotten der theologische duisternis overdag naar de verlichting van de rede in de avond. Op die leeftijd, waarop zich de rotsvaste overtuigingen vormen die ons waarschijnlijk tot aan onze dood toe bijblijven, werd ik heen en weer geslingerd in een draaikolk van tegenstrijdigheden, maar mijn ware held, die in het geheim overwon, was die solitaire nachtelijke heer die me met professoraal geduld en vaderlijke liefde, en onder dekking van de duisternis, geheel en al doordrong van het licht van zijn intelligentie.

De wereld van geesten, de obscurantistische, die overdag in stand werd gehouden, bevolkt door bovennatuurlijke wezens die voorspraak voor ons hadden bij God en die verdeeld was in hemel, hel en vagevuur, veranderde 's avonds, voor mijn gemoedsrust, in een materiële wereld die min of meer te begrijpen viel met behulp van de rede en de wetenschap. Hij bleef beangstigend, dat aspect veranderde niet, maar hij was alleen beangstigend omdat er natuurrampen plaatsvonden en door de slechte inborst van sommige mensen. Niet vanwege ongrijpbare wezens die het metafysisch universum van de religie bevolken, niet vanwege duivels, engelen, heiligen, zielen en bovenaardse geesten, maar vanwege de tastbare lichamen en verschijnselen van de materiële wereld. Voor mij was het een opluchting om niet meer te hoeven geloven in geesten, in brandende zielen en in spoken, geen angst meer te hebben voor de duivel en geen schrik van God, en mijn zorgen in plaats daarvan te kunnen richten op dieven en bacteriën, tegen wie je je tenminste kon verweren met een knuppel of een injectie en niet met de gebakken lucht van gebeden.

'Ga gerust naar de mis, anders doe je je moeder verdriet, maar het zijn allemaal verzinsels', legde mijn vader me uit. Als God echt bestond, zou het hem niet uitmaken of de mensen hem vereerden of niet. En dan zou hij ook geen verwaande heerser zijn die het nodig vindt dat zijn onderdanen voor hem op de knieën gaan. Bovendien, als hij echt goed en almachtig was, dan zou hij niet toestaan dat er zulke verschrikkelijke dingen gebeuren in de wereld. Wij kunnen nooit honderd procent zeker weten of God bestaat of niet, en al evenmin kunnen we zeker weten of God, als hij bestaat, goed is, of op zijn minst goed voor de aarde en de mensen. Misschien zijn we voor hem wel even belangrijk als parasieten voor dokters of padden voor je moeder.

Ik wist natuurlijk heel goed dat mijn vader zijn leven deels wijdde aan het verdelgen van parasieten en dat mijn moeder stiekem een hysterische fobie had voor padden, zodat in huis zelfs de naam van dat amfibie niet genoemd mocht worden.

Terwijl zuster Josefa me de intrieste geschiedenis van Genoveva van Brabant voorlas, waarom ik tranen met tuiten huilde, en de vrome verhalen over andere zwaar gemartelde heiligen uit de hele santenkraam, las mijn vader me gedichten voor van Machado, van Vallejo en van Neruda over de Spaanse burgeroorlog. Hij vertelde me over de misdaden die de Inquisitie had begaan tegen de arme heksen – die geen heksen konden zijn omdat er geen heksen bestonden en ook geen werkende toverspreuken – over de verbranding van de ongelukkige monnik Giordano Bruno, alleen maar omdat hij had beweerd dat het Kwaad niet bestond omdat God in alles was en alles was doortrokken van God, en over de vervolging door de Kerk van Galileo en Darwin, omdat ze de aarde uit het middelpunt van de wereld hadden gehaald en de mens uit het middelpunt van de schepping, de mens, die nu niet meer naar Gods beeld en gelijkenis geschapen was maar naar het beeld en de gelijkenis van de dieren.

Als ik hem vertelde over de verhalen van de martelingen en het lijden van de heiligen die de non me 's middags voorlas, met verschrikkelijke brandstapels, schendingen des vlezes en afgesneden borsten, dan glimlachte mijn vader en zei dat de martelaren uit de begintijd van het christendom zeker heldhaftig kwellingen hadden doorstaan, want ze hadden zich door de Romeinen laten doden uit naam van het kruis en het idee van één God tegenover de veelgoderij van de heidenen. En hoewel het misschien bewonderenswaardig was dat ze gelijkmoedig de pijnigingen van de brandstapel, van de leeuwenkuil en het zwaard hadden ondergaan, waren ze in elk geval niet heldhaftiger of smartelijker dan de indianen, die door de hand van de vertegenwoordigers van het christendom een marteldood waren gestorven. De wreedheid en het geweld van de christenen in Amerika deden niet onder voor die van de Romeinen tegen de christenen in Europa. De christenen die de indianen afslachtten of die de ketters en heidenen bestreden, deden dat even barbaars als de Romeinen. Uit naam van hetzelfde kruis waarvoor ze gemarteld waren, hadden de christelijke conquistadores andere menselijke wezens gemarteld en tempels en piramides met de grond gelijk gemaakt, korte metten gemaakt met religies en godenvereringen, en talen en hele bevolkingsgroepen laten verdwijnen, met het doel het kwaad uit te roeien van gemeenschappen die er een ander, meestal polytheïstisch, geloof in het bovenaardse op na hielden. En dat alles om met haat het zogenaamde geloof van de naastenliefde op te dringen, van de barmhartige God en van de broederschap van alle mensen. In deze dodendans, waarin de slachtoffers van gisteren veranderden in de beulen van morgen, neutraliseerden de tegengestelde gruwelverhalen elkaar, en ik vertrouwde er, met het optimisme waarmee mijn vader me aanstak, alleen nog maar op dat onze tijd minder barbaars zou worden, een nieuwe tijd – bijna twee eeuwen na de Franse Revolutie – van echte vrijheid, gelijkheid en broederschap, waarin sereen alle geloven en religies getolereerd zouden worden, zonder dat de mensen om die verschillen vermoord werden.

Hoewel hij me de beschamende verhalen over het oorlogszuchtige christendom vertelde als commentaar op het lijden van de christelijke martelaren, bleef mijn vader diep respect houden voor de figuur van Jezus, want in diens leerstellingen vond hij niets moreel verwerpelijks, behalve dan dat ze vrijwel onmogelijk uit te voeren waren, vooral door fundamentalistische katholieken – aartshypocrieten – die dan ook in afgronden van tegenstrijdigheid verkeerden. Hij hield ook van de Bijbel, en soms las hij me voor uit het boek Spreuken of Prediker, en hoewel hij het Nieuwe Testament literair gesproken een veel minder goed boek vond dan het Oude Testament, moest hij erkennen dat de Evangeliën een morele stap voorwaarts betekenden en een veel geavanceerder ideaal boden voor het menselijk gedrag dan de veel mooiere, maar veel minder ethische Pentateuch, waarin het is toegestaan slaven te geselen als ze zich slecht gedragen, en ze zelfs dood te slaan.

Er was nog een heleboel andere lectuur in huis, zowel vrome als profane. Mijn vader kocht zo nu en dan de *Reader's Digest* (en las me de rubriek 'Lachen is gezond' voor), maar hij sloeg de stukken over waarin kwaad werd gesproken van het communisme, met groezelige details over de goelag, want daarin wenste hij niet te geloven en het leek hem pure propaganda. Ter compensatie gaf hij me liever boeken uit de Sovjetunie cadeau. Ik herinner me er minstens drie: *Het heelal is een grote oceaan* van Valentina Teresjkova, de eerste vrouwelijke kosmonaut, en een ander van Joeri Gagarin, waarin de ruimtepionier zei dat hij zich in de leegte tussen de sterren had begeven en ook daar God niet had gezien (wat mijn vader een domme, oppervlakkige redenering vond, want God zou ook heel goed onzichtbaar kunnen zijn). En het belangrijkste boek, dat mijn vader me voorlas en paragraaf voor paragraaf uitlegde: *De oorsprong van het leven* van Aleksander Oparin, waarin op andere wijze de geschiedenis van het boek Genesis werd verteld, zonder goddelijke tussenkomst, zodat ik met behulp van wetenschappelijke verklaringen de oervragen over de kosmos en het leven kon oplossen, aan de hand van een chemische Oersoep die miljoenen jaren lang gebombardeerd werd met kosmische straling, tot ten slotte, toevallig of noodzakelijkerwijs, de eerste aminozuren en de eerste bacteriën ontstonden. Dat in de plaats die voorheen werd ingenomen door het dichterlijke Boek over zeven dagen van wonderbaarlijke bliksems en onverhoedse rustpauzes van een almachtig wezen dat gek genoeg moe werd als een doodgewone landarbeider. Ik heb die boeken nog, door mij in 1967 getekend in het onzekere handschrift van een kind dat net heeft leren schrijven, en met de handtekening die ik mijn hele kindertijd door gebruikte: Héctor Abad III. Die had ik bedacht als ondertekening voor de brieven die ik aan mijn vader schreef tijdens zijn reizen naar Azië, en ik gaf hem daarvoor de volgende verklaring: 'Héctor Abad III, omdat jij voor twee telt.'

Naar aanleiding van de gesprekken met mijn vader (meer dan op grond van wat hij me voorlas, want dat kon ik nog niet bevatten) schaarde ik me op school, soms stiekem en soms openlijk, aan de kant van de Russen in een denkbeeldige oorlog tegen de Amerikanen. Maar dat gedeelde geloof hield slechts kort stand, want toen mijn vader aan het begin van de jaren zeventig werd uitgenodigd voor een reis door de Sovjetunie en zag dat er veel waar was van de propaganda in *Reader's Digest*, keerde hij totaal gedesillusioneerd over de verworvenheden van het 'reëel bestaande socialisme' terug, en hij was vooral geschokt door de onverdraaglijke mate waarin de Sovjetunie een politiestaat was en de onvergeeflijke inbreuk die werd gepleegd op de individuele vrijheid en de mensenrechten.

'We zullen een Latijns-Amerikaans socialisme moeten bedenken, want dat van daar is rampzalig', zei mijn vader, hoewel hij het niet graag toegaf. Hij meende oprecht dat de toekomst van de wereld socialistisch moest zijn, wilden we uit de ellende en de onrechtvaardigheid komen, en op een bepaald moment – tot aan zijn reis naar Rusland – meende hij dat het Sovjet-Russische model daarvoor geschikt zou zijn. Dat geloof, dat tegengesteld was aan dat van mijn moeder (die, toen ze in Havana was en zag wat de Cubaanse revolutie inhield, met klinkend rijm zei dat ze de voorkeur gaf aan de Mexicaanse), dat geloof kwam tot in de meest simpele, dagelijkse dingen tot uiting. Toen ik één jaar oud was, was ik een kale, bleke, plompe baby, en mijn vader en moeder steggelden erover op wie ik het meest leek: zij meende stellig dat ik sprekend op Johannes XXIII leek, de toenmalige paus, en hij op zijn beurt hield vol dat ik het meest op Nikita Chroesjtsjov leek, de secretaris-generaal van de Russische Communistische Partij. Mijn moeder moet het pleit gewonnen hebben, want de finca waar we die zomer de vakantie doorbrachten heet nu niet 'het Kremlin' maar 'Castelgandolfo'.

14

In antwoord op al mijn levensvragen las mijn vader me stukken voor uit de *Colliers Encyclopaedia*, die wij in het Engels hadden, of hij las passages voor van grote schrijvers die onmisbaar waren voor een *liberal education*, zoals in het voorwoord stond van de verzameling *Klassieken van de Encyclopaedia Britannica*, zo'n vijftig delen in kunstleren band met de belangrijkste werken van de westerse cultuur. Op de schutbladen van elk deel van de *Colliers* stonden tijdtafels met de mijlpalen in de geschiedenis van de beschaving, van de uitvinding van het vuur en het wiel, tot de ruimtereizen en de computer, dus al vanaf de band werd een vast geloof verkondigd in de wetenschappelijke vooruitgang die ons immer naar grotere hoogte voerde. Als ik mijn vader iets vroeg over hoe ver weg de sterren stonden, of over hoe de kinderen ter wereld kwamen, of over aardbevingen, dinosaurussen of vulkanen, dan nam hij altijd zijn toevlucht tot de pagina's en de illustraties van de *Colliers Encyclopaedia*.

Hij liet me ook een kunstboek inkijken waarvan ik pas jaren later begreep dat het belangrijk was: *The Story of Art* van Ernst Gombrich. Als mijn vader op de universiteit was, sloeg ik dat boek vaak open, maar altijd op dezelfde bladzijde. Dit was het eerste pornografische geschrift in mijn leven (samen met de gigantische dikke pil van het woordenboek van de Real Academia, waarin ik de vieze woorden opzocht), want omdat het een Engels boek was, keek ik alleen maar naar de plaatjes, en op het schilderij waar ik het langst naar keek, in grote geestelijke en lichamelijke verwarring, stond een naakte vrouw, de schaamstreek maar nauwelijks bedekt met wat takjes, die een kind de borst geeft terwijl een jongeman met een dikke bult tussen zijn benen haar gadeslaat. Op de achtergrond zie je een bliksemschicht, en de donderbui van dat schilderij was als het losbarsten van de erotiek in mijn leven. In die tijd stelde ik geen enkel belang in de titel van het schilderij of de naam van de schilder, maar nu weet ik (ik heb het boek nog) dat het om *La Tempestad* gaat van Giorgione en dat het schilderij uit het begin van het *Cinquecento* dateert. De volle, vleselijke vormen van de vrouw waren voor mij het meest onthutsende en begeerlijke wat ik tot dat moment gezien had, met uitzondering misschien van het volmaakte gezicht van mijn eerste liefde op de lagere school, een meisje uit mijn klas, Nelly Martínez, met engelachtige gelaatstrekken, die ik nooit heb durven aanspreken en die, als ik me niet vergis, de dochter was van een vliegenier, wat haar in mijn ogen nog etherischer, mysterieuzer en interessanter maakte.

Toen ze me van de gemengde lagere school waar ik op zat naar een jongensschool overplaatsten waar – ter meerdere verwarring van mijn ideeën en invloeden – mijn oom Javier, die van Opus Dei, kapelaan was, speet het me dat alle lichamen vatbaar voor enige erotiek die van mijn mannelijke medeleerlingen waren (er waren ook geen andere). Als een van hen vrouwelijke gelaatstrekken had, of geprononceerde billen, of als hij een vrouwelijk loopje had, dan, in een onvermijdelijk kluwen van gevoelens en aandriften, geilden de geilsten onder ons op hem.

Ook hierbij ging het van het ene uiterste in het andere: de school was het domein van de onderdrukkende, middeleeuwse, blanke en klassenbewuste religie, want mijn medeleerlingen kwamen bijna allemaal uit de rijkste families van Medellín, en het was een harde, mannelijke wereld vol rivaliteit, slaag en tucht, geheel doordrenkt van doodsangst voor de zonde en van een obsessie met het zesde gebod, gepaard aan een ziekelijke, manische seksfobie, uit hoofde waarvan men probeerde koste wat kost een niet te stuiten sensualiteit te onderdrukken die ons uit alle poriën dampte, gevoed door stromen van jeugdige hormonen.

Die kruistocht van onze leraren tegen seks was wat men

noemt een *mission impossible*, en de *Fundador de la Obra*[*] zelf sprak, in een paar propagandafilms, die ze voor ons in de bibliotheek draaiden, van de 'heroïek van de kuisheid'. Ik zal nooit vergeten dat monseigneur Escrivá de Balaguer, inmiddels door de Heilige Moederkerk heilig verklaard, na gesproken te hebben van de overwinningen van Franco op 'de roden' in Spanje en na ons met onverbiddelijke felheid de allerzedigste deugd der kuisheid te hebben voorgehouden, met doordringende blik en een boosaardig lachje in de camera keek terwijl hij traag, met de nadruk op elk woord, zei: 'Geloven jullie niet in de hel? Wacht maar, wacht maar.' Pater Mario, die in de plaats van mijn oom kapelaan werd en die we geen 'pater' mochten noemen (want er was maar één Pater en dat was monseigneur Escrivá), begon zijn gesprekken onder vier ogen over geestelijke vorming, waar we elke week om beurten naartoe gingen, altijd met dezelfde vraag: 'Zoon, hoe staat het met je kuisheid?'

Ik denk dat hij zich die ochtenden en middagen, als in een lange pornografische gesprekssessie, vermeide in het plaatsvervangende en heimelijke genot om de ene na de andere minutieuze bekentenis over onze onbedwingbare seksuele honger te mogen aanhoren. Pater Mario wilde altijd details weten, nóg meer details, met wie en hoe vaak en met welke hand en hoe laat en waar, en je merkte dat die ontboezemingen, hoewel hij ze verbaal veroordeelde, een ziekelijke, onweerstaanbare aantrekkingskracht op hem uitoefenden, en dat zijn dringende vragen slechts zijn verlangen verraadden om ze tot in detail uit te pluizen.

Aan het eind van zo'n vervelende schooldag waar maar geen eind aan leek te komen, met middelmatige leraren (een paar uitzonderingen daargelaten), keerde ik na een eindeloze busrit, van Sabaneta naar Laureles, van het ene uiteinde van de Aburrá-vallei

---

* Stichter van het Werk, dat wil zeggen van het Werk Gods, ofwel Opus Dei: Josemaría Escrivá de Balaguer (1902-1975).

naar het andere, terug naar de vrouwenwereld bij ons thuis. Ook daar werd seks verzwegen of ontkend. Het ging zelfs zo ver dat, toen we nog kleiner waren en om warm water te besparen allemaal samen in bad gingen, in de badkuip op de kamer van doctor Saunders, mijn zusjes zich van zuster Josefa helemaal mochten uitkleden en hun eigenaardige spleet, als de gleuf van een spaarpot, tussen hun benen tonen, terwijl ik mijn onderbroek moest aanhouden vanwege die rare drievuldigheid die bij mij, als enige in het gezin, midden uit mijn lichaam puilde. Alleen mijn vader, die wel bereid was naakt met mij te douchen en die aan de hand van grote tekeningen die niets te raden overlieten aan mijn zussen uitlegde hoe kinderen werden gemaakt, bracht 's avonds, als hij terugkeerde van de universiteit, de balans weer in evenwicht en helderde met gulle toewijding al mijn twijfels op. Hij sprak tegen wat de leraren op school zeiden, leverde kritiek op de non vanwege haar preutse, middeleeuwse denkbeelden, bande de hel uit de geografie van het hiernamaals, dat tot een terra incognita werd gereduceerd, en bracht weer orde in de chaos van mijn gedachten. Tussen twee dwaze vormen van religieuze ijver in, een mannelijke op school en een vrouwelijke thuis, had ik een nachtelijk, verlicht toevluchtsoord: mijn vader.

15

Waarom had mijn vader, die op openbare, seculiere scholen had gezeten, toegestaan dat ze me naar een confessionele privéschool stuurden? Ik denk dat hij zich daarbij heeft moeten neerleggen vanwege de onstuitbare achteruitgang in Colombia, sinds de jaren zestig en zeventig, van het openbaar onderwijs. Door de slechte betaling en slechte selectie van leerkrachten, georganiseerd in vraatzuchtige vakbonden die een oogje dichtknepen voor middelmatigheid en intellectuele luiheid bevorderden, door gebrek aan steun van de staat, die niet meer de hoogste prioriteit aan het openbaar onderwijs toekende (want de regerende elites stuurden hun kinderen liever naar privéscholen en het volk moest het zelf maar uitzoeken), als gevolg ook van het prestige- en statusverlies van het leraarsvak en de verpaupering en buitensporige toename van het armste deel van de bevolking, door al deze oorzaken en nog vele andere raakte de openbare, seculiere school in verval, en daarvan heeft ze zich nog steeds niet hersteld. Daarom stond mijn vader toe, met pijn in het hart maar berustend, want hij kon niet anders dan de realiteit erkennen, dat mijn moeder, die praktischer was, zich belastte met de keuze van een school, een meisjesschool voor mijn zusjes en een jongensschool voor mij, onvermijdelijk een privéschool, wat in Medellín gelijkstond aan een school op religieuze grondslag.

Mijn zusjes stuurde ze naar de nonnenscholen La Enseñanza en Maria Opdracht, waar zij zelf de middelbare school had gevolgd, en voor mij, na mijn kleuterschool bij diezelfde nonnen en de eerste klassen van de lagere school op een instituut in onze wijk, waar geen middelbare school aan verbonden was, leek het haar het beste om me op een jezuïetenschool te plaatsen, het Sint-Ignatius, want de jezuïeten hadden eeuwenlang ervaring met onderwijs aan jongens, dus daar moesten ze op zijn minst verstand van hebben.

Op een middag, na een afspraak met de rector gemaakt te hebben, gingen we er samen heen, om te zien of ze plaats voor me hadden. Ik herinner me dat de rector, pater Jorge Hoyos, na ons eerst onnodig lang in de wachtkamer te hebben laten zitten (want hij was duidelijk alleen), zoals de gewoonte was onder directeuren van alle bedrijven, ons ontving met een koelheid en een afstandelijkheid die eerbied en respect moesten afdwingen. Hij ontving ons staande (zoals het personage in *Il Gattopardo*, om mijn moeder niet te gunnen dat hij voor haar opstond) en begon haar zonder enige plichtpleging, zonder zelfs maar haar begroeting te beantwoorden, in de beleefdheidsvorm te ondervragen.

'Jorge, dat is langgeleden! Hoe gaat het met je?'

'Wat kan ik voor u doen, mevrouw?'

Ik had meteen door dat het niet goed zat, want mijn moeder had me thuis, voordat we weggingen, verteld dat het allemaal wel van een leien dakje zou gaan, want 'Jorge' was een oude vriend, nog uit haar jeugd, voordat hij priester bij de jezuïeten werd. Dat 'mevrouw' betekende dat mijn moeder hem geen 'Jorge' meer mocht noemen, maar 'pater Hoyos' of zelfs 'meneer de rector'. Aangezien het doel van ons bezoek voor de hand lag en er weinig plaats was op zijn school, die bovendien heel gewild was, had hij bewust de houding aangenomen van iemand die privileges kan uitdelen of weigeren.

'Ik ben gekomen, pater, om u te vragen of er plaats is op uw school voor mijn zoon, die binnenkort van de lagere school komt.' En ze aaide me over mijn bol terwijl ze allebei mijn voornamen noemde en mijn leeftijd, en zei dat ik een vlijtige jongen was.

Zonder enig welwillend gebaar en zonder ons te vragen plaats te nemen antwoordde pater Hoyos: 'Ach, maar mevrouw, dat is minder makkelijk dan u denkt, al is de jongen nog zo'n goede leerling. Kijkt u eens, hier heb ik drie dozen ...' De rector wendde zich naar een aantal archiefdozen die hij een voor een opende, heel traag, zodat wij de stapels aanvragen konden zien. 'De eerste hier noem ik de Hemel en die is voor de leerlingen die meteen worden toegelaten.'

Mijn moeder, die beter doorhad dan ik waar hij naartoe wilde, zei tegen hem: 'En ik weet wel zeker dat wij daar niet in zitten ...'

'Exact. De volgende is de doos van het Vagevuur, deze, waar de aanvraag van uw zoon in belandt – hoe heet hij ook alweer?' (Mijn moeder herhaalde mijn naam en hij zei hem na, heel traag, lettergreep voor lettergreep, met opperste ironie.) 'Héctor Jo-a-quín. Daarvoor moeten we een minutieus onderzoek plegen naar de familieomstandigheden, om te zien of ze kunnen worden toegelaten, of er binnen het gezin niet een negatieve of verderfelijke invloed is' (hierbij sperde hij zijn ogen wijd open als om zijn boosaardige insinuatie te onderstrepen) 'in zedelijke of doctrinaire zin.'

Nu zweeg hij een moment, zijn ogen aldoor wijd opengesperd terwijl hij mijn moeder strak aankeek, als om haar die kale, bebrilde arts voor de geest te doen halen die zo veel woede in de hele stad opwekte.

'En ten slotte hebben we de doos van de Hel, voor degenen die niet de geringste hoop kunnen koesteren ooit toegelaten te worden. Sommigen komen daar meteen in terecht en anderen vallen er als het ware door de zwaartekracht aangetrokken vanuit het Vagevuur in.'

Nu duldde mijn moeder het niet langer, en met die flauwe glimlach die ze zich wellicht in de omgang met haar oom de aartsbisschop had aangemeten, met die innemende nonchalance waarmee ze altijd mensen op hun plaats zet, veranderde ze abrupt van toon en aanspreekvorm en antwoordde zonder enige aarzeling: 'Ach, Jorge, stop ons maar meteen in de Hel, want ik ga wel naar een andere school. Sorry dat ik je gestoord heb en de groeten.'

En daarop pakte ze mijn hand, we draaiden ons om, en samen verlieten we met gezwinde spoed de rectorskamer van het Sint-Ignatius, zonder hem een hand te geven en zonder één keer om te kijken naar het gezicht van meneer de rector, die we nooit meer terug hebben gezien.

16

Zo kwam ik op de school Los Alcázares terecht, 'instituut dat de Opus Dei tot geestelijk richtsnoer heeft', zoals het heette. Daar kon ik onmiddellijk geplaatst worden, dankzij de invloed van mijn oom Javier, priester van Opus Dei, waarbij deze keer 'de verderfelijke ideologie' van mijn vader door de vingers werd gezien. Voor mij had die school nog het bijkomende voordeel dat er twee neven van mij op zaten, allebei van mijn leeftijd, waardoor ik erop vertrouwde dat ik het niet al te moeilijk zou krijgen als 'nieuweling', want dat betekende op elke school altijd een ontgroening met pesterijen en spotternijen. Misschien heb ik zelf wel aangedrongen om naar die school gestuurd te worden, zonder dat de religie daarbij een rol speelde, en het is mogelijk dat mijn vader zich om die reden niet verzette. Want het was niet gebruikelijk dat hij, die op familiebijeenkomsten altijd zo heftig van mening verschilde met oom Javier over het geloof (waarbij ze allebei driftig werden en met stemverheffing discussieerden over het probleem van het Kwaad), zich naar mijn grillen zou hebben geschikt of hebben toegegeven aan de wijze druk, zacht maar dringend, van mijn moeder. Misschien vond hij het ook wel allemaal deel van een onontkoombaar lot waar je je maar beter niet tegen kon verzetten. Net zoals de kloosters in de Middeleeuwen het enige toevluchtsoord waren voor iemand die zijn leven aan studie wilde wijden, zo hoorde het ook bij onze tijd, en bij ons land, dat er in de stad waar wij woonden alleen maar confessionele scholen waren, althans van een fatsoenlijk niveau, waar hij een zoon van hem naartoe kon sturen. Ook zal hij gedacht hebben dat al dat 'tegen de stroom ingaan' er weleens toe zou kunnen leiden dat er bij mij ideeën postvatten die juist in strijd waren met wat hij me wilde bijbrengen.

Maar nu ik er beter over nadenk, geloof ik dat hij in die tijd ook worstelde met zichzelf. Hij probeerde me ongelovig op te voeden, iets wat hij zelf op rationele gronden wilde zijn, om me te bevrijden van al die spookbeelden van de repressie en het schuldgevoel van de religie die hem zijn hele leven hadden geteisterd, maar tegelijkertijd, deels omdat hij niet tegen het geloof van mijn moeder wilde ingaan en deels omdat hij erop vertrouwde dat het onderwijs van de paters beter was, of in elk geval minder slecht, serieuzer en rigoureuzer, gedisciplineerder, dreef hij zijn rationele zin maar half door en liet de zaken op hun beloop, zonder zich te verzetten, met die geest van tolerantie waarin alle ideeën de kans moeten krijgen volledig te worden ontvouwd alvorens partij wordt gekozen voor de beste of de minst schadelijke.

Het had geen zin spijt te hebben van iets wat zo weinig van de individuele gezindheid afhing en zo veel van de omstandigheden en het moment in de geschiedenis dat je geboren wordt, in dít uithoekje van de wereld en geen ander, in déze familie en geen andere. Ik heb het geluk gehad – laten we het zo zeggen, want het loont altijd de moeite de zaken van de positieve kant te bekijken – om onderwijs te hebben genoten, want dat was het geval op Los Alcázares, in een scholastische traditie die op zijn minst de gestrengheid van de aristotelische logica eerbiedigde en waarbinnen de overtuiging heerste dat door middel van de rede, volgens de fijnzinnige hersenspinsels van de kerkleraar, de heilige Thomas van Aquino, toegang tot de geloofswaarheden verkregen kon worden. Veel handiger en doeltreffender ware het geweest als we de minder rationele weg van Sint-Augustinus hadden bewandeld, heel wat glibberiger in momenten van tegenspraak, want die appelleerde niet aan het verstand maar aan het gevoel. We moesten ook werken lezen van auteurs van geringere statuur, kaarsrecht in de thomistische leer, zoals *El criterio* van Jaime Balmes, de gedachtenkronkels van monseigneur Escrivá de Balaguer, de donderpreken van de falangistische ideologen tegen het atheïstisch materialisme, de moderne lekenmoraal en dat soort zaken.

Tegelijkertijd bood mijn vader me thuis zelfgebrouwen tegengif voor het onderwijs dat ik op school kreeg. Tegenover de lessen op school, vergeven van patristiek en katholieke filosofie, stelde mijn vader andere boeken met ander gedachtengoed, dat me veel meer overtuigde, en als ze op school de evolutietheorie links lieten liggen (of zeiden dat die niet afdoende bewezen was), of als ze in de filosofieles Voltaire, D'Alembert en Diderot met een paar woorden afdeden, dan kon ik in de bibliotheek van mijn vader worden ingeënt met kleine doses van die schrijvers zelf, die me immuun maakten tegen hun verdelging, of met doses Nietzsche en Schopenhauer, Darwin of Huxley, en de godsbewijzen van Leibniz en de heilige Thomas van Aquino konden worden behandeld met de antibiotica van Kant of Hume (die een geweldige kritiek op wonderen schreef), of met de veel toegankelijker en speelser scepsis van Borges, en bovenal met de verfrissende helderheid van Bertrand Russell, die mijn vaders lievelingsfilosoof was en mijn geestelijk bevrijder.

Wat de religie betreft is geloven of niet geloven in laatste instantie niet uitsluitend een rationele beslissing. Het geloof, of het gebrek daaraan, is niet afhankelijk van onze wil en evenmin van een mysterieuze genade die van boven komt, maar van een vroege vorming, in welke zin dan ook, die vrijwel onmogelijk is af te leren. Wanneer we als kind een metafysisch geloof ingeprent krijgen, of daarentegen opgevoed worden in een agnostische of atheïstische zienswijze, dan is het als volwassene praktisch onmogelijk van standpunt te veranderen. We worden allemaal geboren met een neiging om alles wat volwassenen stellig beweren kritiekloos aan te nemen. Dat is voordelig, want stel je voor dat we sceptisch geboren werden en gingen experimenteren met de straat oversteken zonder uit te kijken, of een mes in ons gezicht zetten om te zien of het echt snijdt, of zonder begeleiding het oerwoud in trekken. Blind geloven in wat ouders zeggen is voor elk kind een kwestie van overleven, en daarbij horen zowel de praktische dingen van het leven als de religie. De mensen die in spoken geloven, of in personen die door de duivel zijn bezeten, zijn niet degenen die ze gezien hebben, maar degenen die van kinds af aan geleerd hebben ze te voelen en te zien (ook al zagen ze ze niet echt).

Er zijn wel mensen die zich, bedwelmd door rationaliteit, overgeven aan reflectie en een aantal jaren ongelovig worden, ook al zijn ze religieus opgevoed, maar bij elk dieptepunt in hun leven, als ze oud of ziek worden, zijn ze weer ten volle geneigd om de steun van het geloof te zoeken, in de vorm van een spirituele macht. Alleen iemand bij wie al heel vroeg in het leven de kiem van twijfel is gezaaid, kan elk geloof van hemzelf in twijfel trekken. Een bijkomende moeilijkheid voor een levensbeschouwing zonder een spirituele wereld (in de zin van entiteiten en ruimten die na de dood blijven bestaan, of die reeds vóór onze geboorte bestonden) is dat, waarschijnlijk door een zekere existentiële angst van de mens en door ons overweldigende en pijnlijke bewustzijn van de dood, de troost van een ander leven en het bezit van een onsterfelijke ziel die naar de hemel kan gaan of transmigreren, altijd veel aantrekkelijker is en meer sociale cohesie en een gevoel van broederschap tussen niet-verwante individuen geeft dan de kille, illusieloze wereldbeschouwing waarin het bestaan van het bovennatuurlijke wordt uitgesloten. Wij mensen hebben een diepe, natuurlijke hang naar mysterie, en het is elke dag hard werken om niet in die val te trappen en niet toe te geven aan de eeuwige verleiding te geloven in een onbewijsbare metafysische dimensie, in de zin van entiteiten die geen begin en geen einde hebben, die de oorsprong zijn van alles, en van ongrijpbare geestelijke substanties of zielen die de fysieke dood overleven. Want als de ziel gelijkstaat aan de geest, of aan de intelligentie, dan valt eenvoudig aan te tonen (een herseninfarct of de duistere afgronden van de ziekte van Alzheimer volstaan) dat de ziel, zoals een filosoof ooit zei, niet alleen niet onsterfelijk is, maar zelfs veel sterfelijker dan het lichaam.

17

In mijn kinder- en tienerjaren, de jaren zestig en zeventig, kreeg mijn vader vaak ideologische aanvaringen met het universiteitsbestuur. Natuurlijk begreep ik daar niets van en ik merkte het ook niet direct, maar de gesprekken die mijn ouders in de eetkamer en de slaapkamer voerden, waren ellenlang en gespannen. Mijn moeder steunde hem door dik en dun, vastberaden, ze sprak hem moed in om hem door de hoogst onbillijke vervolgingen heen te helpen en bedacht diplomatieke overlevingsstrategieën. Maar er kwam een moment dat het allemaal niets meer uithaalde en dat mijn vader voor lange tijd op reis moest, reizen die mijn begrip te boven gingen en die zeer pijnlijke gevolgen hadden, waar ik niets van begreep, en die ik pas jaren later precies kon achterhalen.

In die jaren kwam hij keer op keer onder vuur te liggen van de conservatieven, die hem als een schadelijk linkse invloed op de studenten beschouwden, een gevaar voor de maatschappij, en in religieus opzicht te vrijdenkend. En daarna, vanaf eind jaren zeventig, kreeg hij nog eens te maken met het McCarthyisme, de meedogenloze spotternijen en niet-aflatende kritiek van linkse bestuurders, die de plaats van een aantal conservatieven in het college van bestuur hadden ingenomen en die hem beschouwden als een slappe, onverbeterlijke bourgeois, omdat hij tegen de gewapende strijd was. Ik herinner me dat mijn vader in de overgangstijd, toen links aan de universiteit de macht van rechts overnam en toen hij meer dan ooit tolerantie voor elk gedachtengoed bepleitte en een filosofisch 'mesoïsme' voorstond (een woord dat hij zelf had bedacht voor de gulden middenweg, het standpunt van antidogmatisme en onderhandelen), dat hij toen vaak de volgende uitspraak deed, misschien is het een citaat van iemand, maar dat ben ik dan vergeten: 'Degenen die door de Welfen voor Ghibelijnen worden uitgemaakt en door de Ghibelijnen voor Welfen, die spreken de waarheid.'

Hij vond het bespottelijk dat de marxisten de universiteitskapel in een laboratorium wilden veranderen, en dat ook daadwerkelijk deden, en vervolgens in een theater. Want de universiteit diende dan wel areligieus te zijn, maar haar oorsprong was religieus, sterker nog, haar oorsprong was een klooster, en dus was het toestaan van een ruimte voor een eredienst (aangezien de meeste professoren en studenten gelovig waren) geen verzaking van het lekenideaal, maar de bevestiging van een liberaal en tolerant standpunt dat ruimte bood aan alle menselijke intellectuele uitingen, ook de religieuze, en het zou helemaal niet slecht zijn als de universiteit ook onderdak bood aan een boeddhistische tempel, een synagoge, een moskee en een kapel van de vrijmetselarij. Fundamentalisme vond hij altijd schadelijk, en niet alleen dat van de gelovigen, maar ook van de ongelovigen.

Aan het begin van de jaren zestig echter, toen ik nog maar vier of vijf jaar oud was, ging de strijd tegen de vertegenwoordigers van uiterst rechts, zoals wederom in de jaren tachtig. Tegen 1961 kreeg mijn vader zijn eerste serieuze conflict met hen, en in die tijd bekleedden zij de hoogste posities aan de Universiteit van Antioquia, de alma mater waar hij zijn vorming had gekregen en waar hij, ondanks alles, tot op de dag van zijn dood als hoogleraar bleef werken. De rector, Jaime Sanín Echeverri, een conservatief (zij het dat hij met de jaren de scherpe kantjes eraf vijlde en op zijn oude dag minder fanatiek werd), en vooral de decaan van de medische faculteit, Oriol Arango, zaten hem op de huid met het nauwelijks verholen doel hem zover te drijven dat hij zijn leerstoel opgaf. Op zeker moment brak er een staking van de onderwijzers op openbare scholen uit, en mijn vader steunde die met artikelen en toespraken voor de radio en op straat.

Als gevolg daarvan kreeg hij een brief van de decaan, doctor Arango, die hem op de volgende manier de les las: 'Toen ik de functie van decaan op mij nam, waren u en ik het erover eens dat de leerstoel Preventieve Geneeskunde, voor het welzijn van de faculteit, nodig bevrijd diende te worden van wat u *bad will* en ik de kwade reuk van het communisme noemde. Ik was dankbaar voor uw belofte om daartoe alles in het werk te stellen. Maar nu bereiken mij talrijke berichten over uw optredens in het openbaar en op de radio met betrekking tot een recente actie die is ontaard in een onwettige staking. Zaken als deze geven aanleiding tot twijfel over het feit of er binnen uw vakgroep zuiver academisch werk wordt verricht, of dat gepoogd wordt de massa's op te zwepen. Uw handelwijze is niet in overeenstemming met de positie van hoogleraar aan een universiteit, en ik ben van mening dat het moment daar is om te beslissen en te kiezen of u zich geheel aan het onderwijs wijdt of aan activiteiten daarbuiten.'

Het antwoord van mijn vader, waarin hij de decaan eerst informeert over een aantal werken die hij ondernam in een dorp vlak bij Medellín, samen met een Noord-Amerikaanse filantroop (hij doelde op doctor Saunders, zonder zijn naam te noemen), en die praktisch effect sorteerden en reëel nut hadden voor de openbare gezondheidszorg, bevat de volgende overwegingen.

'Ik moet u met alle verschuldigde eerbied mededelen dat ik nooit heb gemeend dat mijn positie van hoogleraar betekende dat ik mijn burgerrechten op moest geven, of het recht om mijn meningen en ideeën vrij te uiten op de wijze die ik daarvoor gepast acht. In de vijf jaar dat ik hoogleraar aan deze faculteit ben, is dit de eerste keer dat gepoogd wordt mij dit te verbieden. Onder de twee vorige decanen heb ik artikelen geschreven voor de pers en mijn meningen geuit op de radio, en hoewel het mogelijk is dat dit heeft geleid tot de *bad will* die deze leerstoel (in bepaalde kringen) ten deel is gevallen, heb ik er toch niet de minste spijt van, omdat ik meen altijd het openbaar welzijn op het oog te hebben gehad, en aangezien de leerstoel die ik bezet er in de eerste plaats een is van dienstbaarheid aan het publiek en contact met de realiteit van Colombia, kan ik mij en mijn studenten niet opsluiten in een academische ivoren toren, maar moet ik mij integendeel juist volledig op de hoogte stellen van de reële problemen van de Colombianen, niet alleen met die van de toekomst of het verleden, maar ook met die van vandaag, opdat de universiteit niet langer een etherische entiteit is, geïsoleerd van de zorgen van de mensen, met de rug naar de samenleving toe, en handhaafster van de oude methoden en privileges die het Colombiaanse volk in de greep van een middeleeuwse sociale ongerechtigheid hebben gehouden.

Gisteren nog heb ik, te paard en samen met de voorzitter van een Amerikaanse maatschappelijke organisatie, onze *horige* boeren bezocht die geen water, geen land en geen hoop hebben. Ik dacht erover om dit aan mijn studenten en het grote publiek te vertellen en ze uit te nodigen ze te leren kennen, opdat wij met elkaar betere methoden bedenken om aan die betreurenswaardige toestanden een einde te maken. Als die denkbeelden onverenigbaar zijn met het professoraat, dan moet u maar beslissen wat u het beste lijkt, geachte decaan, maar ik peins er niet over ze op te geven, welke economische of politieke druk er ook op me wordt uitgeoefend, en ik peins er ook niet over afstand van ze te nemen, met weemoed, na een heel leven voor ze gestreden te hebben en voor het recht om ze te uiten.'

Het antwoord kwam niet meer van de decaan, maar van het college van bestuur van de universiteit. De rector, alle decanen, de vertegenwoordiger van de president van de republiek, van de minister van Onderwijs, van de professoren, van de ex-rectoren, van de studenten, allemaal steunden ze unaniem het standpunt van doctor Arango. Mijn vader antwoordde fel, maar hij zag in dat zijn speelruimte aan de universiteit beperkt werd en dat aller ogen op hem gericht waren om hem elk moment onder het minste of geringste voorwendsel te kunnen ontslaan. In die tijd, in 1963 of 1964, begonnen de herhaalde verzoeken om 'verlof', die mijn vader indiende om niet onverwacht op straat te komen staan.

Om de storm te ontwijken, zoals piloten doen die om een cumulonimbus in de vorm van een aambeeld heen vliegen om even verderop, aan de andere kant van de onweersbui, hun koers weer te hervatten, solliciteerde mijn vader, die in de eerste jaren van zijn medische loopbaan in Washington, Lima en Mexico als adviseur had gewerkt voor de Wereld Gezondheids Organisatie, naar een aantal internationale opdrachten als medisch consulent, eerst in Indonesië en Singapore en daarna in Maleisië en de Filippijnen, en om die te kunnen uitvoeren vroeg hij verlofperioden aan. Het universiteitsbestuur, dat blij toe was om van die oproerkraaier en lastpak af te zijn, al was het dan tijdelijk, gaf onmiddellijk toestemming.

Die tijden van afwezigheid waren niet voldoende om de storm tot bedaren te brengen. Bij terugkeer ontdekte hij dat zijn oud-studenten (protegés van hem die hij zelf had voorgedragen en als docent aangesteld) hem niet bepaald van harte ontvingen. Vooral een van hen, Guillermo Restrepo Chavarriaga, putte zich uit in beledigingen en beschuldigde hem ervan 'een demagoog te zijn voor de studenten en een tiran voor de docenten'. Bovendien zou hij 'een gevaarlijke filosofie' verkondigen 'die de vooruitgang van de vakgroep en de gezondheidszorg in de weg stond'. Mijn vader nam met verwondering kennis van die aantijgingen en kon zijn ogen bijna niet geloven toen hij die brieven las. Dezelfde School voor Volksgezondheid die hij had opgericht en geleid wilde hem nu op grond van de meest infame beschuldigingen eruit trappen. Dus moest hij weer een internationaal adviseurschap aanvragen om zijn gezin te kunnen onderhouden, zonder zijn waardigheid aan de faculteit te verliezen.

Ik herinner me de eerste dagen na zijn vertrek voor een van die reizen, het zal misschien de eerste geweest zijn, voor ruim een half jaar (wat voor mij ongeveer gelijkstond aan doodgaan). Ik smeekte mijn moeder om in zijn bed te mogen slapen en ik verzocht de dienstmeisjes zijn lakens en slopen niet te verschonen, zodat ik, als ik naar bed ging, nog zijn geur kon opsnuiven. Ze gaven me mijn zin, althans in het begin, tot de tijd en mijn eigen lichaam die heerlijke geur, die voor mij geborgenheid en gemoedsrust betekende, hadden verdrongen.

Een telefoongesprek van de andere kant van de wereld kostte in die tijd een rib uit je lijf, en mijn vader kon zich maar één keer per maand een heel kort gesprek veroorloven, waarin hij onmogelijk met alle zes zijn kinderen én mijn moeder kon spreken, zodat hij zich beperkte tot vijf minuten met mijn moeder alleen, die hem al schreeuwend tussen het gefluit en gesis in de ether door inderhaast moest vertellen hoe het met ons allemaal ging, een voor een, en wat voor nieuws er was over de familie en het land. Natuurlijk waren er de brieven, en wij kinderen ontvingen er allemaal elke week een heleboel, na elkaar of tegelijk. Ook wij schreven hem, en in ons huisarchief bewaren we nog steeds een aantal van zijn antwoorden, altijd liefdevol en teder, vol met bespiegelingen en raadgevingen voor ieder van ons, die de pijn van de verwijdering verzachtten doordat ze de beste gevoelens die we voor elkaar koesterden levend hielden. Als ik terugkeerde naar de troosteloosheid van mijn bed en mijn kamertje, stopte ik zijn ansichtkaarten en brieven onder het matras, en die regels, die me vanuit Azië de stem van mijn vader brachten, waren mijn nachtelijk gezelschap en de geheime steun en toeverlaat van mijn dromen.

Op grond van een aantal van die brieven, die ik nog steeds bewaar, en op grond van de honderden gesprekken die ik met hem heb gevoerd, ben ik uiteindelijk tot het inzicht gekomen dat iemand niet als goed mens geboren wordt, maar dat wanneer onze aangeboren kleinzieligheid getolereerd en gestuurd wordt, het mogelijk is die in zodanige banen te leiden dat hij geen kwaad doet, of zelfs van richting verandert. Het is niet zo dat ons geleerd wordt wraakzuchtig te zijn (want we worden geboren met wraakzuchtige gevoelens), maar om geen wraak te nemen. Het is niet zo dat ons geleerd wordt goed te zijn, maar om geen kwaad te doen. Ik heb me nooit een goed mens gevoeld, maar ik heb wel gemerkt dat ik vaak, dankzij de weldadige invloed van mijn vader, een slecht mens kon zijn die niets deed, een lafaard die door inspanning zijn lafheid overwint en een krent die zijn krenterigheid in bedwang houdt. En wat nog belangrijker is: als er al een beetje geluk is in mijn leven, als ik al een beetje volwassen ben, als ik me bijna altijd fatsoenlijk en min of meer normaal gedraag, als ik geen asociaal mens ben en aanslagen en verdriet te verduren heb gekregen en nog steeds vredelievend ben, dan denk ik dat dat simpelweg komt omdat mijn vader van me hield zoals ik was, een vormeloos kluwen van goede en slechte sentimenten, en dat hij me de weg heeft gewezen om uit die kwade menselijke inborst, die we misschien allemaal wel hebben, het beste te halen. En hoewel ik heel vaak faal, is het toch dankzij de herinnering aan hem dat ik bijna altijd probeer minder slecht te zijn dan mijn natuurlijke neiging me ingeeft.

18

Het probleem was dat ik, als hij maandenlang afwezig was, weerloos in het duistere katholicisme van mijn moeders familie verviel. Ik moest vaak 's middags naar het huis van oma Victoria, die zo heette omdat ze, in Bucaramanga, ter wereld was gekomen na een rits van zes broers, en toen eindelijk het zevende en laatste kind geboren werd, een meisje, had mijn overgrootvader, José Joaquín, die leraar Spaans was en auteur van onderhoudende kronieken, uitgeroepen: 'Eindelijk Victorie!' en daarom heette het meisje Victoria. Mijn oma, nu, had met haar broers een hele stoet vrome mannen boven zich, en ze werd de zus van aartsbisschop Joaquín en de zus van monseigneur Luis García en de zus van Jesús García (die getrouwd was, maar als het erop aankwam nog meer priester dan de vorige twee, want hij ging elke dag drie keer naar de mis, alsof het de bioscoop was, ochtendmis, lof en avondmis, en toen hij weduwnaar was geworden, wijdde hij zijn leven aan devotie en herinnerde iedereen er voortdurend aan – want niemand wist het nog – dat hij minister van Posterijen was geweest tijdens het bewind van Abadía Méndez, tot het rampzalige moment dat de liberalen, de vrijmetselaars en de radicalen aan de macht kwamen) en de zus van Alberto, consul in Havana (die wat meer een levensgenieter was dan zijn broers, wellicht het minst heilige boontje van zijn familie) en de tante van Joaquín García Ordóñez, bisschop van Santa Rosas de Osos, en bovendien nog de tante van de eerdergenoemde twee rebelse priesters, René García en Luis Alejandro Currea. En om het groepsportret van haar aartskatholieke ambiance compleet te maken: buiten deze devote mannelijke bloedverwanten rekende ze nog tot haar biechtvaders en intieme vrienden monseigneur Uribe, die het tot bisschop van Rionegro bracht en de beroemdste exorcist van Colombia werd, pater Lisandro Franky, pastoor van Aracataca, en pater Tisnés, historicus van de Nationale Academie. En dankzij al deze klerikale connecties was ze ook nog eens gastvrouw van de Apostolische Naaikrans, een groep vrouwen die elke woensdagmiddag van twee tot zes zonder respijt de gewaden naaiden voor de priesters van de stad, gratis voor de arme en voor veel geld voor de rijke, en ze naaiden, weefden en borduurden alben, cingels, stolen, kazuifels en amicten om de schouders te bedekken, purificatoria om de kelken te reinigen, altaardwalen en koorhemden voor de seminaristen en de misdienaars.

In het huis van mijn grootmoeder, in de Carrera Villa ter hoogte van de Calle Bomboná, hing de geur van wierook, zoals in kathedralen, en het stond er helemaal vol met heiligenbeelden, als een heidense tempel van verschillende riten en erediensten (het Heilig Hart van Jezus, met ontbloot orgaan, de Heilige Anna die de Maagd Maria leert lezen, Sint-Antonius van Padua die met zijn onvergankelijke tong tot de vissen predikt, Sint-Martinus van Porres die de negers in bescherming neemt, de heilige pastoor van Ars op zijn doodsbed), en her en der in de eetkamer en de lange, donkere gangen hingen levensgrote foto's aan de muur van de overleden aartsbisschop met zijn dikke bril, zodat je zijn ogen niet zag. Er was ook een kapelletje, een bidplaats, waar oom Luis de mis mocht lezen, en er hingen verscheidene brieven, ingelijst in goudlaminaat, omdat ze de handtekening droegen van kardinaal Pacelli, later Zijne Heiligheid Pius XII, een naam die de kardinaal, een vriend van oom Joaquín, aannam toen hij vlak voor de Tweede Wereldoorlog door de Heilige Geest tot paus geroepen werd, tot ongeluk van het Jodendom en schande van het christendom, en tussen al die voorwerpen en devoties en heiligenbeelden hing permanent de geur van de sacristie, van brandende kaarsen, van doodsangst voor de zonde en van kloosterroddels.

Tegen de avond zetten wij ons allemaal, mijn zusjes en ik, rondom grootmoeder in de bidruimte en kwamen er uit alle hoeken en gaten van het huis vrouwen tevoorschijn, vrouwen van de familie, vrouwen van het huispersoneel, vrouwen uit de buurt, altijd in het zwart of donkerbruin gekleed, als kakkerlakken, met een hoofddoekje om en een rozenkrans in de hand. Het ceremonieel van de rozenkrans stond onder leiding van oom Luis, met zijn oude, spiegelglad gestreken, glimmende soutane vol gemorste as, zijn aangevreten leprozenhanden, zijn kruintje met de blanke tonsuur en zijn reusachtige gestalte, goedlachs en vervaarlijk tegelijk, geschokt en terneergeslagen door de dagelijkse zonden en de onverbeterlijke zondaars die hij elke middag in de biechtstoel van zijn appartement de absolutie moest verlenen. Hij wachtte geduldig, de ene na de andere sigaret rokend en zijn vingers schroeiend, terwijl hij steeds weer zijn aloude, vertwijfelde verzuchting slaakte ('Ach, wanneer, wanneer zullen wij het rijk der hemelen binnengaan!'), tot de vrouwen waren gearriveerd, die 'van binnen' en die van buiten.

Daar kwam Marta Castro, die tbc had gehad, waaraan ze een permanente droge, schorre hoest en ademkrampen had overgehouden, en die bovendien een troebel oog had, grijzig blauw, omdat ze zich een keer bij het borduren van een kazuifel met een naald in haar oog had gestoken, waaraan ze blind was geworden, allemaal uit liefdadigheid voor de arme priesters, zo werd je door Onze-Lieve-Heer beloond, zoals Hij ook oom Luis had beloond, die kapelaan was geworden in Agua de Dios, de Colombiaanse leprozenkolonie, een dorp in Cundinamarca, waar hij de ziekte had opgelopen die zijn dood werd, zijn rug aan barrels en zijn vingers en tenen die met stukken van hem af vielen. Een keer maakte mijn grootmoeder, vlak voor zijn dood, zijn bed op en zag ineens zijn afgevallen grote teen op het laken liggen. Ze rende naar de dokter, maar er was niets meer aan te doen, want behalve de ziekte van Hansen had hij ook diabetes gekregen, en ze moesten zijn been afzetten, eerst het ene en daarna het andere (en datzelfde overkwam later ook, je gelooft het of niet, pater Lisandro, de biechtvader van mijn grootmoeder, wie ze beide ledematen moesten afzetten, omdat als gevolg van de diabetes de bloedsomloop werd gestremd en hij koudvuur kreeg in zijn benen, alsof ze beiden getroffen waren door een vuurstraal uit den hoge, als straf voor hun devotie, voor hun christelijke ijver en hun apostolisch celibaat), hoewel de bacil van Hansen zich al belast had met het knotten van de vingers van oom Luis, zodat hij alleen die akelige stompjes nog overhad om de rozenkrans mee te bidden. En daar kwam natuurlijk ook Tatá, die kindermeisje was geweest van mijn grootmoeder en moeder, die het ene half jaar bij ons thuis en het andere bij mijn grootmoeder woonde en die, zoals gezegd, stokdoof was en de rozenkrans in haar eigen tempo bad, want als wij zeiden: Heilige Maria, moeder van God, bid voor ons zondaars, nu en in het uur van onze dood, amen, dan zei zij op hetzelfde moment, volkomen van de wijs: Wees gegroet Maria, vol van genade, de Heer is met u, gij zijt de gezegende onder de vrouwen en gezegend is Jezus, de vrucht van uw schoot ... Ook Tatá overkwam naderhand iets vreselijks, want de beste oogchirurg van Medellín, doctor Alberto Llano, had haar aan staar geopereerd en mijn moeder verpleegde haar, ze moest het bed houden en ze mocht haar hoofd niet optillen, mijn moeder waste haar met een baddoekje, zodat ze zich niet hoefde te verroeren, twee maanden van absoluut stilliggen, want in die tijd werd de operatie nog met het mes gedaan in plaats van met laserstralen en de wond was groot, maar op een ochtend hielp mijn moeder haar een schone pyjama aantrekken en Tatá tilde haar hoofd op en mijn moeder zag dat het oog eruit kwam, uit de oogkas liepen straaltjes geleiachtig spul, als van een rauw ei, en net zoals eerder mijn grootmoeder de door koudvuur aangetaste grote teen van oom Luis in haar hand had gehouden, zo hield mijn moeder nu het oog van Tatá in haar hand, een geleiachtige massa die rook naar verrotting, en Tatá was voor de rest van haar leven blind, tenminste aan dat ene oog, en met het andere zag ze niets, alleen licht en schaduw, of heel grote dingen, grove contouren, maar nu durfde ze zich niet meer aan haar andere oog met staar te laten operen, en om met haar te communiceren kocht mijn moeder een schoolbord en krijtjes, en als ze iets tegen haar wilde zeggen, schreef ze het op het bord, met levensgrote letters, want Tatá hoorde niets en zag alleen huizenhoge vormen, en ze bad en bad zonder ophouden, want die dingen waren van Onze-Lieve-Heer gezonden, om ons op de proef te stellen, of om ons hier op aarde alvast een paar kwellingen van het vagevuur te laten ondergaan, die onontbeerlijk waren om de ziel te zuiveren alvorens ze waardig werd bevonden het hemelrijk in te gaan.

Ook Blonde Jack deed weleens mee, die van het roken en het bidden keelkanker had gekregen en bij wie ze zijn strottehoofd hadden verwijderd, zodat hij geen stem meer had, of heel raar sprak, alsof hij boerde, en aan mijn zussen en mij hadden ze verteld dat hij door zijn rug ademhaalde, net als de walvissen, want ze hadden een gat in hem gemaakt, recht naar zijn longen, dus van Blonde Jack, die ook de rozenkrans met ons bad, hoorden we de stem niet, alleen een nasaal buikgerommel diep onder in zijn keel, die hij niet meer had, en daarom bedekte hij hem met een heel keurig opgevouwen doekje van rode zijde, en mijn zussen en ik keken gebiologeerd naar de rug van zijn overhemd, om te zien of het daar midden op zijn rug met elke uitademing opbolde en elke keer als hij inademde weer samentrok, alsof hij een dolfijn was met zijn neus midden op zijn rug. Blonde Jack had een patio waar de beste guaves van de stad groeiden, heel erg grote, en soms liet hij me in de bomen klimmen om de guaves te plukken en er bij ons thuis of bij hem en zijn vrouw thuis guavegelei van te maken en guavejam en kokoskoekjes met guave en guavesap, en wat de meeste indruk op me maakte bij Blonde Jack, was dat hij altijd een scheidsrechtersfluitje aan een kettinkje om zijn hals had hangen, en als hij zijn vrouw wilde roepen, pakte hij dat fluitje en blies er keihard op, en dan antwoordde zijn vrouw binnen in het huis: 'Ik kom, Blonde, ik kom al', en wat ik niet begreep, was waarom hij dat fluitje niet aan zijn rug zette waar hij dat gat had om door te ademen en waar een straal lucht uit moest spuiten, net als de waterstraal die uit de bochel van bultrugwalvissen spuit.

Die rozenkransen waren spookachtige bedoeningen, als processies van mismaakte gelovigen, een Cour des Miracles, een filmische scène over de passietijd, wanneer de zieken en de lammen, de blinden en de melaatsen tot Christus komen om te worden genezen, want daar was ook de overspelige vrouw, een zondares, een ver familielid, een gevallen, naamloze vrouw die voor altijd verloren was, want ze had haar man en kinderen verlaten en was er met een andere man vandoor gegaan, naar een veeboerderij in Montería, tot die andere, haar concubant, haar verstootte en ze dus met niets overbleef, ze bleef met lege handen achter, zeiden de vrouwen, en ze was teruggekomen, maar niemand wilde haar nog hebben en het enige wat ze kon, was haar hele leven almaar rozenkransen bidden en bidden, misschien dat God dan ooit mededogen met haar kreeg en de schanddaad vergaf die ze in haar onbeschaamdheid had begaan, maar ze behandelden haar slecht, ze moest achter, helemaal achteraan gaan zitten, tussen de dienstmeisjes, met gebogen hoofd, om deemoedigheid te tonen, en de andere vrouwen keken haar nauwelijks aan, ze groetten haar uit de hoogte met opgetrokken wenkbrauwen, zonder haar ooit uit te nodigen voor de Apostolische Naaikrans, alsof ze vreesden dat de zonde die ze had begaan, de zonde van het overspel, besmettelijk was, nog besmettelijker dan lepra, griep of tbc.

En ook waren er Rosario, die hosties maakte en koekjes bakte, en Martina de strijkster, die naar stijfsel rook, en de dochter van Martina de strijkster, Marielena, die achterlijk was en een hazenlip had en die drie kinderen op straat had gekregen, van drie verschillende mannen, want de echte macho's malen er niet om of ze het doen met een genie of een imbeciel, ze willen hem er altijd in steken, als het maar een geurend warm hol is, en Martina de strijkster, die genoeg had van de verdwijningen van Marielena met haar geile macho's, had de kinderen ter adoptie aan een paar Canadezen gegeven, want ze dacht dat Marielena wel weer zwanger zou worden, en waarom zo veel kleinkinderen? Maar zo was het niet gegaan en nu zagen ze de kinderen en kleinkinderen alleen in december op ansichtkaarten, want dan kwamen er foto's van ze met Kerstmis, van Canadese kinderen in de sneeuw en in de welvaart, vreemde kinderen die blank waren geworden van de kou en wier ouders kaartjes stuurden zonder afzender, *Merry Christmas*, alleen met het stempel van Vancouver en de postzegels van Canada met een portret van de Engelse koningin erop, om land en plaats waar ze vandaan kwamen aan te geven, maar niet het huis waarin de kinderen nu als rijken woonden, terwijl Martina de strijkster en haar dochter hier vegeteerden, arm en alleen, allebei steeds ouder en allener, en Marielena al met afgebonden eileiders, want zo was ze teruggekomen van de laatste keer dat ze er met een man vandoor was gegaan, voor altijd onvruchtbaar, zodat ze allebei alleen overbleven en moesten doorgaan met het verstellen en strijken en stijven van linnen tafelkleden en servetten, alleen en voor niemand, zolang hun vingers en hun ogen het uithielden.

En dan waren er nog de 'meiden', zoals mijn grootmoeder ze noemde, de 'meiden' van de Apostolische Naaikrans, hoewel ze allemaal oud waren, ook de jongste, allemaal stokoud, en onder hen waren Gertrudis Hoyos, Libia Isaza de Hernández, de uitvindster van de Pomada Peña, die rijk was geworden van die crème, die als bij toverslag alle vlekken in je gezicht en op je handen verwijdert, de enige van de Apostolische Naaikrans die rijk was en het meeste geld schonk aan de liefdadigheid, Alicia en Maruja Villegas, twee erg kleine vrouwtjes die heel veel kletsten, Rocío en Luz Jaramillo, ook twee zussen, mijn tante Inés, een zus van mijn vader, en mijn andere oma, doña Eva, die altijd stikte van de lach, zonder dat iemand wist waarom, en Salía de Hernández, de coupeuse, en Margarita Fernández de Mira, de moeder van de psychiater, en Eugenia Fernández en Martina Marulanda, die daar ergens in de buurt woonde, de zus van pater Marulanda, en nog veel meer vrouwen die naar het huis van mijn grootmoeder kwamen om te naaien, te roddelen en de rozenkrans te bidden met oom Luis, met monseigneur García, mijn arme oom die lepra had en die door iedereen gemeden werd, terwijl niemand ooit het woord 'lepra' in de mond nam of de ziekte benoemde, mijn moeder niet, mijn grootmoeder niet, de dienstmeisjes niet, de bejaarde meiden van de Apostolische Naaikrans niet, niemand, ze zeiden alleen maar 'de beproeving' of 'het leed', de beproeving en het leed die Onze-Lieve-Heer de familie had gezonden omdat ze zo veel rozenhoedjes baden, zo vaak ter communie gingen, elke week gingen biechten en de ene mis na de andere opdroegen om zijn wonderen af te smeken, die nooit kwamen, en zijn erbarmen, dat altijd kwam in de gedaante van lijden, treurnis en rampspoed.

Mijn moeder ging nooit naar die naaisessies en zelden naar die rozenkransen, want ze werkte en was een praktische vrouw met weinig vriendinnen, die een hekel had aan het voortdurende geroddel van de naaisters en de permanente sacristiegeur van priestergewaden, de geur van haar kindertijd, maar ze stuurde ons, mijn zusjes en mij, er wel heen, zodat er voor ons gezorgd werd, maar in werkelijkheid opdat we het meemaakten, opdat we oppassend waren, zei ze, maar ik denk eerder opdat we iets proefden van haar kindertijd, zonder dat ze het met zoveel woorden zei, en opdat we daar in het voorbijgaan met al die oude vrouwen de rozenkrans baden, opdat we voelden hoe haar jeugd als weeskind geweest was in dat huis dat overliep van katholicisme, gebeden, heilige maagden, vrome vrouwen en zondige vrouwen, mismaaktheden, publieke en geheime tragedies, beschamende ziekten, in dat huis van devoties dat God, zoals elk willekeurig huis, zoals alle huizen op aarde, had uitverkoren om getroffen te worden door de bliksems van zijn toorn, die tot uitdrukking kwamen in ferme doses ellende, zinneloos sterven en ongeneeslijke ziekten en pijn.

19

Ja, als mijn vader, tijdelijk verdreven door het vijandige politieke klimaat aan de universiteit, voor maanden met verlof naar Jakarta en Manila en Kuala Lumpur vertrok, en jaren later ook naar Los Angeles, waar hij door professor Milton Roemer was uitgenodigd om colleges openbare gezondheidszorg te geven aan de Universiteit van Californië (waarna mijn vader thuiskwam met zijn studenten van daar, Allan en Terry en Keith, en andere die ik me niet meer herinner, blonde Amerikaanse reuzen die bij mij op de kamer moesten slapen, studenten medicijnen die kwamen kijken naar de misère van de tropen, en ik die geen woord Engels sprak, of alleen maar mijn ene korte zinnetje, als een rijmpje, *it stinks, it stinks, it stinks*, wat soms nog waar was ook, want op een keer gingen ze achter elkaar in de wc op mijn kamer zitten kotsen, ziek van walging, toen mijn moeder voor de lunch toevallig het lumineuze idee had gehad om rundertong klaar te maken, een exquis gerecht volgens het recept van doña Jesusita, en hem in zijn geheel, reusachtig groot, rood en gestoofd en druipend op te dienen, opgebaard op een zilveren schaal als het hoofd van Johannes de Doper of van Holofernes), als mijn vader maandenlang vertrokken was naar al die oorden, was ik aan de genade overgeleverd van het ziekelijk katholieke vrouwvolk in ons huis, wat ook betekende aan de genade van mijn oma Victoria, die lief en vrolijk was, vooral tegen mijn zussen (want met hen praatte ze over liefde en vriendjes), wie zal het ontkennen, tenminste als ze niet zat te bidden, maar ik kwam in de regel pas 's middags na school, op het tijdstip van de stille bijeenkomst en de heilige rozenkrans met oom Luis, en dat was voor mij de hel op aarde, hoe ze ons ook, in het begin, herhaaldelijk vertelden dat 'de mysterien die we vandaag gaan beschouwen de vreugdevolle zijn', en die vreugdevolle mysteriën waren dan onder andere het bezoek van

Maria aan haar nicht Elisabet, en ook Jezus die verloren raakt en in de tempel wordt weergevonden, zo voelde ik me ook, een verloren kind in de tempel van mijn grootmoeders huis, zonder vader om me te komen verlossen. En op andere dagen heette het dat we de glorierijke mysteriën gingen beschouwen, onder andere de hemelvaart van Maria en de wederopstanding van Onze-Lieve-Heer Jezus Christus. Maar de mysteriën die ik me het beste herinner en die het meeste overeenkwamen met wat ik zelf voelde, waren de smartelijke: de vijfduizend en nog wat zweepslagen, het zware kruis dat op zijn tengere schouders wordt gelegd, de doornenkroon, het bidden in de Hof van Olijven, de offerdood aan het kruis, en nauwelijks waren we klaar met de beschouwing van die Romeinse martelingen, of de eindeloze litanie van Loreto tot de Heilige Maagd begon, die aan het eind werd gezegd, in het Latijn, waarschijnlijk de eerste vreemde taal die ik hoorde, de taal van het koloniale imperium en de ritus, tot het Tweede Vaticaans Concilie er een einde aan maakte, een eindeloze, tranceverwekkende, ritmische bezwering die als volgt ging: Sancta Maria, ora pro nobis, Mater purissima, ora pro nobis, Mater castissima, ora pro nobis, Mater inviolata, ora pro nobis, Mater intemerata, ora pro nobis, Mater amabilis, ora pro nobis, Mater admirabilis, ora pro nobis, Virgo prudentissima, ora pro nobis, Virgo veneranda, ora pro nobis, Virgo predicanda, ora pro nobis, Virgo potens, ora pro nobis, Speculum iustitiae, ora pro nobis, Turris davidica, ora pro nobis, Turris eburnea, ora pro nobis, Causa nostrae laetitiae, ora pro nobis, en nog meer epitheta en nog veel meer aanroepingen en smekingen, in een dwingend ritme, dat schijnbaar alle aanwezige vrouwen een zekere rust verschafte, vooral de dienstmaagden, die eindelijk uitrustten van het huishouden, even stilzaten, opgaand in hun eigen dromen, terwijl ze die frase herhaalden die voor hen geen enkele betekenis had, ora pro nobis, ora pro nobis, ora pro nobis, een onophoudelijke herhaling die bij mij, afhankelijk van de dag, nu eens de lachlust opwekte, dan weer vertwijfeling of slaap of eindeloze weerzin, maar nooit geestelijke verheffing en bijna altijd onverbeterlijke, onuitroeibare verveling.

Ik herinner me dat als mijn vader terugkeerde van die reizen naar Indonesië of de Flippijnen, die voor mij jaren leken (later kwam ik erachter dat ik in totaal maar vijftien of twintig maanden, verdeeld over verschillende etappes, vaderloos ben geweest), ik een hol gevoel had op het vliegveld, vlak voor ik hem zag. Het was een gevoel van angst vermengd met gelukzaligheid. Het was als de opwinding die je voelt vlak voor je de zee ziet, wanneer je al in de lucht ruikt dat hij dichtbij is en je zelfs in de verte het ruisen van de golven hoort, maar hem nog niet ziet, je voelt hem alleen, je voorvoelt hem en ziet hem al voor je. Ik sta op het terras van het vliegveld Olaya Herrera, een groot terras met uitzicht op de landingsbaan, mijn knieën tussen de spijlen van de reling, mijn ellebogen haast op de vleugels van de vliegtuigen, en dan de aankondiging door de luidsprekers: 'Vlucht HK-2142 uit Panama staat op het punt te landen', en het brommen van de motoren in de verte, het blikkerende aluminium dat te midden van de zonneschitteringen nadert, compact, zwaar, majestueus, langs de flank van de bergrug Nutibara, duizelingwekkend en gevaarlijk dicht over de kim scherend. Eindelijk landde de Super Constellation met mijn vader aan boord, een enorm walvisachtig gevaarte dat de hele lengte van de landingsbaan nodig had en pas de laatste meters afremde, waarna het traag draaide en het platform naderde, zo traag als een oceaanstomer die gaat aanleggen, veel te traag voor mijn opwinding (ik moest springen om die in bedwang te houden), waarna hij zijn vier motoren afzette die almaar door bleven draaien, de onzichtbare propellers vormden een nevel van vloeibare lucht, en zolang die niet stilstonden, ging de deur niet open, terwijl het grondpersoneel de witte vliegtuigtrap met de blauwe letters naar het toestel reed. Onze ademhaling versnelde, mijn zussen waren allemaal feestelijk gekleed, in kanten rokjes, en er verschenen gestalten die achter elkaar de buik van het vliegtuig verlieten, door de deur bij de neus. Die is het niet, die is het niet, die is het niet, die ook niet, tot hij eindelijk, helemaal boven aan de vliegtuigtrap, verscheen, onmiskenbaar in zijn donkere pak met das, met zijn glimmende kale schedel, zijn vierkante bril met dik montuur en zijn blije ogen, terwijl hij ons vanuit de verte toezwaaide, vanuit de hoogte glimlachte, onze held, onze vader die van een missie in donker Azië terugkeerde, beladen met cadeautjes (parels en Chinese zijde, kleine beeldjes van ivoor en ebbenhout, teakhouten kisten vol tafelkleden en bestek, Balinese danseresjes, waaiers van pauwenveren, Indiase stoffen met spiegeltjes en zeeschelpen, tabletten met een geurig aroma) en vol verhalen en met zijn vrolijke schaterlach, om me te verlossen uit die miserabele wereld van rozenkransen, ziekten, zonden, jurken en soutanes, van gebeden, geesten, spoken en bijgeloof. Zelden zal ik me zo gelukkig en opgelucht hebben gevoeld – en ik denk ook niet dat ik het nog weer zal beleven – als die keren, want daar kwam mijn verlosser – mijn échte Verlosser.

Gelukkige jaren

20

Mijn ouders waren qua religie en levenshouding tegenpolen, maar in het dagelijks leven vulden ze elkaar aan en gingen zeer liefderijk met elkaar om. Er was zo'n duidelijk contrast in denkwijze, in karakter en vorming tussen die twee, zo'n radicaal verschil in rolmodel, dat dit voor mij, voor het jongetje dat ik was, het moeilijkst te ontcijferen raadsel werd. Hij was agnost en zij haast mystiek, hij had een hekel aan geld en zij aan armoede, hij was materialist in het hemelse en spiritueel in het aardse, terwijl zij het spirituele bewaarde voor gene zijde en in het ondermaanse taalde naar materiële goederen. Die tegenstrijdigheid scheen ze echter niet uit elkaar te drijven, maar juist aan te trekken, misschien omdat ze in alle gevallen een morele kern gemeen hadden die wezenlijk was voor hen allebei. Mijn vader vroeg haar in alles om raad en mijn moeder kon zich altijd in hem verplaatsen, zoals het heet, en legde voor hem een diepe liefde aan de dag, een onvoorwaardelijke liefde, die niet alleen bestand was tegen averij, maar ook tegen elk radicaal meningsverschil of tegen boze, kwaadaardige tongen van 'goedwillende zielen', die over hem roddelden.

'Ik hou van hem zoals hij is, totaal, met al zijn goede en slechte eigenschappen, en ik hou zelfs van de dingen in hem waar we het niet over eens zijn', zei mijn moeder vaak tegen ons. Vanaf het moment dat ze elkaar zagen, 's middags of tegen de avond, vanaf het moment dat ze 's morgens opstonden, begonnen ze elkaar alles te vertellen (hun dagdromen en hun nachtmerries) met de geestdrift van goede vrienden die elkaar al weken niet gezien hebben. Ze vertelden elkaar de goede en de slechte dingen die ze die dag hadden meegemaakt en ze bleven maar over alles praten: het leven van de kinderen, de problemen op kantoor, de kleine overwinningen en de constante nederlagen van het dagelijks leven. Als ze niet samen waren, spraken ze altijd lovend over elkaar, en ieder afzonderlijk leerden ze ons de verschillende karaktereigenschappen van de ander te waarderen. Soms trof ik ze 's morgens, vooral op de finca in Rionegro, met de armen om elkaar in bed aan, terwijl ze lagen te praten. Mijn vader schreef gedichten en liefdesliedjes voor haar (die wij kinderen op hun huwelijksdag moesten opzeggen en zingen), voor alle verjaardagen maakte hij humoristische versjes, en op elke huwelijksdag werd er, onder gitaarbegeleiding van mijn zus Marta, hetzelfde sentimentele liedje gezongen dat hij voor haar had gecomponeerd ('zonder jou was ik een schim, zonder jouw liefde was ik niets ...'). Aan het eind van zijn leven ging mijn vader zelfs rozen in de tuin van de finca kweken, om een heel eenvoudige reden, die hij in een interview uit de doeken deed: 'Waarom rozen? Doodeenvoudig omdat mijn vrouw Cecilia heel veel van rozen houdt.' Mijn moeder op haar beurt werkte in de allereerste plaats zo hard uit een altruïstisch motief: opdat mijn vader zich om geld verdienen geen zorgen hoefde te maken, en ook opdat hij geld weg kon geven, zoals hij graag deed, zonder het gevoel te hebben zijn gezin tekort te doen, maar vooral opdat hij zijn intellectuele onafhankelijkheid aan de universiteit kon bewaren, opdat ze hem niet het zwijgen konden opleggen, zoals in dit land zo gebruikelijk is, met de dreiging en de druk van de honger.

Zoals al eerder gezegd zat mijn vader filosofisch aan de kant van het verlichtingsdenken en was hij in theologisch opzicht een agnost. Mijn moeder daarentegen was, en is nog steeds, een mystica, hoewel ze voortdurend zegt dat ze 'heel veel geloof' tekortkomt en God geve dat ze het had. Ze is gelovig, heel gelovig zelfs, zo iemand van alle dagen naar de mis, zoals het heet, en altijd is het God voor en de Heilige Maagd na. Maar haar godsdienstigheid had altijd iets heel sterk animistisch, iets heidens haast, want de heiligen in wie zij het meest geloofde, waren niet die van de heiligenkalender, maar de zielen van haar eigen dode familieleden die ze automatisch, vanaf het moment van hun dood, heilig verklaarde, zonder enige bevestiging of goedkeuring van de kerk af te wachten. Als ze papiergeld kwijt was, of als ze haar sleutels niet kon vinden, of als iemand van ons ziek werd, dan vertrouwde ze de zaak toe aan de ziel van oom Joaquín, de aartsbisschop, of aan die van Tatá, toen Tatá overleden was, of aan de ziel van Marta Cecilia, mijn zus, of aan die van haar moeder, toen oma Victoria overleden was, en ten slotte aan die van mijn vader, vanaf het moment dat ze hem vermoordden. Maar tegelijk verkeerde mijn moeder, hoewel ze altijd rekening hield met die immateriële, buitenaardse presenties, nooit in die toestand die wel omschreven wordt als 'ver van de wereld en hoog boven de wolken'.

Geheel integendeel, ze was – en is – de meest realistische persoon die ik ooit ben tegengekomen, met beide benen stevig op de grond. Ze bestierde met zekere, ferme hand de huishoudbeurs (altijd trouw aan het niet erg christelijke adagium van 'liefdadigheid begint bij jezelf'), en ze was veel beter dan mijn vader in staat praktische problemen op te lossen, zowel problemen die ons direct aangingen als die ver van ons af stonden – als ze er maar de nodige tijd voor kreeg. Voor mijn vader was 'liefdadigheid begint bij jezelf' een holle frase, want dat had niets met grootmoedigheid te maken, dat was alleen maar gehoorzamen aan de meest natuurlijke en primitieve instincten (en die niet hebben stond voor mijn vader gelijk aan de ziekelijke ontaarding die 'schraapzucht' wordt genoemd), en je kunt alleen van liefdadigheid spreken als het gaat om mensen die geen deel uitmaken van je eigen kleine kringetje, en misschien dat hij daarom altijd geld uitleende of weggaf, of zijn tijd besteedde aan hoogst idealistische projecten – hoewel die ook hun praktische kant hadden – zoals de armen leren om hun drinkwater te koken, om latrines te bouwen of waterleidingen en rioleringen aan te leggen.

Maar de liefdadigheid van mijn vader, die op het collectieve of sociale vlak geen grenzen kende, was in het dagelijks leven en het persoonlijk verkeer meer theorie dan praktijk. Een concreet voorbeeld uit zijn medische praktijk. Als een ziek boertje uit de omgeving van de finca met een klacht bij hem kwam, dan moest mijn moeder hem helpen en naar zijn symptomen informeren en net doen of ze die aan mijn vader doorgaf, die in de slaapkamer zat te lezen, of op zijn knieën voor zijn rozen in de rozentuin zat, terwijl zij voor dokter speelde en ten slotte zelf de recepten voor de patiënt uitschreef. Als een van die mensen dan vroeg waarom ze niet rechtstreeks 'de dokter' te spreken kregen, dan zei mijn moeder dat het geen verschil maakte, want zij had veel ervaring (ze deed alsof ze verpleegster was, hoewel ze alleen jodium op wondjes kon doen, verband verschonen, de thermometer afspoelen en injecties geven) en ze volgde 'letterlijk' de instructies van haar man op.

Mijn vader had altijd een aversie tegen de directe uitoefening van de geneeskunde, en daarin school, zoals ik veel later heb kunnen reconstrueren, iets van een vroeg trauma, dat hij van een hoogleraar chirurgie aan de universiteit had opgelopen. Die had hem een keer verplicht een galblaasresectie te verrichten bij een patiënt terwijl hij daar nog niet voldoende ervaring mee had, en tijdens het verwijderen van de galblaas, een delicate operatie, had hij de galwegen geblokkeerd en een paar dagen later was die patiënt, een jonge man van ongeveer veertig, overleden – sterker nog, toen ze hem dichtnaaiden was het al zeker dat hij kort daarna zou overlijden. Mijn vader had twee linkerhanden. Hij was zelfs te intellectueel voor het beroep van arts, en het ontbrak hem geheel en al aan de vingervlugheid van een slager, die een chirurg in elk geval moet hebben. Een nieuwe lamp indraaien was voor hem al een bezoeking, om maar te zwijgen van een band verwisselen (als hij een lekke band had, zei hij spottend over zichzelf, dan moest hij als een vrouw aan de kant van de weg gaan staan wachten tot er een man voorbijkwam om hem uit de brand te helpen) of een carburateur schoonmaken (wat is dat nou weer voor iets?) of op een fatsoenlijke manier een galblaas verwijderen zonder tere verbindingskanalen te raken. Hij begreep niets van mechanieken en was nauwelijks in staat een auto te besturen, want hij had op latere leeftijd leren rijden, en zijn hele leven, telkens als hij voor de heldhaftige opgave gesteld werd om een rotonde met veel verkeer op te rijden, deed hij dat met zijn ogen dicht, en hij zei dat hij elke keer als hij achter het stuur kroop 'een diep heimwee naar de bus' voelde. Hij was ook niet lenig of goed in een bepaalde sport, en in de keuken speelde hij niets klaar, hij kon nog geen koffie zetten of een ei bakken. Hij was afkerig van risico's nemen en ik was het enige jongetje in de buurt dat op de fiets een helm droeg (dat moest van hem) en ook het enige dat geen boompje mocht klimmen, want mijn vader liet me alleen in een dwergkalebasje in onze voortuin klimmen, en de grootste heldendaad die me op dat vlak vergund was, was dat ik van de laagste tak van dat boompje de diepte in mocht springen, dat wil zeggen van een hoogte van maximaal dertig centimeter.

Als ik me niet vergis, had mijn vader vanaf het incident met de man die na zijn ingreep in de operatiekamer overleed de directe uitoefening van zijn beroep opgegeven, want daar voelde hij zich niet zeker en handig genoeg voor, en hij gaf de voorkeur aan de meer algemene disciplines van de medische wetenschap, zoals hygiëne, volksgezondheid, epidemiologie en preventieve of sociale geneeskunde. Hij oefende het beroep van medicus zuiver wetenschappelijk uit, zonder direct contact met de patiënten en de ziekten (die hij liever wilde voorkomen met eindeloze inentingscampagnes of met voorlichting over elementaire hygiëne), misschien ook vanwege een overgevoeligheid die hem een afkeer bezorgde van bloed, wonden, etter, zweren, pijn, ingewanden, vocht, vloeiingen, en al het andere dat hoort bij de dagelijkse praktijk van een arts die in direct contact staat met de zieken.

Mijn vader, die zich, afhankelijk van zijn stemming, agnost verklaarde, of volgeling van de humanistische leer van Jezus

Christus, of atheïst op aarde (want in het vliegtuig bekeerde hij zich tijdelijk en sloeg een kruisteken voor het begin van de vlucht), of een overtuigd atheïst, van de soort die om paters lachen en verlichte wetenschappelijke betogen houden over het meest absurde bijgeloof, was daarentegen op het vlak van het maatschappelijk en geestelijk leven een bewogen ziel. Hij had hoogst idealistische bevliegingen, die jaren duurden, waarin hij zich wijdde aan verloren zaken, zoals de landbouwhervorming of de grondbelasting, drinkwater voor iedereen, inenting voor het ganse volk, of de rechten van de mens, zijn laatste gepassioneerde intellectuele bevlieging, die het ultieme offer van hem vergde. Hij zweepte zich op tot de hoogste toppen van woede en verontwaardiging over sociale onrechtvaardigheid en werd over het algemeen in beslag genomen door het soort belangrijke zaken die het verst van het dagelijks leven af staan en die het meest om verandering en een progressieve maatschappelijke omwenteling vragen.

Hij was sentimenteel, gauw tot tranen toe geroerd, en poëzie en muziek verrukten hem, ook religieuze muziek, met een esthetische extase, haast als van een mysticus, en het was de muziek, waar hij in zijn eentje naar luisterde in de bibliotheek, op volle sterkte, die voor hem de beste remedie was in momenten van verdriet of ontluistering. Ook was hij een zinnelijk mens, een liefhebber van schoonheid (in mannen en vrouwen, in de natuur en in menselijke creaties) en hij gaf niets om de materiële goederen van deze wereld. Zijn grootmoedigheid evenaarde die van sommige christelijke missionarissen en leek onbegrensd, of alleen begrensd door zijn onwil om direct met ellende in aanraking te komen ('ik wil het niet zien, ik wil het niet zien', riep hij almaar), en de materiële wereld leek haast niet te bestaan voor hem, behalve als het ging om de minimale bestaansvoorwaarden, daar was hij op gebeten, die moesten voor elk mens beschikbaar zijn, opdat iedereen zich kon wijden aan wat werkelijk belangrijk was: de sublieme creaties van de menselijke kennis, van de wetenschappen, de kunsten en het geestelijk bedrijf. Het meest wonderbaarlijke en wonderschone voor hem waren zowel de grote ontdekkingen en de vooruitgang van de wetenschap, als de grote kunstuitingen in de muziek en de literatuur. Hij was niet erg ontwikkeld op het gebied van de beeldende kunst, maar ik weet nog heel goed met hoeveel hartstocht hij me, simultaan vertalend, voorlas uit *The Story of Art* van Gombrich, een boek dat ons om verschillende redenen verrukte – mij om erotische redenen, en hem omdat het, zoals ik later ontdekte, was doortrokken van een heldere, geometrische, ordelijke en nauwkeurige geest die op eenvoudige en tegelijk gepassioneerde wijze de esthetische wonderen van de kunst kon overbrengen.

Hij las te hooi en te gras, van alles wat, en veel. De meeste van zijn duizenden boeken, die ik nog heb, staan vol onderstrepingen en aantekeningen, maar vrijwel alleen op de eerste honderd tot honderdvijftig bladzijden, alsof hij van het ene op het andere moment als het ware gedesillusioneerd of gedemotiveerd raakte, of – waarschijnlijker – alsof opeens iets anders zijn aandacht had getrokken. Hij las weinig romans, maar wel veel poëzie, Engelse, Franse en Spaanse. Van de Colombiaanse dichters vond hij oprecht – en dat herhaalde hij vrijwel elke week – Carlos Castro Saavedra de beste. Zelden voegde hij daar ter verduidelijk aan toe dat die ook zijn beste vriend was en dat hij menige zaterdagavond met hem doorbracht op zijn finca in Rionegro, vlak bij de onze, pratend en genietend van een paar aguardientes. 'Ik drink weinig want ik vind het heel lekker', zei hij dan als hij terugkwam van zijn avondjes bij Carlos, waar hij het nooit later maakte dan elf uur.

Hij interesseerde zich voor politicologie en sociologie (Machiavelli, Marx, Hobbes, Rousseau, Veblen), de exacte wetenschappen (Russell, Monod, Huxley, Darwin) en filosofie (hij was dol op de *Dialogen* van Plato, die hij graag hardop mocht voorlezen, en op de rationele romans van Voltaire), maar hij sprong op een geïmproviseerde, dilettantische manier van het een naar het ander, en misschien beleefde hij er juist daarom zo veel plezier aan. De ene maand was hij weg van Shakespeare en de volgende van Antonio Machado of García Lorca, waarna hij zich wekenlang niet los kon maken van Whitman of Tolstoj. Hij was een man van laaiende geestdrift, van vervoerende passies, die echter niet van lange duur waren, wellicht juist vanwege de vurige intensiteit waarmee hij begon, die onmogelijk langer dan twee of drie maanden vol te houden viel.

Ondanks zijn voortdurende intellectuele strijd en zijn doelbewuste streven naar een verlicht en tolerant liberalisme was mijn vader zich ervan bewust dat hij zowel slachtoffer als onvrijwillig vertegenwoordiger was van de vooroordelen van de treurige, stokoude en starre opvoeding die hij had genoten in de afgelegen dorpen waar hij was opgegroeid. 'Ik ben in de achttiende eeuw geboren en binnenkort word ik tweehonderd', zei hij als hij herinneringen ophaalde aan zijn jeugd. Hoewel hij op rationele gronden racisme in felle bewoordingen veroordeelde (met de overdreven hartstocht van iemand die het spook van het tegendeel vreest en die in zijn overdrijving laat zien dat hij niet zozeer met zijn gesprekspartner in discussie is als wel met zichzelf, dat hij zich innerlijk wil overtuigen, dat hij vecht tegen een kwelduivel in zichzelf), had hij er in het werkelijke leven moeite mee gelijkmoedig te accepteren dat een van mijn zussen verkering had met iemand die over wat meer pigment beschikte dan wij, en op onbewaakte ogenblikken sprak hij met grote trots over de blauwe ogen van opa, zijn vader, of over het blonde haar van sommigen van zijn kinderen en kleinkinderen en neefjes en nichtjes. Mijn moeder daarentegen, die openlijk erkende dat ze niet veel moest hebben van donkere mensen of mensen met duidelijk indiaanse gelaatstrekken, zonder te weten waarom ('omdat ze lelijk zijn', zei ze in herhaalde vlagen van openhartigheid), was in de directe omgang met hen veel meer op haar gemak, vriendelijker en onbevooroordeelder dan mijn vader. Tatá, die haar en haar moeders kindermeisje was geweest, was half negerin, half indiaanse, en wellicht dankzij de huid van Tatá voelde mijn moeder oprechte genegenheid voor negers en indianen en was er bij haar een vertrouwelijkheid in het directe contact met hen zonder enige stroefheid of afkeer.

Het gevolg was dat het soms leek of wat ze zeiden niet overeenstemde met wat ze in het werkelijke leven deden, dat de agnost zich in sommige opzichten gedroeg als een mysticus en de mystica als een materialist, en soms waren de zaken helemaal omgekeerd en gedroeg de idealist zich als een onverschillige racist en egoïst en was de materialist en racist een echte christen voor wie alle mensen gelijk waren. Ik denk dat ze daarom zo veel van elkaar hielden en elkaar zo bewonderden: mijn moeder zag in de hartstochtelijke grootmoedigheid van mijn vader de zin van haar leven en mijn vader zag in de daden van mijn moeder de praktische verwezenlijking van zijn ideeën. En soms was het omgekeerd: mijn moeder zag dat hij zich gedroeg als de christen die zij in de praktijk had willen zijn en mijn vader zag dat zij de dagelijkse problemen oploste op de utilitaire, rationele manier die hij nastreefde.

Ik ben ervan overtuigd dat, voor een deel, mijn vader kon toegeven aan zijn idealistische bevliegingen, aan zijn impulsieve politiek-maatschappelijke activisme, omdat de dagelijkse beslommeringen van het huishouden al geregeld waren, dankzij de praktische instelling van mijn moeder. Dat werd met de dag meer een feit, want zij bouwde haar kleine kantoortje in het gebouw La Ceiba met een gestage soberheid en werklust uit tot een middelgroot administratiekantoor voor condominiums, dat honderden flats administreerde en duizenden mensen in dienst had, die door haar werden betaald, en door mijn zussen, die uiteindelijk bijna allemaal bij haar gingen werken, als planeten draaiend om een ster met een enorme aantrekkingskracht.

Meer dan voor het verwerven van materiële goederen werkte mijn moeder om mijn vader de gelegenheid te geven zijn leven te leiden zonder zich zorgen te hoeven maken over het onderhouden van zijn gezin. Mijn moeder vond het geweldig dat dankzij de economische vrijstelling die zij hem bezorgde mijn vader kon zeggen en doen wat hij wilde zonder zich om zijn baan of geld te bekommeren en zonder dat hij ander werk in het buitenland moest zoeken, zoals in het begin van hun huwelijk. Ze voelde zich een beetje schuldig dat ze hem gedwongen had naar Colombia terug te keren aan het eind van de jaren vijftig, toen hij een vaste aanstelling met een royaal salaris had bij de Wereld Gezondheids Organisatie en zij haar wil had doorgedreven om terug te keren, omdat ze 'de laatste jaartjes' wilde doorbrengen met mijn oma (die nog dertig jaar bleef leven en tweeënnegentig werd).

Voor mijn moeder was er maar één land om in te wonen, Colombia, en maar één goede verloskundige, doctor Jorge Henao Posada, want de enige keer dat een andere gynaecoloog haar had behandeld, in Washington, toen mijn oudste zus geboren werd, had ze kraamvrouwenkoorts gekregen en was ze bijna doodgegaan. Doctor Henao Posada had, ver voor de uitvinding van de echografie, het magische vermogen om het geslacht van kinderen vóór hun geboorte vast te stellen, en als hij de stethoscoop op de buik van zwangere vrouwen zette, zei hij zeer ernstig: 'Het wordt een jongetje', of, omgekeerd, 'Het wordt een meisje'. Vervolgens zei hij tegen de vrouw dat hij het opschreef in zijn boekje, en dan, als de baby geboren werd en hij gelijk had, vierden ze samen zijn voorspellend vermogen, en als hij ongelijk had, zei hij tegen de moeder dat ze niet goed wijs was, dat hij dat nooit had gezegd en dat hij dat kon bewijzen, want hij had het in zijn boekje opgeschreven, waarna hij het uit zijn zak haalde en het haar liet zien. Maar mijn moeder, die achter elkaar vier meisjes kreeg, had zijn truc door, die erin bestond dat hij in zijn boekje het tegendeel opschreef van wat hij zei. Maar zelfs dat uitgekomen bedrog zorgde voor een zekere saamhorigheid tussen hen, en elke keer als ze in het buitenland zwanger werd, liet mijn moeder de zesde of de zevende maand mijn vader in de steek en keerde naar Medellín terug om onder behandeling van doctor Henao Posada wederom van een Colombiaans meisje te bevallen. En toen ze eindelijk voorgoed terugkwamen, omdat mijn vader zich ten slotte door haar liet overhalen, verdiende hij aan de universiteit hetzelfde bedrag als eerder bij de WHO, alleen werd dat salaris in dollars uitbetaald en dit hier in peso's, allebei drieduizend, en misschien was dat de reden dat mijn moeder een grote verantwoordelijkheid voelde om te gaan werken en voor extra inkomsten te zorgen, zodat ze samen in Colombia evenveel verdienden als hij voor die tijd in zijn eentje in het buitenland.

De economische zekerheid die zij het gezin gaf, stelde mijn vader in staat tot het uiterste consequent te blijven in zijn ideologische en spirituele onafhankelijkheid. Ook wat dat betreft vulden het ideële en het praktische elkaar altijd aan en vonden een harmonieus evenwicht, dat voor ons een toonbeeld – zo zeldzaam in dit leven – was van een gelukkig echtpaar. Door het voorbeeld van die twee weten mijn zussen en ik nu dat er één reden is die het de moeite waard maakt om wat geld te vergaren: om tot elke prijs je ideële onafhankelijkheid te kunnen behouden en behoeden, zonder dat iemand je door te dreigen met ontslag kan verhinderen jezelf te zijn.

21

Als mijn vader thuiskwam van zijn werk op de universiteit kon hij ofwel goedgehumeurd of slechtgehumeurd zijn. Als hij in een goede bui was – vrijwel altijd, want hij was over het algemeen een gelukkig mens – dan hoorde je al vanaf het moment dat hij de deur binnenkwam zijn geweldige, luide schaterlach, als klokgebeier van blijdschap. Luid riep hij de namen van mij en mijn zussen en allemaal kwamen we tevoorschijn om zijn overdadige kussen in ontvangst te nemen, zijn overdreven frasen, zijn hyperbolische complimenten en zijn berenomhelzingen. Maar als hij in een slechte bui was, kwam hij stilletjes binnen en sloot zich stiekem op in de bibliotheek, zette keihard klassieke muziek aan en ging met de deur op slot in een fauteuil zitten lezen. Na een of twee uur van geheimzinnige alchemie (de bibliotheek was het vertrek van de transformaties) kwam de vader die met een lang, grauw en duister gezicht was thuisgekomen, weer blij en stralend tevoorschijn. Zijn lectuur en zijn klassieke muziek hadden zijn blijdschap en zijn schaterlach en zijn zin om ons te omhelzen en met ons te praten weer hersteld.

Zonder één woord tegen me te zeggen, zonder me tot lezen te verplichten en zonder tegen me te preken over de heilzame werking die klassieke muziek op de geest kan hebben, begreep ik, alleen maar door naar hem te kijken, door de weldadige uitwerking te zien die muziek en lezen op hem hadden, dat er voor ons allemaal in het leven een groot geschenk is weggelegd, een geschenk dat niet zo duur is en dat min of meer voor iedereen bereikbaar is: boeken en muziek. Die duistere, slechtgemutste meneer die het huis was binnengekomen met een hoofd zwaar van boze invloeden en de tragiek en de onrechtvaardigheid van deze wereld, kreeg zijn blije gezicht terug en raakte weer helemaal in zijn schik door toedoen van grote dichters, grote denkers en grote musici.

22

Daarna of daarvoor, ik weet het niet meer, of daarvoor én daarna, als ze hem met rust lieten, in de loop van enkele goede jaren, kon mijn vader zich helemaal aan zijn werk wijden. Het was in die tijd dat hij oprichter en directeur werd van de Nationale School voor Volksgezondheid, met een paar bijdragen van de Rockefeller Foundation (en het stupide en fundamentalistische links maakte bezwaar tegen deze imperialistische inmenging, terwijl het in werkelijkheid alleen maar filantropie van de goede soort was, zonder tegenprestatie, buiten een simpel gebaar van dankbaarheid, een plaquette en een brief) en met steun van de nationale overheid. Vanaf zijn katheder en vanuit een paar openbare ambten (nooit erg hoge posities, nooit erg belangrijke en nooit goed betaalde, maar dat gaf niet) kon hij zijn praktische kennis over het hele land verspreiden, en in die jaren hadden veel van zijn ondernemingen succes. De gezondheidsindicatoren en de kindersterfte bereikten langzaam maar zeker het nagestreefde peil van de ontwikkelde landen, er kwam meer schoon drinkwater, de massale nationale inentingscampagnes sorteerden effect, Incora, het Colombiaans Instituut voor Agrarische Hervorming, waar hij ook werkte tijdens het bewind van Lleras Restrepo, verdeelde enige braakliggende gronden onder landloze boeren, hij was medeoprichter van het Colombiaans Instituut voor Welzijn van het Gezin*, hij legde waterleidingen en rioleringen aan voor dorpen en gehuchten en steden.

Mijn vader had een soort pragmatisch verbond gesloten met een conservatief politiek leider, Ignacio Vélez Escobar, die ook medicus was, en dat duo, dat bij rechts het wantrouwen jegens

* Vergelijkbaar met de Nederlandse Raad voor de Kinderbescherming.

mijn vader temperde (hij zal wel niet meer zo gevaarlijk en niet zo communistisch zijn nu hij met Ignacio samenwerkt) en voor links het wantrouwen jegens Vélez (hij zal wel niet meer zo reactionair zijn nu hij met Héctor samenwerkt), bracht goede dingen tot stand. Hij stortte zich op zijn passie, levens redden, verbeteren van elementaire voorzieningen op het gebied van gezondheid en hygiëne: schoon drinkwater, noodzakelijke eiwitten, afvoer van fecaliën, een dak boven je hoofd tegen de regen en de zon.

Het leven ging voorbij in een soort gelukzalige routine, zonder grote schokken, met de zaak van mijn moeder die bloeide, met dagen, weken, maanden en jaren die onveranderlijk verliepen, waarin wij kinderen goed leerden en zonder problemen overgingen op school en mijn vader en moeder vroeg opstonden om te gaan werken, zonder klagen, zonder dat ik ooit maar één keer, één dag, iets van twijfel of tegenzin bespeurde, want in hun werk voelden ze zich nuttig en geslaagd, 'ontplooid', om een woord te gebruiken dat in die tijd in zwang kwam. In de weekenden, als er geen campagnes op touw te zetten waren in de armenwijken, gingen we naar Rionegro, en daar maakte ik lange wandelingen met mijn vader, die onderweg uit het hoofd gedichten voor me opzei en me vervolgens, in de schaduw van een boom, voorlas: *Martín Fierro*[*], *Oorlog en vrede*, of gedichten van Barba-Jacob, terwijl mijn moeder en mijn zusjes kaartten of vredig over vriendjes, avontuurtjes en vrijers zaten te praten, in een soort serene harmonie die het hele leven zou duren, zo leek het.

De zaak van mijn moeder bracht een welvaart die we voordien nooit gekend hadden, en in december gingen we allemaal samen naar Cartagena, naar het huis van oom Rafa en tante Mona, de zus van mijn moeder, die met een architect van de Atlantische kust was getrouwd, heel geslaagd, heel grootmoedig, een harde

* Negentiende-eeuws episch gedicht van de Argentijn José Hernández.

werker en collega van mijn tante aan de universiteit. Het was een ideaal gezin voor ons, want hun kroost was complementair aan het onze: ze hadden ook zes kinderen, maar vijf jongens en één meisje. Omdat mijn vader zo'n allerbelabberdst chauffeur was, niet alleen onbekwaam om een band te verwisselen, maar zelfs om de radiator te vullen, ging mijn moeder samen met mijn zussen in een busje over land, om stof te happen tijdens de achtentwintig uur die de reis duurde, verdeeld over twee afmattende dagen, terwijl mijn vader en ik met het vliegtuig gingen, alsof het de gewoonste zaak van de wereld was, wij geprivilegieerde macho's die het avontuur en het gevaar van de landreis aan de vrouwen overlieten, terwijl wij zonder vermoeienis in een uur naar dezelfde bestemming vlogen, als koninkjes der schepping. Een primitieve onrechtvaardigheid die ik nu pas inzie, maar die me toentertijd doodnormaal leek, want bij ons thuis waren het de vrouwen die dapper waren en praktisch en alles aankonden, zij waren degenen die ferm en blijmoedig de pas erin zetten, terwijl wij mannen verwend waren, onbekwaam en van weinig nut in het echte leven met zijn dagelijkse ongemakken, en alleen geschikt om te oreren over waarheid en gerechtigheid. In dat opzicht waren wij een lachertje, zoals in zo veel andere opzichten, en dat is gedeeltelijk nog steeds zo, maar dat beseften we niet altijd.

Het waren jaren van gelukzaligheid, zeg ik, maar het geluk bestaat uit een zo ijle substantie dat het gemakkelijk in de herinnering oplost en als het terug wordt geroepen besmet is met een mierzoet sentiment dat ik altijd als onvruchtbaar en wee, en in laatste instantie schadelijk voor het leven in het hier en nu van de hand heb gewezen: nostalgie. Aan de andere kant dient te worden opgemerkt dat we onze gelukkige herinneringen ook niet moeten laten smoren of bezoedelen door latere nare ervaringen, zoals sommige temperamenten overkomt die ziek worden van ressentiment en die op grond van later onrecht of trieste episoden zelfs de perioden van onmiskenbaar geluk en welzijn uit het verleden wissen. Ik vind dat latere gebeurtenissen de gelukkige jaren niet met bitterheid mogen bezoedelen.

Om niet in weeë nostalgie te vervallen, of in een ressentiment dat alles met een waas van treurnis overdekt, volsta ik hier met te zeggen dat we in Cartagena telkens een volle maand, en ik soms wel anderhalve maand of langer, van gelukzaligheid doorbrachten, waarbij we tochtjes maakten met de boot van oom Rafa, die La Fiorella heette en waarmee we soms wel helemaal naar Bocachica voeren om schelpen te zoeken en gebakken vis te eten met *patacón** en cassave, en naar de Rosario-eilanden, waar ik voor het eerst zeekreeft proefde, of te voet naar het strand gingen van Bocagrande en het zwembad van Hotel Caribe, tot we bruin waren geworden met de aangename pijn van een lichte verbranding op de schouders, die na een paar dagen vervelden en voor altijd sproetig bleven, of voetbalden met mijn neefjes in het parkje voor de kerk van Bocagrande, of tennisten bij Club Cartagena, of thuis pingpongden, of fietstochtjes maakten of een douche namen in de onvoorstelbare stortbuien van de Atlantische kust, of de regen en de loomheid van de siësta benutten om de verzamelde werken van Agatha Christie te lezen, of de fascinerende romans van Ayn Rand (ik herinner me dat ik de wapenfeiten van de hoofdpersoon-architect van *The Fountainhead* vereenzelvigde met die van mijn oom, Rafael Cepeda), of de eindeloze sagen van Pearl S. Buck, gelegen in frisse hangmatten die in de schaduw op het terras van het huis hingen, met uitzicht op zee, op zondag *Kola Román*** drinkend en loempia's etend en op maandag rijst met kokos en rode zeebrasem, op woensdag Syrisch-Libanese *quibbes****, op vrijdag kogelbiefstuk en, wat het lekkerste was, op

* Onrijpe bakbanaan, eerst min of meer zacht gekookt, daarna in plakken geplet en gebakken.
** Soort rode priklimonade, typisch voor de Caribische kust.
*** Gehaktballetjes van lamsvlees met kruiden. Vergelijkbaar met de Turkse köfte.

zaterdagmorgen *arepa* met ei, dampend vers uit een naburig dorp, Luruaco, gehaald, waar ze de beste bereidden.

Het mooie moderne huis dat mijn oom aan de baai had laten bouwen overtrof wat ons betreft de creaties van Frank Lloyd Wright. Vanaf het terras zagen we de immense Italiaanse trans-Atlantische schepen binnenvaren (de Verdi, de Rossini, de Donizetti), of het uitvaren voor een reis om de wereld van de helverlichte Gloria, die kort tevoren door de dichter Gonzalo Arango was gedoopt, met zijn witte zeilen in de weldadige bries van de Caribische Zee gehesen, of de donkere oorlogsschepen die traag aan en af voeren van de marinebasis, hun dreigende kanonnen op het niets gericht. In dat ruime, lichte huis, waar het fris was omdat de ramen openstonden en de zeebries erdoorheen woei, klonk altijd keiharde klassieke muziek, die tot in alle hoeken doordreunde, want oom Rafa was, en is nog steeds, een melomaan, en ik heb hem dan ook mijn hele leven voor mijn geestesoog gezien in een aureool van muziekinstrumenten of met een komeetstaart van de muziek der sferen achter zich aan. Hij was, en is, bovendien violist, en wel een zo bedreven violist dat hij zijn studie architectuur in Medellín had bekostigd, niet met een toelage van zijn ouders, die aan de grond zaten, maar door viool te spelen op begrafenissen, bruiloften, verenigingsfeesten en bij serenades.

Er zijn perioden in het leven die in zekere harmonie en geluk voorbijgaan, perioden in de lichte toonaard van de blijdschap, en voor mij vallen die het duidelijkst samen met die jaren, met de lange vakanties die ik aan de Atlantische kust doorbracht met mijn neven, die een veel zoetgevooisder en aangenamer Spaans spraken dan wij, met onze harde bergtaal, neven die we later, toen we overvallen werden door tragedies, nog maar zelden zagen, alsof wij ons schaamden voor ons verdriet, of alsof zij de kiesheid hadden ons het geluk dat hun deelachtig was gebleven niet onder de neus te wrijven, want de blijdschap van vroeger had bij ons plaatsgemaakt voor een duistere rancune, voor een fundamenteel wantrouwen in het bestaan en in de mens, voor een bitterheid die moeilijk te lenigen viel en die niets meer te maken had met de vrolijke kleuren van onze herinneringen.

De eerste tragedie stond op het punt te gebeuren door mijn schuld, maar het liep goed af, dankzij de moed van een negerjongetje wiens naam ik nooit te weten ben gekomen, maar die ik mijn hele leven dankbaar zal moeten blijven voor het feit dat ik me niet schuldig hoef te voelen over de dood van iemand als gevolg van mijn lafheid. We waren met La Fiorella op bezoek gegaan bij een familie die op het eiland Barú een recreatiecentrum had. Ik kon al zwemmen omdat een badmeester van het zwembad van Hotel Caribe, een neger die Torres heette, een reus van een kerel met een lijf als een standbeeld, de oudsten van ons wekenlang had onderwezen in de vrije slag, schoolslag, crawlen, inademen door je mond en uitademen door je neus, volhouden op de vlinderslag, met gestrekte benen en het lichaam horizontaal, tot we bijna verdronken van moeheid, van de ene kant van het zwembad naar de andere, heen en weer, zonder te stoppen, doorgaan doorgaan doorgaan, nog een keer en nog een keer, dat eiste de neger Torres van ons, een sculptuur van ebbenhout met een minuscuul wit zwembroekje, tot hij ons bijna bij de haren uit het water moest trekken, want hij dwong ons door te gaan tot we uitgeput kopje-onder gingen, niet meer in staat nog één zwemslag te maken. Maar aan die keiharde training had ik niets, zoals die middag op het eiland bleek.

We verveelden ons tijdens die lange visite op Barú, en na het middageten, terwijl de volwassenen in de galerij van het huis over politiek zaten te praten, verhit door het onderwerp en het weer, gingen mijn kleine zusje en ik de steiger op om naar de zee te kijken, en omdat er niet veel te doen viel, sprongen we van de boot op de steiger en van de steiger weer in de boot. De touwen waarmee de boot lag afgemeerd schoten los en de boot dreef steeds verder van de steiger weg, zodat we telkens verder moesten springen, het werd steeds moeilijker, en omdat het gevaarlijker werd, werd het ook spannender. Misschien daagde ik mijn zusje uit, want ik kon makkelijk van haar winnen, omdat ik ouder was en langere benen had.

Bij een van die sprongen haalde Sol, die nog geen zwemles van de neger Torres had gehad, het bootje niet en viel in zee, tussen de steiger en het boord in. Ik bleef op de planken van de steiger als verlamd naar haar staan kijken. Ik zag dat ze kopjeonder ging en dat er onder water allemaal belletjes uit haar lijfje opstegen, als van een tabletje Alka-Seltzer, en af en toe kwamen haar blonde haartjes boven, en haar hoofdje, met een doodsbang gezicht, met uitpuilende, smekende ogen, haar wanhopig openhangende mond hapte een beetje lucht, proestte, maar dan zonk ze meteen weer en maaide als een dolle met haar armpjes, stikkend, ze zal zes jaar geweest zijn, op zijn hoogst, en ik negen, en ik wist heel goed dat ik direct in het water moest springen om haar eruit te halen, maar ik was verlamd, ik bleef maar naar haar staan kijken, als naar een horrorfilm, en ik kon me niet bewegen, ik was bevangen van een absoluut walgelijke lafheid, niet in staat om in het water te springen en haar te redden, niet eens in staat om om hulp te roepen, wat ze bovendien niet zouden horen met het geraas van de zee en de afstand tot het huis, dat tweehonderd meter van de steiger lag, tussen de palmen en andere begroeiing. Mijn zusje kwam nu bijna niet meer boven en de boot dreef weer naar de steiger toe en kon dus tegen haar hoofdje slaan, of het verpletteren tegen de houten steigerpalen, en ik bleef maar kijken, verlamd, er vast van overtuigd dat ze ging verdrinken, bevend van angst terwijl zij doodging, maar zonder me te verroeren en met stomheid geslagen. Opeens, ik wist niet vanwaar, schoot er een zwarte, naakte vlek als een schim voor me langs, een donkere pijl die zich in het water boorde en er met het blonde meisje in zijn armen weer uit kwam. Het was een jongetje van mijn leeftijd, een beetje jonger zelfs, want hij was kleiner dan ik, en hij had haar gered, en op dat moment kwamen alle volwassenen uit het huis gerend, verschrikt schreeuwend, want er was tumult ontstaan in de negerhut naast het hoofdgebouw. Ik bleef daar maar staan, verlamd, terwijl ik naar mijn zusje keek, die hoestte en water spuugde en huilde en weer ademhaalde, met haar armpjes om mijn moeder, tot mijn vader me bij de schouders pakte, naast me neerhurkte en me recht in de ogen keek terwijl hij vroeg: 'Waarom heb je niets gedaan?'

Hij vroeg het op neutrale toon, afstandelijk, heel zachtjes. Het was niet eens een verwijt, alleen een trieste constatering, een duistere teleurstelling: waarom heb je niets gedaan, waarom heb je niets gedaan. En ik weet nog steeds niet waarom ik niets deed, of liever gezegd, ik weet het wel, uit lafheid, omdat ik bang was ook te verdrinken als ik in het water sprong om haar te redden, maar dat was een ongegronde angst, want dat negerjongetje liet zien dat het maar een seconde van besluitvaardigheid en moed kostte om haar leven te redden en te voorkomen dat het in een spookachtige nachtmerrie ontaardde. Mijn zusje verdronk niet, maar ik bleef de rest van mijn leven met het holle gevoel, de verschrikkelijke achterdocht, zitten dat ik misschien, in een situatie waarin ik zou moeten tonen wat ik waard was, een lafaard zou blijken te zijn.

23

Misschien was het met het doel me een beetje te harden dat niet lang na deze episode, een of twee jaar daarna, mijn vader besloot dat het tijd werd dat ik een dode zag. De gelegenheid deed zich voor op een vroege ochtend toen ze hem naar het mortuarium van Medellín riepen om het lichaam van John Gómez te identificeren, een geestelijk gehandicapte jongen die op de snelweg door een auto was overreden, het enige kind van Octavia, een tante van mijn vader. Voor hij vertrok om zijn opdracht te vervullen besloot mijn vader me te wekken, en hij zei tegen me: 'Kom, we gaan naar het lijkenhuis, het is tijd dat je een dode ziet.'

Ik kleedde me vrolijk aan, alsof het een blijde gebeurtenis was, want ik had hem al langgeleden gevraagd me te introduceren in de wereld van hen die hebben opgehouden te bestaan. We gingen met zijn tweeën, en vanaf het moment dat we het mortuarium van El Pedegral, naast de Algemene Begraafplaats, binnenkwamen, stond de zaak me niet aan. De ruimte lag vol met lijken, maar ik wilde niet echt naar ze kijken, afgezien nog van het feit dat de meeste met lakens bedekt waren. Het rook er naar bloed en slachterij en formaline en verrotting. Mijn vader pakte mijn hand en nam me mee naar de plek waar de lijkschouwer het lichaam had aangewezen van de jongen die vermoedelijk John was. En het was John. De lijkschouwer nodigde mijn vader daarop uit om de autopsie bij te wonen. Mijn herinneringen vanaf dat moment zijn een beetje vaag. Ik zie een zaagje dat in de schedel begint te zagen, ik zie blauwe ingewanden die in een emmer worden gedeponeerd, ik zie een kapot scheenbeen dat aan één kant uit de kuit steekt, dwars door de huid. Ik ruik de sterke geur van bloed opgelost in formaline, een soort mengeling van rauw rundvlees en chemisch lab. Vervolgens besloot mijn vader, die zag dat het spektakel van de autopsie erg veel indruk op me maakte, een wandeling tussen de andere doden met me te maken. De dag tevoren was er 's middags vlak buiten Medellín een vliegtuigje neergestort, en er lagen verscheidene verkoolde en uit elkaar gerukte lijken die ik niet tot in detail wilde bekijken omdat ik moest kokhalzen. Maar wat ik me misschien het beste herinner, is het kadaver van een heel jong meisje, spiernaakt, doorschijnend bleek, dat een blauwe steekwond in haar buik had. Op een kaartje aan haar grote teen stond dat ze haar hadden neergestoken in een bar in de wijk Guayaquil, en mijn vader zei: 'Het zal wel een hoertje geweest zijn, ocharme.' Het was de eerste keer dat ik een vrouw naakt zag (ik tel mijn zussen niet mee), de eerste keer dat ik een hoer zag, de eerste keer dat ik van dichtbij een dode zag. Daar viel ik flauw. Toen ik weer bijkwam, was ik buiten het mortuarium, waar ik met tegenzin een mierzoete priklimonade opdronk om weer op krachten te komen, bleek, sprakeloos, zwetend.

Nachten achtereen kon ik niet slapen. Ik had nachtmerries waarin ik de kapotte beenderen, het uiteengerukte vlees en de blauwe ingewanden van John naast mijn bed zag, even donkerblauw als de steekwond van het meisje uit Guayaquil, en haar hele figuur verscheen voor mijn geestesoog, in heel haar bleekheid, haar venusheuvel met schaamhaar, het geronnen bloed in haar zij. (Jaren later wilde ik, uit ik weet niet wat voor ziekelijke fascinatie die ik zelf niet precies begreep, per se een indrukwekkend schilderij kopen, getiteld *Meisje dat haar wond toont*, waarop een meisje naar het gat van een steekwond in haar buik wijst. Nu ik me dat bezoek aan het mortuarium van El Pedregal weer in herinnering breng, meen ik te weten waarom ik het kocht, en ik weet ook waarom iedereen die bij me op bezoek komt van streek raakt door dat schilderij en er een afkeer van heeft.) In de boze nachten die volgden, voelde mijn vader zich schuldig en bedrukt. Hij zat urenlang op de grond naast mijn bed om me gezelschap te houden en me dingen uit te leggen terwijl hij me over mijn hoofd aaide, of hij las me rustgevende verhalen voor.

En elke keer als hij in mijn ogen zag dat de schrikbeelden terugkwamen, vroeg hij me vergiffenis. Hij zal misschien gedacht hebben dat ik een te makkelijk, ecn te goed leven had geleid, en hij wilde me misschien de meest pijnlijke, tragische en absurde kant van het leven laten zien, als een les. Maar als hij in de toekomst had kunnen kijken, zou hij die premature shocktherapie wellicht volledig overbodig hebben gevonden.

24

De chronologie van de kindertijd bestaat niet uit rechte lijnen maar uit bokkesprongen. Het geheugen is een doffe oude spiegel, of eerder een strand van vergetelheid dat bezaaid ligt met de tijdloze schelpen van de herinnering. Ik weet dat er veel gebeurde in die jaren, maar pogen die gebeurtenissen in de herinnering terug te roepen is een even grote tantaluskwelling als proberen je een droom te herinneren, een droom die een gevoel heeft achtergelaten, maar geen beeld, een geschiedenis zonder geschiedenis, leeg, waarvan alleen een vaag gevoel overblijft. De beelden zijn weg. De jaren, de woorden, de spelletjes, de strelingen zijn uitgewist, maar toch, opeens, als we terugdenken aan het verleden, licht er weer iets op in de duistere regionen van het vergeten. Bijna altijd gaat het dan om iets schaamtevols, vermengd met vreugde, en bijna altijd zie ik het gezicht van mijn vader vlak tegen het mijne, als de schaduw die we meeslepen of die ons meesleept.

Vlak voor of vlak nadat mijn kleine zusje bijna verdronk, leerde ik van haar een andere les, zonder dat zij daar erg in had, een les die tevens wederom een teleurstelling voor mijn vader betekende. In het centrum van Medellín werd een boekenbeurs gehouden en hij ging er samen met de twee kleinsten, Sol en ik, naartoe. Bij aankomst zei hij dat we allebei een boek mochten uitzoeken, maakt niet uit welk, en hij zou het voor ons kopen, zodat we het later thuis konden lezen en ervan genieten. Maar eerst gingen we alle stalletjes langs en dan zouden we later, op de terugweg, het boek kopen dat we het leukst vonden.

We maakten twee keer de ronde, tot het einde van de straat en weer terug, en mijn vader, zonder erg opdringerig te zijn, deed een paar suggesties, hij pakte hier en daar een boek en stak de loftrompet over het verhaal, het meesterschap van de schrijver, het meeslepende onderwerp. Mijn zusje koos algauw een boek dat hij had aangeraden: *The Nightingale and the Rose* van Oscar Wilde, in een heel ingetogen, maar fraaie witte uitgave, met een rode roos op het omslag. Ik was echter al vanaf de eerste keer dat we langs de stalletjes liepen geobsedeerd door een groot, duur boek, met een rode kaft, dat *De officiële spelregels van alle sporten* heette. Welnu, als er iets was waar mijn vader misprijzend op neerkeek, dan was het sport, of lichaamsoefeningen in het algemeen, die hij alleen maar als een bron van blessures en ongelukken beschouwde. Hij probeerde het me uit het hoofd te praten: hij zei dat het geen literatuur was of wetenschap of geschiedenis, hij zei zelfs, wat heel uitzonderlijk was voor hem, dat het erg duur was. Maar ik werd almaar vastbeslotener en knarsetandend en met tegenzin kocht mijn vader het voor me.

Toen we later thuiskwamen, gingen we met zijn drieën naar de bibliotheek, en terwijl ik een poging deed de spelregels van Amerikaans voetbal te snappen – wat me toen niet en later ook nooit lukte – begon mijn vader aan mijn zusje het eerste verhaal van Oscar Wilde voor te lezen, het titelverhaal: 'The Nightingale and the Rose'. Ze waren nog maar één bladzijde ver toen ik al helemaal ontgoocheld was door de ondoorgrondelijke spelregels van het Amerikaans voetbal en stiekem begon te luisteren naar het prachtige verhaal van Wilde, tot ik ten slotte, wanneer de vogel, doorboord door de doorn van de rozenstruik, sterft, mijn boek dichtsloeg en nederig en vol berouw bij ze ging zitten. Mijn vader las het verhaal diepgeëmotioneerd uit. Ik denk dat ik me haast net zo ellendig voelde als toen ik niet in staat was geweest mijn zusje uit het water te redden, en ik denk dat mijn vader net zo teleurgesteld in me was als toen. Ik verstopte het rode boek met de spelregels achter mijn andere boeken, alsof het een pornoblaadje was, las een aantal keren de boeiende verhalen van Wilde, en van toen af aan verdiepte ik me alleen nog maar in literatuur, wetenschap en geschiedenis, al betekende het dat ik nooit de spelregels leerde van cricket, rugby, Amerikaans voetbal of Japans judo.

25

'Sorry, ik wist niet dat je bezig was.' Dat zei mijn vader een keer tegen me op een warme zomermiddag. Hij was thuisgekomen met een cadeau voor me, de biografie van Goethe, die hij me later gaf (ik heb hem nog steeds en ik heb hem nog steeds niet gelezen: ooit komt het ervan), maar toen hij binnenkwam, was ik bezig met het handwerk dat voor elke puber een genotvolle drang is die geen uitstel kan verdragen. Hij klopte altijd eerst aan voordat hij mijn kamer binnenkwam, maar die middag klopte hij niet aan, hij was erg opgetogen over het boek dat hij in zijn hand hield, hij kon niet wachten om het me te geven en deed de deur open. Ik had een hangmat op mijn kamer hangen en daarin lag ik hevig te zwoegen, mijn ogen op een tijdschrift gericht om mijn vingers en mijn verbeelding een handje te helpen. Hij wierp me een blik toe, glimlachte, en draaide zich om. Vlak voordat hij de deur weer dichtdeed zei hij tegen me: 'Sorry, ik wist niet dat je bezig was.'

Hij zei er naderhand geen woord over, maar weken later vertelde hij me in de bibliotheek een verhaal. 'In het laatste jaar van mijn studie medicijnen riep een neef van me, Luis Guillermo Echeverri Abad, me bij zich thuis. Na veel omwegen en geheimzinnig doen bekende die neef dat hij zich erg veel zorgen maakte over zijn zoon Fabito, die aan niets anders scheen te kunnen denken dan aan masturberen. Van de vroege morgen tot de late avond. Jij bent nu bijna arts, zei die neef tegen me. Praat eens met hem, geef hem raad, leg hem uit hoe slecht die solitaire ondeugd is. Dus ik ging met de zoon van mijn neef praten' – vertelde mijn vader verder – 'en ik zei tegen hem: maak je geen zorgen, ga er maar rustig mee door, want het kan helemaal geen kwaad en het is volkomen normaal. Het zou juist vreemd zijn als een jongen niet masturbeerde. Maar ik geef je één goede raad:

laat geen sporen na en zorg ervoor dat je vader je niet betrapt. Na korte tijd belde die man me weer op om me te bedanken. Ik had het wonder voor elkaar gekregen: Fabito had als bij toverslag zijn slechte gewoonte gestaakt.' En mijn vader, alsof hij geen betere moraal voor zijn verhaal wist, barstte in een schaterlach los.

Wat ik nu nóg sterker voelde, was dat mijn vader vertrouwen in me had, ongeacht wat ik deed, en ook dat hij grote verwachtingen voor me koesterde (hoewel hij zich altijd haastte me te verzekeren dat het niet nodig was dat ik iets bereikte in het leven, dat alleen al het feit dat ik bestond en gelukkig was voldoende was om hem gelukkig te maken, en de rest deed er niet toe). Dat betekende aan één kant een zekere verantwoordelijkheid (dat ik aan zijn verwachtingen moest voldoen en zijn vertrouwen niet mocht beschamen), een last, maar het was een zoete last, het was geen excessieve last, want elk resultaat dat ik behaalde, hoe belachelijk en onbeduidend ook, deed hem goed, mijn eerste schrijfsels verrukten hem, mijn dwaze koersveranderingen vatte hij op als vormende ervaringen, mijn wisselvalligheid als een aangeboren eigenschap waar hij ook aan leed, mijn labiliteit en ideologische onstandvastigheid als iets onvermijdelijks in een wereld die onder je neus radicaal veranderde, het vereiste immers een flexibele geest om te weten welke partij je moest kiezen in het rijk van de veranderlijkheid en de onbepaaldheid.

Nooit, ook niet toen ik vier keer van studie was veranderd, toen ik van de universiteit werd gestuurd omdat ik een artikel tegen de paus had geschreven, toen ik werkloos was en al een dochter te onderhouden had, toen ik zonder te trouwen ging samenwonen met mijn eerste vrouw, nooit hoorde ik een woord van afkeuring of bezwaar uit zijn mond komen, altijd aanvaardde hij mijn leven en mijn onafhankelijkheid op de meest tolerante en open manier. En ik geloof dat hij ook zo deed tegen al mijn zussen, hij was nooit afkeurend, hij was geen criticaster of een inquisiteur en al helemaal niet iemand die straffen uitdeelde of vrijheden inperkte, hij was altijd liberaal, open, positief, iemand die zelfs onze fouten als pekelzonden accepteerde. Misschien vond hij dat de mens, elk menselijk wezen, veroordeeld is om te zijn wie hij is, en dat wat krom is niet recht te buigen valt en wat recht is niet krom, en misschien had hij ook het geluk dat geen van ons een schuinsmarcheerder was, of chronisch ziek, of een slampamper, of een idioot of een niksnut, in welk geval ik niet weet hoe hij gereageerd zou hebben, al geloof ik dat hij er met hetzelfde open en tolerante en opgewekte gemoed tegenover zou hebben gestaan, maar dan zeker ook met de onherroepelijke dosis verdriet en onmacht.

Op seksueel gebied was hij altijd heel open, zoals we al gezien hebben met de masturbatie-episode, en ook met andere, waarover ik maar zwijg, want niets is zo onbehaaglijk als seks in verband met je ouders. Wij zien onze ouders altijd als geslachtloos en onze moeders, zoals een vriend van me zegt, 'plassen niet eens'. Mijn vader was zeker puriteinser in zijn doen en laten dan in zijn ideeën en misschien in weerwil van zichzelf een tikje conservatief, traditioneel als het om de gezinsmoraal ging, maar in theorie erg liberaal. Ook daarin was hij het tegendeel van mijn moeder, die zich in theorie in het keurslijf liet wringen van de Heilige Moederkerk, maar die in de praktijk zo mogelijk nog opener en liberaler was dan mijn vader, en toen een keer de man van een nicht van mij, die lid is van Opus Dei, een lezing hield aan de universiteit, waarin hij kritiek leverde op het gebruik van condooms en stelde dat de medische wetenschap soms de perverse bondgenoot was van de menselijke zedeloosheid, door zich aan te matigen dat ongestraft de geboden konden worden overtreden, zei mijn moeder stiekem tegen die nicht van mij dat het allemaal goed en wel was, dat zij het eens was met haar man, maar dat ze haar aanraadde om elke keer als haar echtgenoot op reis ging een pakje condooms in zijn koffer te stoppen, want mannen waren heel goed in zedenpreken, maar in het uur van de waarheid, op het moment van de verleiding, vergaten ze de zeden, en in dat geval was het beter dat hij, en vooral zij, in plaats van een ziekte op te lopen door een overdaad aan abstracte zedelijkheid, gezond bleven door een beetje praktische onzedelijkheid.

Met mijn vader kon ik over al die intieme onderwerpen praten en hem op de man af om raad vragen, want altijd hoorde hij me aan zonder gechoqueerd te raken, kalm, en hij antwoordde me op een toon die het midden hield tussen liefderijk en didactisch, maar die nooit afkeurend was. Midden in mijn puberteit, toen ik op een middelbare jongensschool zat, gebeurde er iets met me wat ik heel vreemd vond en wat me jarenlang bleef kwellen. Ik raakte opgewonden als ik de geslachtsdelen van mijn klasgenoten zag en getuige was van hun erotische spelletjes. Dus maakte ik me zorgen dat ik homo was. Ik vertelde het verlamd van angst en schaamte aan mijn vader en hij antwoordde me, kalm glimlachend, dat het nog te vroeg was om daar iets definitiefs over te zeggen, dat ik moest wachten tot ik meer levenservaring had, dat we in de puberteit zo vol zitten met hormonen dat álles ons kan opwinden: een kip, een ezelin, een paar salamanders of een paar honden die copuleren, maar dat dit niet betekende dat ik homoseksueel was. En vooral wilde hij me duidelijk maken dat als het wel zo was, het ook geen enkel belang had, als ik maar koos voor datgene wat me gelukkig maakte, wat mijn diepste neigingen me ingaven, want je moest niet ingaan tegen de natuur waarmee je geboren bent, hoe die ook was, en homoseksueel of heteroseksueel zijn was hetzelfde als rechts- of linkshandig zijn, het enige verschil was dat de linkshandigen een beetje minder talrijk waren dan de rechtshandigen, en dat het enige probleem – niet eens een ondraaglijk probleem – dat ik kon krijgen als ik me in het botte milieu waarin wij leefden als homoseksueel definieerde, een beetje sociale discriminatie zou zijn, maar dat ook daar wel overheen te komen viel met een combinatie van trots en onverschilligheid, discretie en brutaliteit, en vooral met gevoel voor humor, want niet zijn wie je bent is het ergste in het leven, en dat laatste zei hij met een klem en een nadruk die aangaven dat het hem uit het hart gegrepen was, en hij waarschuwde me dat in elk geval altijd het allerergste, het meest verwoestende voor je persoonlijkheid, veinzen of huichelen was, dat symmetrische tweelingkwaad dat erin bestaan dat je je voordoet als iemand die je niet bent, of dat je verbergt wie je bent, allebei patente recepten voor chagrijn en ook voor slechte smaak. In elk geval, zei hij tegen me, met een wijsheid en een grootmoedigheid waar ik hem nu nog dankbaar voor ben, en met een kalmte die me ook nu nog geruststelt, dat ik een tijdje moest wachten en wat meer omgang moest hebben met vrouwen, om te zien of ik bij hen niet hetzelfde voelde, of meer en beter.

En zo ging het ook na verloop van tijd, en nadat ik – op kosten, hoewel niet op aanwijzing, van mijn vader – over mijn ongerustheid had gepraat met een psychiater en een psychoanalyticus. Door met hen te praten, of door mijn geest naar zijn eigen grillen te laten rijpen terwijl ik mijn angsten voor hen uitstortte, kon ik in mezelf de weg van mijn diepste verlangens ontdekken, die gelukkig, of vanwege mijn saaie persoonlijkheid, samenviel met de platgetreden paden van de meerderheid. Van toen af aan was ik ook niet bang meer voor mijn meest duistere begeerten, die me ook niet meer kwelden of een schuldgevoel bezorgden, en de keren dat ik me in de tijd daarna aangetrokken heb gevoeld tot verboden objecten, zoals de vrouw van mijn naaste, of veel jongere vrouwen dan ikzelf, of tot de vriendinnen van mijn vrienden, ervoer ik die overtredingen niet als een marteling, maar als de koppige en tegelijk in wezen blinde en onschuldige eisen van de machine die het lichaam is, en die al of niet in toom gehouden dient te worden, al naargelang de schade die we anderen of onszelf kunnen berokkenen, en alleen op grond van dat ene criterium, dat pragmatischer en directer is dan een absolute en abstracte moraal (zoals de religieuze dogma's), die niet verandert naar de omstandigheden, het moment of de gelegenheid, maar die altijd hetzelfde blijft, met een rigiditeit die schadelijk is voor de maatschappij en voor het individu.

26

En na dat intermezzo van welhaast volmaakt geluk, dat een paar jaar duurde, liet de naijverige hemel weer zijn oog op onze familie vallen, en die razende god waarin mijn voorvaderen geloofden, zond de bliksemstraal van zijn toorn naar ons die, wellicht zonder het te beseffen, een gelukkig, ja zelfs erg gelukkig, gezin vormden. Bijna altijd gaat het zo: op de momenten dat het geluk ons toelacht, zijn we ons er het minst van bewust dat we gelukkig zijn, en misschien krijgen we van boven onze gezonde doses verdriet gezonden om ons te leren dankbaar te zijn, hoewel dat een verklaring van mijn moeder is, die niets verklaart en die ik hier niet als de mijne poneer, noch onderschrijf, maar toch noteer, omdat het geluk ons als iets natuurlijks voorkomt dat we verdienen, terwijl we tragedies als van buitenaf gezonden beschouwen, als een wraakoefening of een straf, afgekondigd door kwaadaardige machten vanwege verborgen zonden, of door gerechte goden, of engelen die onherroepelijke vonnissen ten uitvoer brengen.

Ja. We waren gelukkig omdat mijn vader voorgoed uit Azië was teruggekeerd en niet meer van plan was weg te gaan, want de laatste keer was hij op het suïcidale af depressief geworden, en gelukkig werd hij op de universiteit niet meer vervolgd omdat ze hem als communist beschouwden, hoogstens als reactionair (want voor de communisten was iemand die gelukkig was in wezen reactionair, omdat hij gelukkig was te midden van ongelukkigen en bezitlozen). We waren gelukkig omdat het er even op leek dat de machtigen van Medellín vertrouwen hadden in mijn vader en hem lieten begaan, hem zijn werk lieten doen, want ze zagen in dat hij nuttige programma's ontwikkelde op het gebied van de volksgezondheid: inentingen, hygiëne, schoon drinkwater op het platteland, en het bleef bij hem niet bij woorden alleen, zoals bij zo veel anderen. En omdat mijn vader niet langer het gevoel had dat zijn baan op het spel stond en mijn moeder meer geld begon te verdienen dan hij, veroorloofden we ons een zekere luxe, zoals af en toe met het hele gezin naar de Chinees gaan, of een fles wijn opentrekken, iets heel ongebruikelijks, iets unieks, ter ere van doctor Saunders, of duurdere cadeautjes krijgen met Kerstmis (een fiets, een cassetterecorder), of met het hele gezin in processie naar een film gaan die mijn vader de mooiste vond die hij ooit gezien had: *Born Free*, waarvan ik me de titel nog herinner en de lange rij voor de bioscoop Lido, maar verder niets.

We waren gelukkig omdat er niemand was doodgegaan in de familie, en elke week gingen we van vrijdag tot zondag naar de finca, een kleine finca, een terrein van zo'n twee-, driehonderd meter, in Llanogrande, hoog in de bergen, die oom Luis, de zieke priester, van al zijn spaargeld voor mijn moeder had gekocht, en aangezien er betere tijden waren aangebroken, had mijn vader zelfs een paard voor me gekocht, Amigo, zo noemden we hem, Amigo, een mager scharminkel, een slungelig paard, net zo een als Rocinante, elke week staken zijn ribben verder door zijn vel, want er viel niet genoeg te grazen op de finca, maar voor mij was hij op zijn minst een Arabische of Andalusische volbloed als ik met hem in de buurt van de finca ging galopperen, en sindsdien is gelukzaligheid voor mij niet alleen verbonden met de straten van Cartagena, maar ook met paardrijden in de vrije natuur, zonder met iemand te hoeven praten, ik alleen met mijn paard, als de *Lone Ranger*, wat mijn favoriete stripblaadje was, met een hoofdpersoon die een soort Don Quichot was zonder Sancho Panza, die onrecht bestreed op de prairies van Texas of Tijuana, of in een land dat ik nooit tot deze wereld rekende maar tot de wereld aan gene zijde, de wereld van het stripverhaal.

Maar de dag dat het paard op de finca arriveerde kreeg ik

een signaal (of liever gezegd: het drong niet tot me door) van het leven, of van de wijsheid die de ervaring ons dient te schenken (maar die deze haast nooit schenkt), een signaal dat me op mijn qui-vive had moeten brengen over hoezeer het geluk op elk moment door tegenspoed wordt bedreigd. Het paard was een verrassing van mijn vader, en toen we die zaterdag midden op de dag bij Llanogrande aankwamen, stopte hij op het veerooster van de finca en wees naar het weilandje. 'Kijk, daar is het, dat wilde je graag, een paard.' Mijn hart sprong op van vreugde. Eindelijk kon ik doen wat ik het fijnst had gevonden op de finca van mijn opa: ritjes maken te paard, zonder de ellende van 's avonds gescheiden te zijn van mijn vader. Dus ik stapte uit de auto, uit de oude hemelsblauwe Plymouth. Ik gooide het portier vliegensvlug open, sprong op de grond en smeet het portier uit alle macht weer dicht om naar het paard toe te rennen. Ik had zo'n haast dat ik met twee vingers tussen het portier bleef zitten. Ik voelde een stekende pijn. De blijdschap en het genot veranderden in een vreselijke marteling. Een nagel viel eraf en mijn twee vingers werden helemaal blauw. Mijn blijde lach ging over in gehuil en ik kon pas een poosje later kennismaken met Amigo, mijn vingers in een schaal met ijs om de pijn en de zwelling te verminderen. Ik lachte en huilde tegelijk. Misschien had deze ervaring, waarbij het geluk onverwacht gekleurd wordt door verdriet, me eraan moeten herinneren, ik zeg het nogmaals, dat ons geluk altijd in de waagschaal ligt, altijd ongewis is, altijd op het punt staat van een hellend vlak van treurnis te glijden.

Maar nee. In die jaren stelden we ons voor dat de goede tijden ons hele leven zouden duren, er was geen reden daaraan te twijfelen. We waren gelukkig omdat mijn zusjes allemaal aantrekkelijke, vrolijke meisjes waren, de mooiste meisjes van de wijk Laureles, dat zei iedereen: Maryluz, Clara, Vicky (Eva noemden we Vicky, want die heette Eva Victoria, maar ze had een hekel aan Eva, dat vond ze een boerse, dorpse naam, en daar leed ze altijd onder, ook al wist ze dat het de enige mooie naam in de hele familie was) en Marta. Sol nog niet, want die was nog te klein en stond alleen maar samen met mij achter de ramen te gluren, om te klikken over stiekeme kusjes ('mammie, Jorge gaf Clara een kusje en Clara vond het goed', 'mammie, Álvaro wilde Vicky een kusje geven, maar Vicky vond het niet goed', 'mammie, Marta gaf Hernán Darío een kusje en hij legde zijn hand op haar rechtertiet'), maar ook voor haar kwam het moment om te genieten van steelse kusjes. Jawel, mijn zusjes waren de mooiste meisjes van Laureles, vraag het maar aan iedereen die ze gekend heeft, eens zien of het niet waar is, de vrolijkste en de aardigste en de koketste en de meest gevatte, en bij ons wemelde het van de middelbare scholieren en studenten, die op alle uren van de dag als gekken kwamen aangezwermd om ze te veroveren, want ze waren goedlachs en danslustig en geestig, reden waarom ze alle jongens van Laureles de kop op hol brachten, ze kwamen zelfs uit het centrum en uit El Poblado om ze te zien, alleen maar om ze overdag te zien, om trillend van verlegenheid hun opwachting te maken, duizelig van angst om afgewezen te worden. En 's nachts was het hetzelfde liedje, want vrijdags en zaterdags na middernacht kwamen de bezoekers van overdag opnieuw, dol van verliefdheid, en werden er voor ons huis eindeloze serenades gebracht. Voor Mary, door haar vriendje Fernando, want zij was hem al vanaf haar elfde trouw, en ze liet niemand anders bij zich in de buurt komen, en als iemand anders haar een serenade bracht, onderbrak ze hem en stuurde hem bars weg. Voor Clara, door haar twee vriendjes en twintig vrijers (op een keer kreeg ze vier serenades op één nacht, van vier verschillende types, de laatste met een mariachiband, eens kijken wie het royaalst uitpakte om haar hart van staal te doen smelten), want hoewel ze niet ontrouw was, was ze wel zo mooi dat ze onmogelijk kon kiezen tussen zo veel volmaakte partijen, de ene nog beter dan de andere. Een van hen, Santamaría, pleegde zelfs zelfmoord uit liefdesverdriet. Voor Vicky, door een zekere Álvaro Uribe, een klein mannetje dat naar haar smachtte, maar zij niet naar hem, want ze vond hem te serieus, maar vooral een te grote driftkikker. 'Aangezien jij me niet ziet staan,' zei hij een keer tegen haar, 'neem ik een ander.' En hij noemde zijn beste merrie Vicky, want hij hield vooral van paarden, en hij zei: 'Nu bestijg ik Vicky elke week.' Hij nam zijn schoolrapport mee om het haar te laten zien: overal een tien voor, van de paters benedictijnen. Maar in het voorlaatste jaar werd hij van de middelbare school gestuurd en dat was de schuld van mijn zus. Niet van Vicky, maar van Maryluz, die ouder was. Het geval wilde namelijk dat op de fancyfair van de benedictijnen de schoolkoningin werd gekozen, en Maryluz was koningin van de zesde klas, en die van de vijfde, de klas van Álvaro, was tot het laatste moment aan de winnende hand. Niet de mooiste won, maar degene die het meeste geld binnenbracht, en die van de vijfde had meer binnengehaald omdat de vader van Álvaro een rijke paardenkoopman was en veel geld had gegeven. Het lot was bezegeld, maar op het laatste moment smeekte Maryluz een steenrijke man uit Medellín, Alfonso Mora de la Hoz, om geld en die gaf haar een vette cheque. Toen ze het geld telden, het contante geld, bleek dat de koningin van de vijfde gewonnen had, en Álvaro blij, maar het laatste biljet dat ze tevoorschijn haalden, was de cheque van de rijke stinkerd en toen had de koningin van de zesde meer geld. Vreugdekreten voor Maryluz. Maar vervolgens klom Álvaro, die nooit tegen zijn verlies kon (en nog steeds niet), op de preekstoel en riep schallend tegen de leerlingen van de school: 'De paters benedictijnen hebben zich laten omkooopen!' En de paters benedictijnen stuurden hem van school omdat hij zijn nederlaag en de regels van het spel niet kon accepteren, en hij moest zijn middelbare school afmaken op het Jorge Robledo, waar alle leerlingen in Medellín die van school getrapt waren, terechtkwamen. Daarna kreeg Vicky een andere vriend, die ook Uribe heette, Federico, maar die geen familie was van de eerste, en met hem trouwde ze uiteindelijk. Toen ze moest beslissen zei mijn vader tegen haar: 'Beter deze, want die andere is erg streberig en ik weet niet of hij je wel trouw zal zijn.' Niemand is trouw, maar enfin. En voor Marta die, omdat ze de jongste was en van een andere generatie, geen serenades meer kreeg met een trio, want dat was iets van een voorbije tijd, iets voor bejaarden, nee, voor haar stopte er op een bepaald moment een auto op straat, het portier vloog open, en ineens dreunde er uit de luidsprekers binnenin een drumstel en de opzwepende tonen van een elektrische rockgitaar, met songs van de Beatles of de Rolling Stones en daarna The Carpenters, Cat Stevens, David Bowie en Elton John. Tussen mijn vier oudste zussen was er al een generatiewisseling, en Marta was de eerste die tot de mijne behoorde, hoewel ik niet echt denk dat ik ooit tot een generatie heb behoord, want toen zij stierf, bleef ik achter zonder invloed en zonder generatie. Misschien dat ik me daarom wijdde aan klassieke muziek, een reeds ontgonnen terrein, dat van mijn vader, en misschien heb ik daarom nooit een serenade gebracht en me ook niet ingelaten met trio's, bambuco's of mariachi's – wat zeg ik, niet eens met luidsprekers in een auto of met rockmuziek.

En nu moet ik over de dood van Marta vertellen, want die betekende een waterscheiding in de geschiedenis van ons gezin.

27

Marta Cecilia voor mijn moeder, Taché voor mijn vader, Marta voor ons, haar broer en zusters, was de ster van de familie. Van kleins af aan was al duidelijk dat geen van ons zo vrolijk en zo intelligent en zo vitaal was als zij (en ik zweer je dat ze veel en zware concurrentie te verduren kreeg van haar zussen). Op haar vijfde begon ze viool te spelen, en elke middag ging ze naar het conservatorium, waar een Tsjechische docent, Joseph Matza, een sublieme violist die het tot concertmeester van de Opera van Freiburg had geschopt, zei dat hij in geen jaren zo'n groot talent had gezien als Marta. Matza, die hier in de tropen verloren rondliep, dirigeerde de universiteitskapel in de weekenden (mijn vader nam ons zondags weleens mee naar het Bolívar-park) en speelde alles wat hier maar te spelen viel met ons povere orkest. Hij eindigde als een verbitterde alcoholist, en 's morgens haalden zijn studenten hem in alle vroegte van de straat, maar zelfs de bedelaars bekommerden zich om hem en zeiden: 'De maestro is dronken, laat hem slapen.' In zijn lessen zei maestro Matza tegen zijn leerlingen, terwijl hij met een mengeling van verliefdheid en woede naar zijn instrument keek: 'Dit is mijn innige vijand.' Misschien dat daarom mijn zus Marta op haar elfde genoeg kreeg van de viool, want ze vond het een heel treurig instrument dat al je tijd opslokte, dat eiste dat je je hele leven eraan wijdde, en dat bedoeld was om antieke muziek te spelen, zoals mijn zus zei, die heel bij de tijd was, de tijd van de rock-'n-roll. Zodoende gaf ze de viool op, zonder wroeging en zonder dat mijn ouders het erg vonden, want zij dwongen ons nooit een bepaalde kant op, en ze stapte over op gitaar en zang. Ze verruilde die 'innige vijand' en maestro Matza voor de veel amicalere gitaar en een Colombiaanse lerares, Sonia Martínez, die – hoewel ze haar bambuco's leerde – waar Marta niet zo veel aan vond, heel goed lesgaf in zangtechniek en gitaarbegeleiding. Samen met Andrés Posada, haar eerste vriendje, die tegenwoordig een uitzonderlijk musicus is, en met zijn zus Pilar, ook al een groot musicienne, studeerde ze verder, en gedrieën zaten ze hele middagen de songs van de Beatles, van Joan Manuel Serrat, van Cat Stevens, en van ik weet niet wie allemaal, te zingen.

Op haar veertiende zong en speelde ze al in een bandje, het Cuarteto Ellas, waar ook een andere uitzonderlijke zangeres, Claudia Gómez, in zong, en Marta was de eerste van de familie die prijzen in de showbizz won (de enige, eigenlijk) en die in de krant kwam en soms op tv. Ze maakte een tournee door Colombia en ze gingen met het hele bandje naar Puerto Rico, San Andrés en Miami, dat soort bestemmingen waar wij, haar broer en zusters, nog niet eens van droomden. Bovendien was Marta als actrice een naturel en zei ze ellenlange teksten uit het hoofd op, op de feesten van mijn andere zussen, de oudste, toen die hun vijftiende verjaardag vierden, in die tijd de belangrijkste leeftijd voor een vrouw, haar 'societydebuut'. En ze was ook de beste leerling van haar klas op La Enseñanza, en haar klasgenoten bewonderden haar, want ze was geen antipathieke nerd, maar een vrolijke leerling wie je maar één keer iets uit hoefde te leggen en ze snapte het, zonder dat ze hoefde te blokken. Ze las meer dan ik, en ze was zo vlug van begrip dat ze de oogappel van mijn vader werd, meer nog dan ik, die alleen kon bogen op het stomme feit dat ik de enige man was, en meer nog dan mijn oudste zus die, omdat ze de oudste was en het liefste voor hem, zijn hartekind was.

Mijn twee oudste zussen trouwden. Maryluz met haar eeuwige vriendje Fernando Vélez, een econoom die op zijn twintigste al rijk was vanwege een grote erfenis van zijn vader, oprichter van Laboratorios Líster, een farmaceutisch bedrijf, en die jong aan kanker stierf. Maar de econoom, een gulle man, was niet erg economisch, en nog minder met mijn zus aan zijn zij, want die had een gat in haar hand, net als mijn vader, want van niets genoot ze meer dan anderen een plezier doen en ze gaf, gaf, gaf, haar spullen, haar tijd, haar geld, haar jurken, alles. Die twee, Maryluz en Fernando, waren één, een Siamese tweeling, en het leek wel of ze al vanaf de eerste communie met elkaar getrouwd waren. Hij was dertien en zij elf toen hij haar de eerste serenade bracht, dan weet je het wel. Toen ze zeventien werd, waren ze al zo lang samen dat ze de kuisheid niet langer verdroegen (het waren nog de jaren van de kuisheid). Ze riep hem tot de orde, hij moest met haar trouwen, zonder pardon en zonder dat hij was afgestudeerd. Toen voelde ook Clara de drang om vlug te trouwen en niet achter te blijven, en drie jaar later trad ze in het huwelijk met de jongen van wie iedereen in Medellín zei dat hij een gouden toekomst voor zich had, Jorge Humberto Botero, een 'jonge god van een advocaat', dat zei iedereen, geweldig aardig, uiterst intelligent, zei mijn vader, hoewel hij moeilijke woorden gebruikte waar wij een beetje om grinnikten, maar waarom we hem ook bewonderden, uitgesproken op een bedaarde, didactische, intellectuele toon, de enige persoon in de wereld die ik ken die nog steeds de toekomende tijd van de aanvoegende wijs gebruikt, en hij was een van de eerste Colombianen die, net als de gringo's, over straat gingen hardlopen, 'joggen', zoals hij het noemde, want hij was slank en aantrekkelijk, en zijn gemaakte manier van praten was bij hem zo consequent dat je haast kunt zeggen dat hij van nature gemaakt was. Clara en Jorge Humberto vertrokken kort nadat ze getrouwd waren naar de Verenigde Staten, om verder te studeren in Morgan Town, een universiteitsstadje in West-Virginia.

Wij bleven maar met vier kinderen over in huis, en Eva Victoria, die nu de oudste was, had zich in het hoofd gezet heel chic te worden. De hele dag trok ze op met een schoolvriendin, María Emma Mejía, die haar raad gaf over hoe ze zich moest kleden om er glamoureus uit te zien en die haar leerde haar handen te bewegen als een ballerina. Wellicht dankzij de lessen van María Emma heeft Eva, of Vicky, de beste manieren van ons allemaal, ze lijkt wel van betere komaf, en ze heeft een hautaine houding, die echter niet voortkomt uit dedain, maar, denk ik, uit zelfbeteugeling. Ik heb het gevoel dat ze door een teveel aan gewetensonderzoek, en uit angst voor een obscure, onterechte schuld, iets als de erfzonde, aan een ziekelijke correctheid lijdt, die haar soms haast belet te leven, want ze ziet laagheid en gemeenheid waar er in de verste verte geen sprake van is.

Daarna kwamen Marta en ik. Marta, de ster, de zangeres, de beste leerling, de actrice. Ze kon heel goed observeren, ze had een vlijmscherp gehoor en daardoor bezat ze ook de gave van de perfecte imitatie. Ze hoefde iemand maar een minuut te kennen of ze kon zijn gebaren en stem al nadoen, zijn manier van lopen of hoe hij zijn vlees sneed, de tics in zijn handen of zijn ogen, en zijn spraakgebreken. Wee degene die bij ons op bezoek kwam, want als hij wegging, gaf Marta niet zomaar een imitatie van hem weg, nee, ze lichtte hem door. Marta overweldigde me; in zekere zin gaf ze me niet alleen het gevoel dat ik kleiner was – wat ik ook was – maar in alle opzichten minder. Over alles had ze haar woordje klaar, op alles reageerde ze snedig en ad rem, terwijl ik van binnen nog aan het worstelen was met het ontwarren van een kluwen woorden die nog niet eens tot mijn bewustzijn waren doorgedrongen, laat staan dat ze over mijn lippen kwamen. Maar die minderwaardigheid liet me in de grond koud, want ik had me al van het begin af aan bij haar superioriteit neergelegd, en bovendien was ik gevlucht in boeken, in het serene ritme van boeken, en in de ernstige, trage gesprekken met mijn vader, om fysische en metafysische twijfels te verjagen, en dat mijn zus superieur was, dat was zo overduidelijk, dat stond zo als een paal boven water, en ze liet mij zo ver achter zich, dat haar met mij vergelijken net zoiets zou zijn als de Himalaya met een molshoop vergelijken. Misschien omdat ik niet tegen haar op kon, verbaal niet, met dansen niet, met zingen niet, met acteren niet, met imiteren niet, met studeren niet, nam ik mijn toevlucht tot lezen en veranderde ik in een lone ranger, in een middelmatige, verbaal niet erg begaafde leerling, die slecht was in sport en dus maar voor één ding geschikt: schrijven. En als laatste kwam Sol, die nog niet uit de nevelen van de kindertijd was opgedoemd en de hele dag thuis bij een paar nichtjes van dezelfde leeftijd zat, Mónica en Claudia, die in dezelfde straat woonden, vadertje en moedertje spelend met een ernst die je echte moeders zou toewensen, met poppekindjes van Barbie en speelgoedkinderwagentjes en allerlei lapjes en doekjes en verkleedpartijtjes en plastic poppetjes. Eigenlijk was Solbia (we noemden haar Solbia omdat haar volledige naam Sol Beatriz was) meer een kind van onze oom en tante dan van onze vader en moeder, en soms, als ze ruziemaakt, hoewel ze de enige arts van ons is en een erg geleerd iemand met een deftig beroep, slaat ze taal uit die meer bij een veeboer dan een dokter hoort en die ze alleen van oom Antonio geleerd kan hebben, die een veebedrijf had en die de zoon van mijn grootvader was die het meest op hem leek.

Tot, ik herhaal het, God, of liever gezegd het absurde toeval, naijverig op zo veel geluk, de onbarmhartige bliksemstraal van zijn toorn naar ons gelukkige gezin zond. Op een middag, toen hij thuiskwam van zijn werk, riep mijn vader Sol en mij bij zich. Hij keek ernstig, ernstiger dan ooit, maar hij was niet kwaad, hij keek alleen diepbezorgd, als een binnenvetter, zou mijn moeder gezegd hebben, en met de opgewonden tics in zijn handen en lippen die erop wezen dat hij tot over zijn oren in de zenuwen zat. Er moest wel iets heel raars aan de hand zijn, want zoiets gebeurde bij ons nooit, als hij thuiskwam regende het altijd vrolijke schaterlachen en grappen, of hij hulde zich in naargeestige muziek en rituele therapeutische lectuur. Deze keer niets van dat alles: ga mee, dan gaan we een eindje rijden met de auto, zei hij droog en kortaf. Hij ging achter het stuur zitten en na veel omzwervingen door de labyrintische straten van Laureles stopte hij in een stil steegje, dicht bij La América, dat uitkwam op de Calle San Juan. Hij zette de motor af en begon rustig, terwijl hij zich naar ons toe draaide en ons recht aankeek.

'Ik moet jullie iets heel moeilijks en heel belangrijks vertellen.' De toon was smartelijk en mijn vader slikte. 'Jullie moeten flink zijn en kalm blijven. Luister, het is erg moeilijk om te vertellen. Marta is heel ziek, wat ze heeft heet melanoom, dat is een soort kanker, huidkanker.'

In plaats van me in te houden veerde ik op en zei het ergste wat ik kon zeggen, het eerste wat me te binnen schoot: 'Dus ze gaat dood.'

Mijn vader, die dat niet wilde horen, en nog minder denken, want dat was waar hij het bangst voor was en wat hij het beste wist, diep in zijn hart, dat het onherroepelijk gebeuren zou, werd furieus.

'Dat heb ik niet gezegd, verdomme! We nemen haar mee naar de Verenigde Staten en misschien wordt ze beter. We gaan alles doen wat in ons vermogen ligt om haar te redden. Jullie moeten flink zijn en kalm blijven, en jullie moeten ons helpen. Zij weet niet wat ze heeft en jullie moeten heel lief voor haar zijn en niets zeggen, althans voorlopig niet, wij bereiden haar voor. De medische wetenschap is erg vooruitgegaan, en als het enigszins kan, zullen we haar genezen.'

Daarna volgden vier maanden van intens verdriet, van augustus tot december, waarna we geen van allen nog de oude waren.

Kanker op zestienjarige leeftijd en bij zo'n meisje, het meisje dat Marta was, wekte bij iedereen onverdraaglijk verdriet en weerstand op. Er is een moment waarop het leven van een menselijk wezen het waardevolst is, en ik geloof dat dat het moment is van de voldragenheid aan het einde van de puberteit. De ouders hebben jarenlang het individu dat hen gaat vertegenwoordigen en vervangen, verzorgd en gevormd en eindelijk vliegt het op eigen kracht uit, en in dit geval vliegt het goed, beter dan zijzelf en alle andere. De dood van een pasgeborene of van een bejaarde doet minder pijn. De waarde van het menselijk leven is een opgaande lijn, en het toppunt, denk ik, bevindt zich ergens tussen het vijftiende en het dertigste levensjaar. Daarna gaat de curve weer langzaam naar beneden, tot hij bij het honderdste levensjaar hetzelfde punt bereikt als een foetus en het ons niets meer kan schelen.

28

Het ziekenhuis waar ze het meest geëxperimenteerd hadden met nieuwe behandelingen voor die sinistere kanker, voor dat melanoom, stond in Washington. Mijn vader en moeder verkochten een deel van hun bezittingen: de auto van mijn vader en het eerste kantoor dat mijn moeder in het gebouw La Ceiba na jarenlang sparen gekocht had, om aan geld voor de behandeling te komen. Verscheidene bevriende echtparen en een zwager van me gaven duizenden dollars in baar geld, als lening voor onbepaalde tijd, of gewoon als gift, en mijn vader en moeder namen het geld met tranen in de ogen in ontvangst. Toen ze terugkwamen uit de Verenigde Staten, gaven mijn vader en moeder al het geleende geld weer terug, maar het feit dat ze het bij zich hadden gaf hun zekerheid. Ze waren bereid het huis te verkopen, de finca, alles wat we hadden, als Marta te behandelen was en de behandeling van het geld afhing, want zo was en is de medische zorg daar: hoe meer geld je hebt, hoe beter. Maar de genezing van deze kanker was niet met geld te koop. Er was de vage hoop op een nieuw geneesmiddel dat nog in het allervroegste experimentele stadium verkeerde en dat ze in dat ziekenhuis begonnen toe te dienen.

In Washington kregen ze onderdak van een vriend, die zijn flat ter beschikking stelde en zelf bij een vriend van hem introk. Toen hij ze van het vliegveld ging halen, was hij zo gespannen dat hij een aanrijding veroorzaakte, en toen hij vervolgens in een taxi aankwam, waren mijn vader en moeder met Marta al weg, ze hadden de bus naar een hotel genomen, in de veronderstelling dat hun vriend vergeten was ze af te halen. Hij verloste ze van het hotel en installeerde ze in zijn flat, 'voor zolang als nodig is', een grootmoedig gebaar dat wij nooit zullen vergeten. Mijn zus Clara, die niet ver uit de buurt woonde, voegde zich bij hen, en in de weekenden kwam ook haar man, Jorge Humberto. Daar, op het terras van die flat, stelde Marta mijn vader eindelijk de onheilsvraag: 'Papa, is het waar dat ik kanker heb?' En hij, met ogen vol wanhoopstranen, kon alleen maar ja knikken, maar hij voegde er ook een leugentje om bestwil aan toe, dat heel plausibel klonk: ja, het was kanker, maar omdat het huidkanker was, was het iets oppervlakkigs en goed behandelbaar. Hij dacht niet dat ze eraan dood zou gaan. Mijn vader wilde haar een hart onder de riem steken, zodat haar goede moed haar zou helpen een onwaarschijnlijke genezing tot stand te brengen. En zij kwam er niet meer op terug. Vanaf die dag wist ze haar verdriet te beteugelen en haar voornemen om nooit de moed te laten zakken te schragen met een verre hoop. Echt, ze probeerde tot het laatst toe gelukkig te blijven.

Tijdens een weekend namen ze haar, met toestemming van het ziekenhuis, mee voor een wandeling door New York. Clara ging mee en terwijl ze door Manhattan liepen werd Marta vreselijk duizelig en kreeg hartkloppingen en viel flauw. Ze moesten een ambulance bellen, waarmee ze naar Washington terugkeerden. Alleen dat kostte al net zo veel als het bedrag dat mijn vader voor zijn auto gekregen had. Het bleek niets te zijn, alleen een bijwerking van het medicijn, een erg sterk middel, waarschijnlijk een van de eerste chemotherapieën.

Uiteindelijk, toen ze in het ziekenhuis constateerden dat de kanker al was uitgezaaid, zeiden ze dat het nieuwe geneesmiddel hun enige hoop was. Ze mochten het meenemen naar Colombia en elke maand de resultaten van het laboratoriumonderzoek opsturen, die dan door de specialisten van het ziekenhuis zouden worden geanalyseerd, en als het nodig was zouden ze telefonisch verdere instructies krijgen. Toen Clara ze op de dag van de terugreis naar het vliegveld bracht, nam ze met een innige omhelzing en een lange kus afscheid van Marta. Marta zei dat ze bang was en Clara lachte om haar en zei, gekkie, het komt allemaal wel goed. Ze zei het met een gemaakt lachje. Toen Clara hen bij de paspoortcontrole had achtergelaten en terugliep naar de parkeerplaats voelde ze een warme vloeistof langs haar dijen sijpelen. Ze rende naar de wc. Ze bloedde hevig, sloten bloed stroomden uit haar vagina op de grond en ze moest naar het ziekenhuis (een ander ziekenhuis, in het stadje waar ze woonde) om het bloeden te stelpen. Ze kreeg een curettage en ze moesten haar zelfs aan het infuus leggen en een bloedtransfusie toedienen. Misschien, zeiden de artsen, was ze zonder dat ze het wist zwanger en had ze een miskraam gehad. Het was te verklaren, zeiden ze, door het immense verdriet dat ze leed.

Na terugkomst uit de Verenigde Staten doofde Marta met de dag verder uit, heel langzaam, stapje voor stapje, zodat wij allemaal precies konden zien hoe de dood centimeter voor centimeter bezit nam van haar lichaam, het lichaam van een mooi meisje van zestien, bijna zeventien, dat een jaar tevoren nog het toonbeeld van levenslust en gezondheid en vrolijkheid was geweest, het volmaakte toonbeeld van geluk. Met de dag werd ze bleker en magerder, tot ze vel over been was, elke dag werd ze treuriger en weerlozer en brozer, tot ze bijna was verdampt. Er zijn perioden in het leven waarin het verdriet geconcentreerder is. Zoals we van een bloem zeggen dat we de 'essence', ofwel het wezen, eruit halen om er parfum van te maken, of dat de 'geest' van een wijn de alcohol is die we eraan onttrekken, zo verdikt soms het lijden in ons leven en wordt verwoestend, ondraaglijk. En zo ging het ook met de dood van mijn zus Marta, die onze familie misschien wel voor altijd verscheurde.

De kanker hadden ze ontdekt omdat ze achter in haar nek, vlak onder de schedel, een rij bultjes had, een rozenkrans beter gezegd, zo noemden ze het ook, een rozenkrans van min of meer zachte bultjes, het ene na het andere. Een rozenkrans, inderdaad, zo een als oom Luis en oma Victoria in hun hand hielden, inderdaad, een rozenkrans van uitzaaiingen, dat stuurden Onze-Lieve-Heer en de Heilige Maagd Maria ons, na de Ochtendrozenkrans, na de talloze rozenkransen in het huis van mijn oma, een rozenkrans van kanker was het, een rits dodelijke parels die uit je vel sprongen. Dat was het verdiende loon van dat gelukkige en onschuldige meisje, voor de zonden die mijn vader had begaan, of ik, of mijn moeder, of zijzelf, of mijn grootouders en betovergrootouders, of wie weet wie.

Marta was in goede handen, de beste, van topmedici in de wereld, eerst in Washington en daarna in Medellín, van de vrienden en collega's van mijn vader aan de medische faculteit. Van doctor Borrero, een bron van wijsheid en wetenschap, de beste internist van de stad, die het leven had gered van duizenden bejaarden en kinderen en jongeren met allerlei kwalen, met de ergste ziekten, longkanker, hartkwalen, nierziekten, maar die niets kon doen voor Marta. Doctor Borrero kwam elke middag bij ons thuis, en niet alleen hielp hij Marta haar pijn te verlichten, hij hielp vooral mijn ouders, opdat ze niet gek werden van verdriet. Ook kwam Alberto Echavarría, de hematoloog, die kinderen van agressieve vormen van leukemie af had geholpen en die sikkelcelanemie had behandeld en die het leven van hemofiliepatiënten had gered, maar die niets kon doen voor Marta, alleen om de twee of drie dagen bloed aftappen en tabellen met bloedwaarden invullen, die om de zoveel tijd naar de Verenigde Staten moesten worden gestuurd, zodat ze daar konden zien wat de uitwerking was van het geneesmiddel en hoe de ziekte langzaam voortschreed naar de dood. Eduardo Abad was er, een geweldige longarts, een oom van mijn vader, die tbc en longontsteking genas, maar die alleen kon constateren dat de uitzaaiingen nu ook in Marta's longen zaten. En doctor Escorcia, de meest eminente cardioloog, die mensen met hartaanvallen van de dood had gered, die openhartoperaties had verricht, die zich voorbereidde op de eerste harttransplantaties, maar die ook niets kon doen voor het hart van Marta, dat met de week slechter functioneerde en dat begon te lijden aan aritmie en tachycardie en stuipen, van die dingen, want misschien zaten daar ook uitzaaiingen, net als in de lever, net als in haar keel, net als in haar hersenen, en dat laatste was het ergste.

Mijn vader sloot zich soms op in zijn bibliotheek en zette keihard een symfonie van Beethoven op, of een stuk van Mahler (zijn smartelijke *Kindertoten Lieder*), en onder de tutti-akkoorden van het orkest hoorde ik zijn snikken, zijn wanhoopskreten, en hij vervloekte de hemel en hij vervloekte zichzelf, omdat hij zo lomp, zo waardeloos was geweest dat hij niet op tijd alle moedervlekken van haar lichaam had laten weghalen, dat hij haar had laten zonnebaden in Cartagena, dat hij niet harder medicijnen had gestudeerd, wat dan ook, achter de gesloten deur stortte hij heel zijn onmacht en heel zijn verdriet uit, hij kon niet verdragen wat hij zag, dat zijn dochter, zijn oogappel, uit zijn eigen doktershanden gleed zonder dat hij er iets aan kon doen, hij kon alleen proberen met duizend morfinespuitjes haar bewustzijn van de dood te verlichten, van de definitieve aftakeling van haar lichaam en van de pijn. Ik ging naast de deur op de grond zitten, als een hondje dat van zijn baasje niet naar binnen mag, en hoorde zijn kreunen door de kier onder de deur door komen, kreunen die van heel diep binnen in hem kwamen, als uit het binnenste van de aarde, met een onbedwingbaar verdriet, waarna ze eindelijk ophielden, de muziek ging nog even door en dan kwam hij weer naar buiten, met rode ogen en een gemaakte glimlach om de oneindige omvang van zijn verdriet te verbergen, en dan zag hij mij, 'wat doe je daar, mijn jongen', en hielp me overeind en omhelsde me en ging naar boven, naar Marta, met een blij gezicht om haar op te beuren, ik achter hem aan om tegen haar te zeggen dat ze zich morgen vast en zeker beter zou voelen, als het geneesmiddel effect begon te krijgen, als het medicijn begon te werken, dat walgelijke papje, die wittige soepzooi met iriserende schitteringen die ze uit de Verenigde Staten hadden meegenomen en die ze tegen heug en meug elke dag met lepels vol moest wegwerken, een experimenteel geneesmiddel dat haar zieker maakte, veel zieker, en dat uiteindelijk niets uithaalde, misschien niet eens een illusie schiep, en op een dag besloten ze ermee op te houden, want elke week werd de uitslag van het onderzoek dat Echa, de hematoloog, deed slechter en slechter.

Af en toe leefde Marta een beetje op. Ze was haast doorzichtig bleek en elke dag woog ze minder. Je zag haar breekbaarheid aan elke vinger, aan elk botje in haar lichaam, aan haar blonde haar dat met trossen uitviel. Maar soms, als de zon 's morgens scheen, ging ze naar de patio, heel langzaam lopend, bijna als een bejaarde, en vroeg om de gitaar en dan zong ze een heel mooi liedje met een vrolijk wijsje, en terwijl ze zong fladderden de kolibries van bloem naar bloem. Later kon ze haar kamer niet meer uit, maar zo heel nu en dan vroeg ze om haar gitaar en zong ze een liedje. Als mijn vader er was, zong ze altijd hetzelfde voor hem, een lied van Piero, dat ene dat begint met '*Es un buen tipo mi viejo* ...'* En als hij er niet was, de songs van haar bandje Ellas, of songs van Cat Stevens, The Carpenters, de Beatles en van Elton John. Tot Marta op een dag haar gitaar vroeg, probeerde te zingen en geen stem meer had. Waarop ze tegen mijn moeder zei, met een intrieste glimlach in haar ogen: 'Ach, moeder, ik geloof dat ik nooit meer zal zingen.'

En ze zong nooit meer, want ze had geen stem meer.

Op een dag zag ze niet goed meer. 'Papa, ik zie niets meer,' zei ze, 'alleen lichte en donkere vlekken die over het kamerplafond bewegen, ik word blind.' Zo zei ze het, zonder dramatiek, zonder te huilen, met exact die woorden. Mijn moeder zegt dat ze de kamer uit ijlde, in de woonkamer op haar knieën viel en de Heilige Lucia om een wonder smeekte, één enkele gunst, dat ze Marta tot zich mocht nemen, maar niet blind. De volgende dag kon Marta weer zien, en omdat ze op 13 december stierf, de dag van de Heilige Lucia, twijfelt mijn moeder er niet aan dat er een klein wonder was geschied. Wij mensen kunnen ons in

* 'Het is een beste kerel, mijn vader ...'

de diepste pijn gesterkt voelen door de geringste vermindering van ons lijden.

Ongeneeslijke ziekten maken dat we terugkeren naar een primitief stadium van het denken. We nemen weer onze toevlucht tot magie. Omdat we kanker niet goed begrijpen en ook niet kunnen behandelen (en nog veel minder in 1972, toen Marta stierf), wijten we zijn plotselinge, onbegrijpelijke komst aan bovennatuurlijke krachten. We worden weer (bij)gelovig: er is een boosaardige god, of een duivel, die ons een straf zendt in de vorm van een vreemd lichaam, iets wat het lichaam binnendringt en vernietigt. Dus brengen we offers aan die godheid, leggen we geloften af (stoppen met roken, op je knieën naar Girardota kruipen en de wonden van de wonderdadige Christus kussen, een gouden kroon, ingezet met edelstenen, voor de Maagd Maria kopen), zeggen we smeekbeden, gaan we op onze knieën en vernederen onszelf. Omdat de ziekte duister is, geloven we dat alleen iets wat nog duisterder is haar kan genezen. Zo ging het tenminste met sommigen van onze familieleden. Uit wanhoop werd alles aangegrepen. Er was een medium in Belén dat won derbaarlijke genezingen tot stand bracht – laat haar komen. Een sjamaan in het Amazonegebied had wonderen verricht met een brouwsel van wortelen – zeg dat ze het inneemt. Er is een non of een priester die een directe lijn heeft met Onze-Lieve-Heer en Hij verhoort hun gebeden – laat ze maar komen en bidden en wij geven ze wel een aalmoes. Niet alleen het geneesmiddel uit Washington werd bij ons beproefd: alles werd beproefd, van heksen tot bio-energetica tot godsdienstige riten van alle gezindten, met inbegrip van het Heilig Oliesel. Alles probeerden ze, de scepsis werd overvleugeld door wanhoop, maar niets hielp. Mijn vader geloofde duidelijk niet in die toverspreuken, maar hij liet de andere familieleden begaan, zolang ze maar niets deden wat schadelijk of hinderlijk was voor Marta. Hij wist heel goed wat er gebeurde en kon ook voorspellen hoe het eindigde, en doctor Borrero zelf, de internist die mijn zus behandelde, had het al in augustus gezegd, met een botheid die ook mild was omdat hij tenminste geen valse hoop wekte: 'Het meisje is in december dood, er is niets aan te doen.'

Aan het begin van de avond, elke dag behalve in het weekend, als mijn zus Maryluz haar verving, kwam tante Inés, een zus van mijn vader, naar ons toe. Alsof het niet genoeg was, kwam ze soms ook nog 's morgens. Ze was weduwe en zo goed als goud, zoals ze zeggen, een rijpe, lieve en bescheiden vrouw, liefdevol zonder opdringerig te zijn, die haar leven uitsluitend had gewijd aan goeddoen voor anderen. Vanaf het moment dat Marta uit de Verenigde Staten terugkwam, verzorgde ze haar, alle nachten, zonder mankeren, met alleen de nacht van zaterdag op zondag rust, wanneer mijn twee oudste zussen haar verzorgden, eerst Maryluz alleen en vanaf november om beurten samen met Clara, toen die uit Morgan Town terugkwam. Mijn zussen vermagerden in hetzelfde tempo als Marta en wogen aan het eind haast nog net zo veel, Clara vijfendertig kilo en Maryluz zesendertig, terwijl mijn vader van de weeromstuit in drie maanden tijd twee maten uit zijn overhemden groeide en één maat uit zijn pakken, want hij hield niet op met eten en werd zo rond als een ton.

Marta stelde het gezelschap van tante Inés erg op prijs, want zij wist hoe je voor zieken moet zorgen en ze sprak weinig. Als ze 's nachts niet kon slapen en wilde dat iemand tegen haar praatte, vertelde tante haar een verhaal. Ze vertelde haar bijvoorbeeld het verhaal over haar man, Olmedo, die was omgekomen op de vlucht voor de *pájaros*, de conservatieven, die hem vervolgden en wilden vermoorden, alleen maar omdat hij liberaal was, en het verhaal over haar zwager, Nelson Mora, de beste vriend van mijn vader, die in het noorden van El Valle, vlak bij Sevilla, door de conservatieve *pájaros* was vermoord. Tante Inés was maar korte tijd gelukkig geweest, maar ze had twee kinderen gekregen, Lida en Raúl. Terwijl ze haar zo gezelschap hield met naaiwerk vertelde ze dat God in haar ogen goedgunstiger voor haar was geweest dan voor Marta, die maar twee vriendjes had gehad,

Andrés Posada en Hernán Darío Cadavid, maar die geen man en geen kinderen had. Marta vroeg haar om raad over haar twee vriendjes, want in die tijd wist ze nog niet zeker van wie ze hield, ze vond ze allebei even leuk, Andrés omdat hij een groot musicus was en Hernán Darío omdat hij zo aantrekkelijk was. Tot ze haar innerlijke strijd opgaf en besloot van allebei te houden.

Andrés en Hernán Darío kwamen in het begin elke dag op verschillende tijdstippen. Andrés 's morgens en Hernán Darío 's middags, tot de laatste maand, toen ze tegelijk kwamen en de een haar rechterhand vasthield en de ander haar linker. Andrés zong liedjes van Serrat voor haar. Hernán Darío maakte haar aan het lachen. Mijn zus vertelde tante Inés, die een beetje verbaasd was over dit tafereel, hoewel ze het heel lief vond, over de verschillende soorten liefde die ze voor hen voelde. Op een avond, terwijl tante Inés aan het kleed werkte dat ze samen met mijn zussen in die maanden van waken naaide, en dat ze nog steeds als een schat bewaart, vertelde Marta dat de liefde die ze voor Andrés voelde de liefde van de ziel was, de geestelijke liefde, terwijl haar liefde voor Hernán Darío de liefde van het lichaam, van de passie was, zo herinnert mijn tante het zich, en dat ze het fijn vond om ze allebei te hebben. Het was net of Marta Plato had gelezen, die dialoog waarvan mijn vader zo hield, over de liefde, die hij me op een dag, jaren later, hardop voorlas, waarin Plato spreekt over de twee goden van de liefde, Aphrodite Pandemos en Aphrodite Urania, die een soort constanten zijn van onze diepste psyche, van die voorgeformatteerde ziel die we bij onze geboorte meekrijgen, die maakt dat we elkaar begrijpen en waardoor elke kennis die we verwerven iets van een onvolkomen herinnering heeft.

Op een zondagnacht waakte mijn zus Maryluz, zoals elke zondagnacht, bij Marta. Het was heel vroeg in de ochtend. Maryluz was erg jong. Ze was van school af gegaan om met Fernando te trouwen en had het laatste jaar van de middelbare school niet afgemaakt. Ze was twintig, maar ze had al een zoon, Juanchi, het oudste kleinkind en het nieuwe voorwerp van aanbidding van mijn vader, zijn enige vreugde en zijn grootste troost in deze maanden van rampspoed. Tien maanden na de dood van mijn zus kreeg ze ook nog een dochter, die ze dezelfde namen gaven als zij, Marta Cecilia, en die als door een wonder haar vrolijke en zachtmoedige aard heeft geërfd. Na de dood van zijn dochter stortte mijn vader heel die immense hoeveelheid verloren liefde over ze uit en was dag en nacht met ze bezig, hij schreef gedichten en artikelen voor ze en omschreef zijn liefde voor hen als iets wat de liefde zelf te boven ging, het waren teksten zo geëxalteerd dat ze grensden aan kitsch. Maar die vroege zondagochtend werd mijn zieke zus al voor zonsopgang wakker. Ze voelde zich erg slecht, ze was misselijk en gaf over op de lakens. Toen Maryluz het braaksel zag, schrok ze zich wild en ging vlug mijn vader wakker maken.

'O, papa, papa, kom gauw, kom gauw, Marta heeft haar lever uitgekotst.'

Mijn vader, misschien voor het eerst in maanden, schoot in de lach. 'Liefje, dat kan niet, je kunt je lever niet uitkotsen.'

'Jawel, papa, kom maar kijken, hier heb ik hem', riep Maryluz.

Mijn zus had de lever in een witte, metalen pot gedaan waarin normaal de uitgekookte injectienaalden zaten. Het was een rode, poreuze massa, zo groot als een vuist. Het geval wilde dat Marta op het laatst alleen nog maar watermeloen kon eten. Watermeloen was het enige wat ze te eten kreeg, want iets anders kon ze niet door haar keel krijgen, en onze oom en tante uit Cartagena, Rafa en Mona, stuurden haar dan ook elke week bergen watermeloenen (*patillas*, zoals ze daar genoemd worden), opdat Marta de beste kreeg die er in het land te vinden waren. En wat ze had uitgekotst was een stuk watermeloen dat op een lever leek. Dat was misschien wel de enige keer in die maanden dat we konden lachen, om de onschuld van Maryluz, die weliswaar al een huisvrouw was met een kind om voor te zorgen, maar die nog steeds een meisje van twintig was.

De watermeloenen kwamen niet alleen: elke vrijdag werden ze vergezeld door mijn nicht Nora, die net zo oud als Marta en haar beste vriendin was, en elke vrijdag stuurden oom en tante haar met het vliegtuig om het weekend met haar door te brengen. 'Ik stuur je het beste wat ik heb', zei oom Rafa tegen mijn moeder, en Nora kwam met een stel schone kleren en de kist *patillas*. Veel vriendinnen van Marta brachten dat soort attenties. Omdat mijn zus had gezegd dat roze rozen haar lievelingsbloemen waren (mijn vader zou ze twintig jaar later, bij wijze van privé-eerbetoon aan zijn overleden dochtertje, gaan kweken), brachten verschillende mensen er elke dag een mee: een klasgenootje van school, en ook haar twee 'schoonmoeders'.

29

Begin december begon Marta er slecht uit te zien. De neuroloog zei dat er al uitzaaiingen in de hersenen zaten en dat een van die uitzaaiingen waarschijnlijk op zeker moment een of andere synaps in de visuele hersenen had geblokkeerd, maar dat door een gelukkig toeval de verbindingen langs andere weg waren hersteld. Zij stierf de dertiende, tegen het vallen van de avond, en die laatste twee weken waren weken van helse pijnen, convulsies, onpasselijkheid. Maar mijn zus sprak nooit over de dood en ze wilde ook niet dood en ze dacht niet dat ze dood zou gaan. Haar onpasselijkheid, haar koorts en haar pijn, dacht ze, waren de manier waarop haar lichaam zich herstelde. Toen ze hartkloppingen kreeg, schrok ze en vroeg om naar het ziekenhuis gebracht te worden, om te voorkomen dat ze doodging. Daarna vroeg ze aan tante of het toch heus waar was dat die ziekte, omdat het een huidziekte was, erg oppervlakkig was en dus te genezen. Jawel, zei mijn tante, en zeiden ook mijn ouders, natuurlijk, hoewel ze zelf van binnen doodgingen terwijl ze het zeiden.

Toen de doodsstrijd intrad verzamelde mijn vader al zijn kinderen in de bibliotheek en vertelde aan ieder van ons een leugentje. Tegen Maryluz zei hij dat zij de oudste was en al een kind van een jaar had, en dat het daarom veel tragischer geweest zou zijn als zij gestorven was. Tegen Clara zei hij hetzelfde: omdat ze al getrouwd was en al een gezin had. Hij wist haast niet wat hij tegen Eva moest zeggen, alleen dat zij belangrijker was voor mijn moeder dan Marta. Tegen mij: omdat ik de enige man was, en tegen Sol: omdat ze de kleinste was. Dus ondanks alles dienden we ons gelukkig te prijzen en heel flink te zijn, want wij leefden nog en we zouden er weer bovenop komen. Marta, zei hij, zou de mooiste legende van onze familiegeschiedenis worden. Ik denk dat het onnodige leugens waren die hij op die familiebijeenkomst vertelde, een gratuit hart onder de riem, hij had het niet moeten doen.

De dag dat ze stierf, op haar kamer, waren behalve mijn ouders aanwezig: tante Inés, Hernán Darío, de vleselijke geliefde, die net die dag naar de kapper was geweest, terwijl Marta altijd had gezegd dat pasgeknipte mannen ongeluk brengen, en doctor Jaime Borrero (die zes maanden lang elke dag kwam, zonder ooit een cent te rekenen en zonder iets anders te doen dan te pogen haar lijden, en het onze, te verlichten). Hij zei altijd tegen mij: 'Jij moet flink zijn en je vader bijstaan, hij is er kapot van. Wees flink en help hem.' Ik knikte van ja, maar ik wist niet hoe ik flink moest zijn en al helemaal niet hoe ik mijn vader moest helpen. Het enige wat mijn vader deed was mijn zus morfine en nog eens morfine geven. Buiten dat, en haar verwennen en opbeuren, was er niets wat hij kon doen, behalve toezien hoe ze wegkwijnde, dag na dag, nacht na nacht. De morfine toverde een serene glimlach op het gezicht van mijn zus, maar elke dag had ze meer en meer nodig om zich een paar uur goed te voelen. Er was geen plekje meer over op haar lichaam zonder injectiesporen, op haar billen, haar armen, haar dijen wemelde het van de rode puntjes, alsof ze opgevreten werd door de mieren. Mijn vader zocht altijd naar een plekje om weer een injectie te plaatsen, en hij stond erop dat alles steriel was als bij een operatie, zijn handen, de naalden, die urenlang werden uitgekookt opdat ze geen infecties opliep. Het was nog vóór de tijd van de wegwerpnaalden.

Die laatste middag, toen doctor Borrero zei dat Marta aan het zieltogen was en hij mijn vader toestemming gaf om nog meer morfine toe te dienen, een zeer hoge dosis, zodat ze niet hoefde te lijden, gebeurde er iets welhaast absurds. Er was geen steriele naald en mijn vader werd ziedend op mijn moeder, op tante Inés, en hij bulderde dat er verdomme geen schone naald in huis was om zijn dochter morfine toe te dienen, tot doctor Borrero, heel vriendelijk maar heel beslist tegen hem zei: 'Héctor, dat maakt nu niets meer uit.' En voor het eerst en het laatst in die drie maanden van morfine-injecties schond mijn vader de hygiëneregels en gaf mijn zus een injectie zonder dat de naald en de spuit uitgekookt waren. Toen ze de vloeistof binnen had, hield mijn zus zonder een woord te zeggen, zonder haar ogen te openen, zonder stuiptrekkingen of gesnork, op met ademhalen. En mijn vader en moeder konden eindelijk, na zich zes maanden te hebben ingehouden, in haar bijzijn in huilen uitbarsten. En ze huilden en huilden en huilden. En als mijn vader nog leefde, zou hij nu nog huilen als hij aan haar terugdacht, net zoals mijn moeder, net zoals wij allemaal, nog steeds huilen als we aan haar terugdenken, want het leven na gebeurtenissen als deze is slechts een bespottelijke, zinloze tragedie waar geen troost voor bestaat.

30

‘Halleluja, halleluja, halleluja!’ dreunde het vanaf de preekstoel via de microfoon door de luidsprekers die alle beuken van de kerk met dat ene woord vulden. Hij herhaalde het wel tien keer. Het was een volle neef van mijn moeder, de bisschop van Santa Rosa de Osos, Joaquín García Ordóñez. Dat was zijn manier om afscheid te nemen van Marta, met grote vreugde, zeg maar, omdat haar ziel nu naar het hemelrijk was gevaren tot grote verblijding aldaar, dat kon hij zien, want Marta zou worden opgenomen in de scharen der engelen en heiligen om samen met hen de heerlijkheid van Onze-Lieve-Heer te zingen. Halleluja, halleluja, halleluja, riep hij tegen een kerk vol mensen die alleen maar konden huilen en vol ongeloof en verbijstering luisteren naar die blijde, extatische bisschop, gehuld in zijn meest luisterrijke gewaden, rood, groen en paars. ‘Halleluja, halleluja, halleluja! Soms treft God ons in degenen van wie wij het meest houden, om ons te doen beseffen wat we hem verschuldigd zijn. Halleluja, halleluja, halleluja.’

Op dat moment van de preek mompelde mijn vader tegen me: ‘Ik hou het niet langer uit, ik ga even weg.’ En terwijl de monseigneur uitlegde waarom hij zo blij was (ik vraag me af of zijn blijdschap niet oprecht was, juist omdat hij ons zo zag lijden), gingen mijn vader en ik naar het voorportaal van de kerk van de Heilige Theresia in Laureles en stonden daar een poosje, in de zon, onder de hemel, onverschillig blauw, op zo’n stralende decemberdag, net zo stralend als García Ordóñez, zonder te praten, zonder te horen wat de bisschop zei, tot de drie meiden van het Cuarteto Ellas tijdens de communie de zoete liedjes van hun bandje begonnen te zingen en we weer naar binnen gingen, om de enige troost te zoeken die mogelijk is in verdriet: je nog dieper in verdriet dompelen, tot je het niet meer verdragen kunt.

Het heden en het verleden van mijn familie gingen daar uiteen, met de verwoestende dood van Marta, en de toekomst zou voor geen van ons nog hetzelfde zijn. Laten we zeggen dat het voor niemand van ons meer mogelijk was om volkomen gelukkig te worden, niet eens in vluchtige ogenblikken, want op het moment dat we merkten dat we gelukkig waren, beseften we dat er iemand ontbrak, dat we niet compleet waren en dat we dus niet het recht hadden blij te zijn, want de volheid kon niet meer bestaan. Zelfs aan de helderste zonnehemel hangt er voor ons altijd ergens boven de horizon een zwarte wolk.

Jaren later kwam ik erachter dat mijn ouders vanaf die datum nooit meer de liefde met elkaar bedreven, alsof ook die gelukzaligheid voor hen voor altijd verboden was. Ze bleven elkaar liefkozen, dat lijdt geen twijfel, soms waren we daar op zondagochtenden allemaal getuige van, als ze lang op bed bleven liggen en elkaar warm en hartelijk omhelsden, maar wat we niet konden zien, was dat ze met de dood van Marta hun diepste intimiteit voorgoed verloren hadden.

Op 29 januari 2006 ga ik, zoals bijna elke zondag, bij mijn moeder lunchen. Terwijl we in stilte aan onze soep zitten zegt ze tegen me: 'Vandaag wordt Marta vijftig.'

Mijn moeder houdt nog steeds haar verjaardag bij. Mijn zus is nooit ouder dan zestien geworden (ze stierf iets meer dan een maand voordat ze zeventien werd) en ze is bovendien twee jaar jonger dan mijn oudste dochter, maar mijn moeder zegt: 'Vandaag wordt Marta vijftig.' En ik denk aan de kleine gouden plaquettes die mijn vader bij wijze van dankzegging had laten gieten voor de medici en de familieleden die haar hadden verzorgd. De tekst erop luidt: 'Het is niet de dood die onze geliefden van ons wegneemt. Integendeel, hij bewaart en conserveert ze in hun aanbiddelijke jeugd. Het is niet de dood die de liefde ontbindt, het is het leven dat de liefde ontbindt.’ Die dag vierden mijn moeder en ik, zonder kaarsjes en zonder ijs na, dc vijftigste verjaardag van Marta, geconserveerd in haar jeugd en onveranderlijk in haar liefde, dat dode meisje over wie mijn vader, om zich te troosten, zei dat ze nooit had bestaan, dat ze alleen maar een wonderschone legende was.

31

Vijftien jaar later moesten we in dezelfde kerk van de Heilige Theresia een andere tumultueuze uitvaartmis bijwonen. Het was 26 augustus en de middag daarvoor hadden ze mijn vader vermoord. De wake was eerst in het huis van mijn oudste zus Maryluz gehouden, aan het eind van de nacht, nadat ze het lijk tegen het ochtendgloren in het mortuarium van mijn kindertijd (hetzelfde waar hij me mee naartoe had genomen om een dode te zien, alsof hij me wilde voorbereiden op wat komen ging) aan ons hadden overgedragen. In de ochtend, zoals altijd gebeurt in dit land van dagelijkse catastrofes, wilden veel radiozenders met iemand van onze familie praten. De enige die kalm genoeg was om dat te doen was mijn oudste zus. Terwijl ze haar interviewden, betuigde een aantal hoogwaardigheidsbekleders (de burgemeester, de gouverneur, een parlementslid) hun leedwezen over de radio. Daarna kwam ook de aartsbisschop van Medellín, monseigneur Alfonso López Trujillo, live in de uitzending. Die zei tegen mijn zus dat hij het ongeluk diep betreurde en dat hij haar christelijke lijdzaamheid toewenste. Mijn zus, die fijn katholiek is, dankte hem daar persoonlijk voor.

Maar een paar uur daarna, tegen tienen in de ochtend, liet de kerk van de Heilige Theresia, de parochie van mijn moeder en mijn zussen, telefonisch weten dat de uitvaartmis, die om drie uur 's middags gehouden zou worden, niet kon doorgaan. Kardinaal López Trujillo had gebeld om het de pastoor uitdrukkelijk te verbieden, aangezien mijn vader niet gelovig was en nooit naar de mis ging, in die kerk niet, noch in enig andere. Het had geen zin, zei de aartsbisschop, om een religieuze eredienst te houden voor iemand die zich publiekelijk atheïst en communist had verklaard. Dat was feitelijk onjuist, want in zijn zeldzame geloofsbelijdenissen had mijn vader zich altijd, hoe tegenstrijdig het ook klinkt, 'een christen in religieus opzicht, een marxist in economisch opzicht en een liberaal in politiek opzicht' verklaard.

De dodenmis zou worden gelezen door oom Javier, de priester-broer van mijn vader, die al uit Cali was overgekomen om de mis op te dragen en ons gezelschap te houden. Toen hij hoorde van de opdracht van de kardinaal ging hij meteen naar de kerk om met de pastoor te praten. Hij zou zelf persoonlijk alle verantwoordelijkheid ten opzichte van de aartsbisschop op zich nemen, het zou een schanddaad zijn de familie deze troost te ontzeggen. Voor oom Javier was het voldoende dat mijn moeder en mijn zussen, die allemaal praktiserend katholiek waren, deze plechtigheid en deze begrafenis wensten. De religieuze uitvaartplechtigheid is niet voor de overledene, maar voor zijn familie en nabestaanden, dus het geloof van de overledene legt weinig gewicht in de schaal bij de keuze van de nabestaanden voor een bepaald soort uitvaart. Weliswaar is het een affront voor een atheïst om – als hij daar niet meer zelf over kan beslissen – gedwongen een uitvaartmis bij te wonen (bij wijze van spreken, dan), en ik zou niet willen dat het mij ooit overkomt, maar in de eerste plaats wist mijn vader niet of hij wel geloofde, en bovendien was het erg krenkend en hardvochtig om die troost – hoe irrationeel en illusoir ook – te onthouden aan een gelovige weduwe die haar lijden wilde verlichten met de hoop op een leven in het hiernamaals. De hardvochtige opdracht van de kardinaal was als de woorden waarmee Kreon de begrafenis van de broer van Antigone verbood: 'Maar nooit wordt een vijand, zelfs niet nadat hij gestorven is, een vriend.' En mijn oom, de broer van mijn vader, leek de woorden van Antigone, de zus van Polynices, na te zeggen: 'Ik ben niet geboren om deel te hebben aan de haat, maar aan de liefde.'

Ik wist niets van dat alles, tot een paar dagen later mijn moeder een protestbrief aan López Trujillo schreef, en toen ik die las, sprak ik weer eens hardop de kwalificatie uit die me altijd te binnen schiet als ik aan die kardinaal denk, die heden ten dage voorzitter is van de Pauselijke Raad voor het Gezin in Rome, de kwalificatie die hem ten voeten uit tekent en die ik hier niet herhaal, op aanraden van mijn uitgever en om een vervolging wegens belediging te vermijden (maar niet wegens smaad). De pastoor was bang, maar beloofde toch een oogje dicht te knijpen en opende de deuren van de kerk, zodat mijn oom de mis kon lezen en zodat de duizenden rouwenden naar binnen konden om de laatste eer aan mijn vader te bewijzen. Er was een hele menigte komen opdagen, want de familie en vele anderen hadden advertenties in de krant gezet voor de herdenking, en de moord had bijna iedereen in de stad aangegrepen, hoewel er ook waren die zich verheugden. De pastoor stelde één voorwaarde, dat wel, en dat was dat er geen muziek gemaakt mocht worden en niet gezongen, want een gezongen mis zou te veel eer zijn voor de dode. Mijn oom Javier gaf daarop geen antwoord, maar toen het koor van de universiteit en verscheidene musici, die zich daar min of meer spontaan hadden verzameld, begonnen te zingen en te spelen, hield hij ze niet tegen. Zijn preek, tussen tranenstromen door, was droevig en mooi. Hij sprak van het martelaarschap van zijn broer, hoe hij tot aan zijn dood voor zijn overtuigingen had gestaan, over de grote opoffering die hij zich had getroost, vanuit een diepgevoeld medeleven met de mensheid en verzet tegen onrechtvaardigheid. Deze rechtschapen man, zo stelde hij met overtuiging, zou in het hiernamaals niet veroordeeld worden zoals door sommigen hier op aarde. Deze keer hoorden we geen kreten van Halleluja, halleluja, halleluja, maar gemompelde, haperende zinnen, die probeerden uit te drukken wat we allemaal voelden: een diepe droefenis. Die moedige daad, die vlaag van rebellie, voor een priester van Opus Dei, is iets waarvoor we oom Javier altijd dankbaar zullen blijven. En mijn moeder en mijn zussen werd de troost deelachtig die mij zo vreemd is, maar die hun hoop geeft op een bovennatuurlijk rechtsherstel in een andere wereld, en op een beloning voor al hun goede werken en een mogelijk weerzien in het hiernamaals. Ik voelde die troost niet en ik kan hem niet voelen, maar ik respecteer het als iets wat net zo eigen is aan onze familie als onze gezonde eetlust, of de trots op alles wat mijn vader gedaan heeft in deze wereld.

32

Ik weet niet op welk moment de dorst naar gerechtigheid die gevaarlijke grens overschrijdt waar hij ook een hang naar martelaarschap wordt. Een groot moreel besef loopt altijd het risico te ontsporen en te vervallen in de vervoering van fanatiek activisme. Een geprononceerd optimistisch geloof in de fundamentele goedheid van de mens, als het niet getemperd wordt door de scepsis van iemand die doordrongen is van de onafwendbare kleinzieligheden die in de menselijke aard besloten liggen, leidt tot het idee dat het mogelijk is hier op aarde het paradijs te vestigen met behulp van de 'goede wil' van de overgrote meerderheid. En dat soort radicale hervormers, de Savonarola's, de Bruno's, de Robespierres, doen uiteindelijk, ondanks zichzelf, vaak meer kwaad dan goed. Marcus Aurelius zei reeds dat de christenen – de dwazen van het Kruis – heel verkeerd te werk gingen door zich op te offeren voor een simplistisch idee van waarheid en gerechtigheid.

Ik weet zeker dat mijn vader vóór de dood van Marta geen hang naar het martelaarschap koesterde, maar na dat familiedrama leek elk ongemak hem een peuleschil en was geen prijs meer zo hoog als voorheen. Na een grote ramp hebben de problemen de neiging te krimpen, ze worden kleiner, want niemand kan het wat schelen dat hij een vinger verliest of dat zijn auto gestolen wordt als hij een kind verloren heeft. Als we vervuld zijn van een grenzeloos verdriet, vinden we het niet erg meer om te sterven. We willen dan wel geen zelfmoord plegen, of we zijn niet in staat de hand aan onszelf te slaan, maar de keuze om ons door iemand anders te laten doden, en ook nog eens voor een goede zaak, wordt aantrekkelijker als we onze levensvreugde verloren hebben. Ik geloof dat er episoden in ons privéleven zijn die bepalen welke beslissingen we daarbuiten nemen.

De buitensporige liefde voor zijn kinderen, ja, zijn overdreven liefde voor mij, leidde er enkele jaren na de dood van mijn zus toe dat hij zich als een gek in onmogelijke campagnes stortte, voor hopeloze zaken. Zo herinner ik me de verdwijning van de zoon van doña Fabiola Lalinde, een jongen die bijna net zo oud was als ik, een kwestie waar hij zich in vastbeet met een onverzettelijke dorst naar gerechtigheid, alsof het zijn eigen zoon betrof. Misschien was het juist de overeenkomst in leeftijd waardoor mijn vader het onverdraaglijk vond dat niemand die moeder wilde helpen, die op zoek was naar haar zoon, zonder steun van wie dan ook, uitsluitend gedreven door haar liefde, haar verdriet en haar wanhoop.

Medelijden is goeddeels een eigenschap van de verbeelding, het behelst het vermogen om zich in de plaats van anderen te stellen, te verbeelden hoe we ons zouden voelen als we in een soortgelijke situatie verkeerden. Ik ben altijd van mening geweest dat meedogenloze mensen een gebrek hebben aan literaire verbeelding – het vermogen dat grote romans ons verschaffen om in de huid van anderen te kruipen – en dat ze niet in staat zijn te zien dat een dubbeltje raar kan rollen en dat we van het ene op het andere moment in andermans schoenen kunnen staan en verdriet, armoede, onderdrukking, onrecht en marteling ons kunnen treffen. Mijn vader was in staat medelijden te hebben met doña Fabiola en haar verdwenen zoon, juist omdat hij een zeer sterk ontwikkeld vermogen had om zich voor te stellen hoe hij zich zou voelen als hij in zo'n situatie verkeerde, als een van mijn zussen of ikzelf in de nevelige wereld van de verdwenenen verkeerde, zonder enig bericht, zonder een woord, zonder zelfs maar de zekerheid en de berusting van de aanblik van de dood die een lijk biedt. De verdwijning van iemand is een even grote misdaad als een ontvoering of een moord, en misschien nog wel erger, want een verdwijning is pure onzekerheid en angst en vergeefse hoop.

Na de dood van mijn zus werd het sociaal engagement van mijn vader sterker en geprononceerder. Zijn hartstochtelijk rechtvaardigheidsgevoel groeide en zijn behoedzaamheid en omzichtigheid daalden tot nul. Het werd allemaal nog erger toen mijn kleine zusje en ik naar de universiteit gingen en je kon zeggen, denk ik, dat zijn zorgplicht jegens ons voorbij was. 'Als ik het leven laat voor wat ik doe, zou dat dan geen mooie dood zijn?' vroeg mijn vader zich af toen een familielid tegen hem zei dat hij zich wel erg kwetsbaar opstelde met zijn ageren tegen martelingen, ontvoeringen, moordpartijen of arbitraire arrestaties, de zaken waar hij zich in de laatste jaren van zijn leven mee bezighield: opkomen voor de mensenrechten. Maar hij liet zich door onze angsten niet van zijn aanklachten afhouden, en hij was ervan overtuigd dat hij deed wat hij moest doen. Zoals Leopardi zei: 'Je moet wel een hoge dunk van jezelf hebben als je jezelf opoffert.'

De eerste strijd die hij aanging na de dood van Marta was, samen met het Genootschap van Hoogleraren van de Universiteit van Antioquia, waar hij voorzitter van was, en met steun van de studenten, een staking onder de professoren organiseren om hun positie te verdedigen tegenover een gehaaide, reactionaire rector, Luis Fernando Duque, oud-student van mijn vader en ook, net als mijn vader, specialist volksgezondheid en een tijdlang bevriend met hem, althans dat dacht hij, maar daarna een verbeten vijand en rivaal, op het haatdragende af.

Dit gebeurde eind 1973, begin 1974 (Marta was in december 1972 gestorven), tijdens een van die weerkerende crises waaronder de openbare universiteiten in Colombia lijden. De voorzitter van het genootschap in 1973 was Carlos Gaviria, een jonge hoogleraar rechten, die daarna een dierbare huisvriend werd. In dat jaar was bij een treffen tussen de studenten en het leger, dat de universiteitscampus op last van de rector had bezet, een student, Luis Fernando Barrientos, door de soldaten gedood, waarna er een oproer uitbrak. De woedende studenten bezetten het gebouw van de rector en deponeerden het lijk van de student, dat ze op hun schouders de hele campus hadden rondgedragen, op zijn bureau, waarna ze de bestuurszetel van de universiteit in brand staken.

Carlos Gaviria schreef als voorzitter van het Genootschap van Hoogleraren een brief, die ze hem vervolgens zijn hele leven zijn blijven nadragen omdat hij ophitsend zou zijn geweest, terwijl hij toch een heel heldere stelling met een heel heldere argumentatie poneerde. Zijn stelling was dat de studenten in een reeks onzinnige gebeurtenissen iets onzinnigs hadden gedaan, namelijk het in brand steken van het gebouw, maar dat dit niet het meest onzinnige was: het meest onzinnige was de dood van de student, iets veel ernstigers volgens hem, en de schuldige van dat alles was een reactionaire rector, Duque, die de universiteit naar zijn autoritaire hand wilde zetten, die progressieve hoogleraren ontsloeg en die wilde dat het leger dag en nacht op de campus patrouilleerde.

Een paar maanden later volgde mijn vader Carlos op als voorzitter van het Genootschap van Hoogleraren, dat geconfronteerd werd met een nieuw statuut, eenzijdig door rector Duque opgesteld, die handig van de staat van beleg in het land gebruik had gemaakt. Het nieuwe statuut maakte een einde aan de academische stabiliteit en de rechtspositie van de professoren. De rector en de decanen konden onder vrijwel elk voorwendsel de professoren ontslaan, en het ergste was dat ze al waren begonnen het statuut te gebruiken om zich, onder het mom van academische of disciplinaire motieven, van alle progressieve hoogleraren te ontdoen. De vrijheid van onderwijs was foetsie en de hoogleraren werden door middel van periodieke, onaangekondigde bezoeken aan hun colleges gescreend, om te zien of de lesstof wel ideologisch zuiver op de graat was.

Het leger bleef de campus bezetten en de leden van het genootschap gaven geen colleges meer zolang de soldaten er waren.

Luis Fernando Vélez, hoogleraar antropologie en bestuurslid van het genootschap, zei een keer dat hij geen colleges gaf met het Nationale Leger op de campus, maar ook niet met het Nationale Bevrijdingsleger, want in die tijd probeerde ook de guerrilla voet aan de grond te krijgen op het universiteitsterrein, om de chaos en de wanorde te vergroten.

Het was een lange strijd, die aan het eind van het bewind van Misael Pastrana gevoerd werd, en even leek het erop dat de rector zou winnen. Ruim tweehonderd hoogleraren, Carlos en mijn vader voorop, werden naar aanleiding van de staking uit hun ambt ontzet. Gelukkig kwam op dat moment een liberale president, López Michelsen, aan de macht. Mijn vader, die jaren eerder actief was geweest in een liberale splinterpartij onder leiding van López, de MRL (liberaal-revolutionaire beweging), had nu een bondgenoot in de top van de regering. Uiteindelijk was het rector Duque die ontslagen werd, en voor één keer konden de professoren na een lange broederstrijd victorie kraaien. De tweehonderd professoren die op straat waren gezet werden in hun ambt hersteld, sommigen van hen behoorden tot de beste hoogleraren van de universiteit. De vrijheid van onderwijs, die Duque om zeep had willen helpen, werd in dat jaar gered, maar de minister van Onderwijs maakte vervolgens de fout om het aantal studieplaatsen tot populistisch excessieve hoogte op te voeren, waardoor de universiteit, om aan de toestroom van nieuwe studenten te voldoen, volliep met slecht opgeleide professoren, grotendeels van extreem links (van een oorlogszuchtig links dat niet veel ophad met Academia), die personen als Carlos Gaviria en mijn vader beschouwden als decadente, reactionaire, conservatieve bourgeois, gewoon omdat ze studeren serieus namen en het niet eens waren met de fysieke eliminatie van uitbuiters en kapitalisten. In een paar jaar tijd ging het van het ene uiterste naar het andere, en het niveau van de universiteit daalde, omdat veel professoren met een betere academische vorming liever weggingen en particuliere universiteiten stichtten, of bij reeds bestaande gingen werken, dan die nieuwe extremisten te moeten dulden, die nu van de ergste linkse snit waren en het geweld niet schuwden.

33

De dag dat ik eindexamen deed – ik was net achttien geworden en het was november 1976 – reed ik naar school in de auto die ik van thuis geleend had, een gele Renault 4, als ik me goed herinner, en tussen Envigado en Sabaneta reed ik een vrouw aan: doña Betsabé. Ze kwam uit de kerk, met haar hoofddoek op haar schouders en een missaal in de hand. Ze nam afscheid van haar vriendinnen en liep zonder uit te kijken achteruit de straat op. Ik remde, of liever gezegd, ik ging boven op de rem staan, de banden gierden, de auto slingerde, en ik probeerde hem naar de overkant van de straat te sturen, naar de stoeprand, maar ik raakte de vrouw voluit en zij vloog door de lucht. Haar lichaam sloeg eerst languit met de rug tegen de bumper, vloog vervolgens tegen de voorruit, die in duizend stukjes brak, drong heel even de cabine binnen, waar ik met mijn neef Jaime zat, en stuiterde weer naar buiten, waar het levenloos op het asfalt viel. Iedereen schreeuwde, de godvruchtige dames die samen met haar de kerk uit waren gekomen, de voorbijgangers, de nieuwsgierigen: 'Hij heeft haar doodgereden, hij heeft haar doodgereden!' Een hele menigte verzamelde zich rond het kadaver en de mensen keken me aan en wezen dreigend naar me.

Ik was uitgestapt en stond over haar heen gebogen. 'We moeten haar naar het ziekenhuis brengen!' riep ik. 'Help me haar in de auto te dragen!' Maar niemand hielp me, niet eens mijn neef Jaime, die verdoofd was door de klap. Er kwam een vrachtwagentje voorbij, zo een met een open laadbak. Eindelijk hielp mijn neef me, en we deponeerden haar daarin. Ik ging bij haar in de laadbak zitten, ik dacht dat ze dood was. Een bot, het scheenbeen, stak opzij door het vel van haar kuit (precies hetzelfde bot als van John in het mortuarium). Het vrachtwagentje racete toeterend naar het ziekenhuis van Envigado, en de chauffeur zwaaide met een rode doek uit het raampje om aan te geven dat het om een noodgeval ging. De vrouw was in shock toen ze in het ziekenhuis arriveerde en ze reden haar naar binnen voor reanimatie. Ik ging met de dokters praten. Het was een nachtmerrie, ik dacht dat ik gek werd. Ik moest er steeds maar aan denken dat ik iemand gedood had. Ik zei wie ik was. Alle dokters waren ex-studenten van mijn vader. Ze belden hem. Hij was de directeur van het ziekenfonds in Medellín. De dokters zeiden: 'Die vrouw is in shock en ze kan doodgaan. We doen alles om haar te reanimeren en haar toestand te stabiliseren, daarna sturen we haar met de ambulance naar de intensive care van de Medellín-kliniek.'

Er is nog een probleem, zeiden de dokters over de telefoon tegen mijn vader. 'Is uw zoon aangesloten bij de chauffeursgevangenis?'* Nee. 'Als hij dat niet is en de vrouw gaat dood, dan zetten ze hem in de Bellavista-gevangenis, in een vreselijk paviljoen, dat is gevaarlijk, daar kan hem van alles overkomen. Hij heeft een paar sneden in zijn arm en we kunnen hem opnemen voor de tijd dat u hem inschrijft bij de chauffeursgevangenis, dat duurt een of twee dagen.' Mijn vader zei dat ze mij moesten vragen waar ik opgenomen wilde worden, zodat ik niet in de Bellavista gevangen zou worden gezet. Hij wilde niet eens met me praten, hij was kwaad, en terecht, want hij zei altijd tegen me dat ik te hard reed. Zonder erbij na te denken, of liever gezegd: denkend aan wat ik op dat moment voelde, dat wil zeggen dat ik gek werd, zei ik: 'In het gekkenhuis.' En mijn vader, die vrijwel nooit tegenstribbelde, zei: 'Goed'. Dus de dokters hechtten mijn pols,

* In Colombia kan iemand die op grond van een verkeersovertreding gedetineerd wordt in een speciale gevangenis worden geplaatst. De betrokkene moet dan wel lid zijn van de belangenorganisatie die deze gevangenissen beheert.

waarin ik een snee had van het glas van de voorruit, en deden er een gaasverband om. Doña Betsabé was inmiddels niet meer in shock en haar toestand was stabiel. Ze lag aan een infuus en kreeg antibiotica en een pijnstiller, en ze hesen haar in een ambulance die in vliegende vaart en met loeiende sirene naar het centrum van Medellín reed. 'Ik denk wel dat ze het haalt', zei de arts van de eerste hulp tegen me. 'Behalve de open wond in haar been, een gebroken kuit- en scheenbeen, heeft ze haar arm en haar sleutelbeen en een heleboel ribben gebroken, maar zo te zien heeft ze geen letsels in de vitale organen en geen hersenbeschadiging. Laten we er het beste van hopen.'

Mij brachten ze met een andere auto naar het gekkenhuis Bello. Daar aangekomen droegen ze me over aan de psychiatrisch verplegers. Ze zeiden niets over de reden voor mijn opname. De verplegers keken naar het verband om mijn pols en glimlachten: zij wisten wel dat het om een zelfmoordpoging ging. Ze vroegen welke maand, welk jaar en welke dag van de week het was, de namen van mijn grootouders, ooms en tantes en overgrootouders. Ik was in de war en was alles vergeten. Ik zag voortdurend de film van het ongeluk voor me: doña Betsabé die door de lucht vloog, de gierende remmen, haar lichaam als een grijze walvis die door de voorruit de auto in en uit ging, haar beenderen gebroken door de klap. Die beelden die steeds voorbijtrokken maakten me echt gek.

Ze zetten me op een kamer met nog drie andere gekken, echte, en ik begon me al net als zij te voelen. Ik huilde in stilte. Ik zag doña Betsabé, ik stelde me de diploma-uitreiking voor waar ik niet bij kon zijn, de overhandiging van de rapporten. Doña Betsabé in mijn hoofd als een oneindige nachtmerrie, en ik een misdadiger, een verkeersmoordenaar. Een van die gekken zei almaar hardop hetzelfde zinnetje: 'Een paar neven van mij zijn bananenplanters in Apartadó, een paar neven van mij zijn bananenplanters in Apartadó, een paar neven van mij zijn bananenplanters in Apartadó, een paar neven van mij zijn bananenplanters in Apartadó.' Ook in mijn hoofd klonk er een repeterende riedel: ik heb net een vrouw gedood. Een andere gek bij mij op de kamer verzamelde geïllustreerde boeken van Jules Verne, en hij wilde ze samen met mij inkijken. Hij glimlachte veelbetekenend en legde de boeken op mijn knieën. De derde keek onbeweeglijk door het raam, zonder een woord te zeggen en zonder een spier te vertrekken, met een starre en lege blik op oneindig, verdwaasd. Ik had het gevoel dat ik hier echt gek zou worden. Het werd donker en ik wist minder dan niks van de werkelijkheid, van wat er buiten gebeurde, of doña Betsabé nog leefde of dat ze dood was. Mijn wereld bestond alleen nog uit deze angstaanjagende opsluiting. Ik begon om de verplegers te roepen: 'Ik wil naar huis bellen, ik wil weten of die vrouw nog leeft, ik wil telefoneren, als jullie me hier niet uit halen word ik echt gek, als jullie me hier niet uit halen word ik gek!' Geen betere plaats om krankzinnig te worden dan een gekkenhuis. Hoe goed je ook bij je hoofd bent, als je opgenomen wordt in een gekkenhuis, word je na een paar dagen – wat heet, een paar uur – ook gek. De gekken op de andere kamers kwamen dichterbij om naar mijn geschreeuw, mijn delirium, te lulsteren, en ze spotten met me. 'Die is er pas echt erg aan toe', zeiden ze. 'Kalmeer hem, kalmeer hem, kalmeer hem.' En ze klapten klaterend in hun handen, als een flamencogezelschap, om de verplegers te roepen.

En die kwamen, in donkergroene jassen, in het uniform van gekkenverpleger. Ze hielden me met drie man vast, trokken mijn broek naar beneden en gaven me een lange, zware injectie in mijn bil. Ik moet er niet meer aan denken wat voor uitwerking dat middel op me had. Ik zag doña Betsabé, ik zag haar bloed, ik zag mijn bebloede handen, ik zag haar verbrijzelde beenderen, ik zag mijn eigen gekte, al die beelden tegelijk, zonder me ergens op te kunnen concentreren, mijn geheugen werd overspoeld met losse herinneringen, met verschrikkelijke beelden die nauwelijks waren opgedoemd of er kwamen al weer nieuwe voor in de plaats. Ik weet niet hoelang het duurde. Ik geloof dat ik sliep. Toen ik de volgende ochtend wakker werd, zei ik tegen mezelf: Ik moet een voorbeeldige patiënt zijn. Ik zal heel kalm blijven en ik moet proberen iemand te bellen. Ik keek opzij, naar de man die in de boeken van Jules Verne zat te kijken, naar de andere, met de lege blik op oneindig, naar die ene die helemaal van de wereld was met zijn eeuwige riedel: 'Een paar neven van mij zijn bananenplanters in Apartadó, een paar neven van mij zijn bananenplanters in Apartadó, een paar neven van mij zijn bananenplanters in Apartadó.' Ik kreeg een idee: ik keek in mijn portemonnee, ik had geld.

'Luister, ik weet dat het moeilijk is, maar ik moet dringend iemand bellen, één keer maar. Hier,' ik gaf hem al mijn geld, 'daarmee zult u wel toestemming voor me kunnen krijgen om te bellen.' De verpleger nam het geld gretig aan en na een poosje kwam hij terug. 'Kom maar mee.' Hij bracht me naar een betaaltelefoon op de gang en gaf me een muntje. Ik draaide het nummer van thuis, dat ik niet vergeten was en dat ik nu, dertig jaar later, nog steeds niet vergeten ben, hoewel ons huis niet meer bestaat en er ook geen telefoonnummers van zes cijfers meer zijn in Medellín: 437208. Mijn zus Vicky nam op. 'Als jullie me hier vandaag, nu, niet uit halen, word ik echt gek en zal ik nooit meer beter worden. Kom me gauw halen, vlug, nu meteen, nu meteen, al stoppen ze me in de gevangenis.' Ik huilde en hing op. Vicky zwoer dat ze me zouden komen halen. Een of twee uur later, uren die een eeuwigheid duurden en waarin mijn maten van het paviljoen al het mogelijke deden om me in een van hen te veranderen, kwamen de verplegers me halen. De psychiater liet me een verklaring tekenen dat ik uit eigen vrije wil vertrokken was en dat ik de psychiatrische instelling ontsloeg van elke verantwoordelijkheid.

Het ging beter met doña Betsabé en ze herstelde, hoewel het maanden duurde voor ze weer helemaal genezen was. Mijn moeder bezorgde haar kinderen, die werkloos waren, een baantje als portier of schoonmaker in een paar gebouwen. Ook mijn vader zou werk voor ze zoeken. Ze waren erg arm en doña Betsabé zei iets verschrikkelijks, iets wat heel erg triest was en tekenend voor ons land: 'Dit ongeluk is een zegen voor mij geweest. Ik dank het aan Onze-Lieve-Heer. Hij heeft het me gezonden, want ik kwam uit de mis waarin ik hem gebeden had om werk voor mijn kinderen. Maar eerst moest ik boeten voor mijn zonden. Ik boette voor mijn zonden en Onze-Lieve-Heer gaf ze werk. Het is een zegen.' Ik ging haar één keer bezoeken en daarna wilde ik haar nooit meer zien. Toen ik haar zag, verscheen haar spookbeeld voor me: haar dode, levenloze lichaam dat alleen maar eventjes kreunend reageerde toen we in het ziekenhuis van Envigado aankwamen. Als ze dood was gegaan. Ik wil er niet aan denken. Misschien zat ik dan nu in het gekkenhuis van Bello.

'Je reed erg hard', zei mijn vader. 'De remsporen waren erg lang. Dat mag niet weer gebeuren.' Maar toch gebeurde het binnen anderhalf jaar opnieuw.

34

Begin 1978 gingen mijn vader en ik samen naar Mexico-Stad. President López Michelsen had op verzoek van de ambassadrice, María Elena de Crovo, mijn vader benoemd tot cultureel attaché van de ambassade in Mexico. Ik was net negentien geworden en had mijn eerste paspoort (een officieel paspoort) en ging voor het eerst naar het buitenland. Voor het eerst zat ik op een internationale vlucht en voor het eerst gaven ze me een plateautje met warm eten in een vliegtuig. Voor mij was het allemaal groots, belangrijk, geweldig, en de reis van vijf uur was voor mij een heldentocht. In de federale hoofdstad gingen we eerst in de Colonia Roma wonen, in een soort verzorgingsflat, waar ze ons bed opmaakten en onze kleren wasten.

De consul, een aimabel persoon, was een neef van ex-president Turbay Ayala. De ambassadrice, die een kortstondige en tumultueuze carrière als minister van Arbeid achter de rug had (onder haar bewind werd de vakbondsleider José Raquel Mercado door een linkse groepering vermoord en brak er een navrante staking uit onder de artsen van het Ziekenfonds, met patiënten die op de eerste hulp doodgingen en zwangere vrouwen die in de ziekenhuizen op de gang lagen te baren), de ambassadrice leed onder een gekweld gemoed, waarschijnlijk omdat ze ervan overtuigd was dat haar politieke carrière over zijn hoogtepunt heen was en nu alleen nog maar verder bergafwaarts kon gaan. Voor haar was het ambassadeurschap in Mexico geen bonus, maar een soort verbanning en tegelijk een afscheid van het politieke leven. Misschien dronk ze daarom te veel en had ze, omdat nu elke taak haar tegenstond, aan mijn vader gevraagd de dagelijkse leiding van de ambassade op zich te nemen. Mijn vader, die haar als een goede vriendin beschouwde, deed het graag.

We waren een paar klunzen, mijn vader en ik, en mijn moeder, die leiding moest geven aan haar zaak in Medellín, kwam pas in mei of juni. We konden niet koken en de weinige keren dat ik ontbijt probeerde klaar te maken aten we keihard brood met geblakerde eieren. De overige maaltijden gebruikten we altijd buiten de deur, en de consul had ons een rode Volkswagen Kever geleend, waarmee ik de weg leerde kennen over de onwaarschijnlijk lange en chaotische avenues van de Mexicaanse hoofdstad, met het meest infernale verkeer op aarde. Soms, als er een opstopping was op de *Periférico*, duurde de rit langer dan een vliegreis naar Colombia. Het verkeer kwam simpelweg tot stilstand en je pakte maar een boek, terwijl de wereld door bleef draaien en alles bewoog, behalve het verkeer op de Periférico. In alle vroegte bracht ik mijn vader naar de ambassade, in de *Zona Rosa*, waarna ik de hele dag voor mezelf had, al wist ik niet wat ik moest doen. Ik kreeg hulp van een vriend van mijn vader, Iván Restrepo (de man van de secretaresse van mijn vader aan de medische faculteit), die twintig jaar eerder naar Mexico was geëmigreerd. Vandaar dat ik, als ik aan Mexico denk, aan Iván Restrepo denk, en aan zijn huis in de Calle Amatlán, in de Colonia Condesa, waar ik altijd logeer als ik naar Mexico ga, dicht bij het huis van Fernando Vallejo, een andere oude vriend die geen vriend meer is.

Ik geloof dat ik nooit zo veel gelezen heb als in die maanden in Mexico, 's morgens in de fantastische bibliotheek van Iván, die zijn deuren voor me opende zodat ik daar de ochtenden kon doorbrengen, in stilte en in mijn eentje, met het gezelschap van duizenden boeken, en 's middags in het flatje dat mijn vader en ik uiteindelijk huurden, in de Colonia Irrigación, Calle Presas las Pilas, het nummer ben ik vergeten. Ik weet alleen nog dat boven ons een Franse diplomaat woonde, die me liet kennismaken met de chansons van Jacques Brel, en dat er op het dakterras van het gebouw een paar hokken stonden, waar de dienstmeisjes sliepen. Na een paar weken van geblakerde eieren en oploskoffie kwam Teresa uit Colombia, de dienstmeid die haar hele leven bij ons heeft gewerkt, en die nu nog steeds elke donderdag komt, ook al is ze met pensioen, om de kleren van mijn jongste zus te strijken. Tot op de dag van vandaag is die reis naar Mexico Teresa's grootste trots, en opdat niemand twijfelt aan haar glorieuze verleden van 1978 gebruikt ze nog steeds, dertig jaar na terugkeer, bepaalde Mexicaanse uitdrukkingen. Met Teresa in huis, en met de diplomatieke recepties, aten mijn vader en ik weer goed. Misschien wel beter dan ooit, en voor het eerst in mijn leven met een glaasje wijn, want omdat mijn vader diplomaat was, werd die bij hem aan huis bezorgd, belastingvrij.

Soms, heel af en toe, bleef ik in het huis van Iván voor de lunches van het Ateneo de Angangueo*, waar belangrijke mensen aan deelnamen. Schrijvers als Tito Monterroso, Carlos Monsiváis, Elena Poniatowska, Fernando Benítez, schilders als Rufino Tamayo, José Luis Cuevas en Vicente Rojo, actrices als Margo Su, de geheime vriendin van Iván en de beste impresario van het volkstoneel die Mexico ooit gekend heeft, grote musici zoals Pérez Prado, zangeressen en balletdanseressen zoals La Tongolele en Celia Cruz. Die lunches duurden de hele middag en bestonden uit talloze inheemse schotels van de meest exquise Mexicaanse keuken: kip in groene chilisaus uit Xalapa, *huachinangos* (snappers) uit Veracruz, *huajolote* (Mexicaanse kalkoen) met chili uit Puebla, of met witte chili en pijnboompitten en kruiden, allerlei soorten *tamales*, vis uit Pátzcuaro, tortilla's met bruine bonen en spek, gevulde pepertjes, inktvis met amandelen, *elotes* (zachte maïskolven) met koriander ... Ik herinner me dat Benítez altijd op dezelfde manier afscheid van me nam: 'Jongen, dat je maar heel gelukkig mag worden', en dan maakte hij een theatrale kniebuiging. Als ik vervolgens de straat op liep, proestte ik het uit om die afscheidsgroet en maakte een vreugdedansje. Ik

---

* Cultureel-literaire sociëteit, opgericht door de Mexicaanse journalist Manuel Buendía (1926-1984).

heb sindsdien geprobeerd aan zijn wens te voldoen, zonder veel succes. Maar wie ik het meest bewonderde en wie ik wilde leren kennen, maar wie ik tijdens dat verblijf niet ontmoette, waren Juan Rulfo, een zeer zwijgzame man die bijna zijn huis niet uit kwam, García Márquez, die niet van deze wereld was, Octavio Paz, van wie ik in die maanden al zijn gedichten en al zijn essays gelezen had, maar die de pose aannam van een paus die je alleen te spreken kon krijgen als je drie maanden van tevoren een audiëntie aanvroeg, en een jongere dichter van wie ik onder de indruk was en die me nog steeds erg boeit, José Emilio Pacheco, maar die zat de halve tijd in de Verenigde Staten. Rulfo, Paz, Gabo noch Pacheco nam deel aan het achtenswaardige Ateneo de Angangueo, een sociëteit voor minder beroemde maar gelukkiger mensen, die hun leven of hun werk, of wat dan ook, niet zo serieus namen. Misschien moet je in het leven altijd wel beslissen of je gelukkig wilt zijn als Benítez of beroemd als Paz. Hadden we allemaal maar de wijsheid om voor het eerste te kiezen, zoals mijn vriend Iván Restrepo, of zoals Monsiváis en prinses Poniatowska, mensen die eerder gelukkig dan beroemd zijn, of minstens zo beroemd als gelukkig.

Ik bleef negen maanden in Mexico, tot oktober. Mijn vader bleef tot december, niet langer dan een jaar, en wat ik hier wil benadrukken is dat hij heel die lange periode van vrije tijd nooit enige pressie op me uitoefende, niet om te gaan werken, niet om te studeren, ik ging niet naar school of de universiteit, ik zat alleen maar te lezen, ik genoot van het leven en af en toe vergezelde ik hem bij zijn diplomatieke werkzaamheden. Ik herinner me van de vele boeken vooral de zeven delen van *À la recherche du temps perdu* van Marcel Proust, die ik met een passie en een concentratie las zoals ik later, denk ik, nooit meer heb beleefd. Als er al een beslissend boek in mijn leven is, dan denk ik dat die maanden, februari, maart, april, waarin ik 's middag de grote proustiaanse sage *Op zoek naar de verloren tijd* las (in de Alianza-editie, de eerste drie delen vertaald door Pedro Salinas en alle andere door Consuelo Berges), mijn persoonlijkheid voor altijd hebben getekend. Toen stelde ik vast dat ik precies hetzelfde wilde als Proust: mijn leven doorbrengen met lezen en schrijven. Twee grote namen hebben de koers van de literatuur in de twintigste eeuw bepaald: Joyce en Proust, en ik vind dat kiezen voor de een of de ander een even belangrijke keuze is in de literatuur als voor links of rechts in de politiek. Sommigen vinden Proust saai en zijn geboeid door Joyce; bij mij is het precies omgekeerd.

Mijn vader gaf me toestemming om niets te doen, het was genoeg dat ik las en een grote metropolis leerde kennen, naar films en concerten en musea ging, dat was voor hem voldoende. Ik schreef me ook nog in voor een aantal literaire workshops in het Casa del Lago. Voor poëzie bij David Huerta, voor korte verhalen bij José de la Colina, en voor toneel bij ik weet niet meer wie. Eén keer per week ging ik 's avonds naar een andere, beslotener workshop, die in het Casa de España gegeven werd door een geweldige professor uit Midden-Amerika, van wie ik later nooit meer iets vernomen heb, Felipe San José. Hij was een leerling, kun je zeggen, van Rubén Darío en hij had een geweldige literaire bagage en was bovendien oneindig genereus in zijn commentaar op onze schrijfsels. Door hem leerde ik voor het eerst serieus de literatuur van de Gouden Eeuw kennen, en ook de moderne Spaanse roman. Het waren trage maanden van nietsdoen, lezen, inertie en gelukzaligheid.

Halverwege dat jaar schreef mijn grootvader Antonio een uiterst bezorgde brief aan mijn vader. Hem was ter ore gekomen dat ik, in mijn ideaal van een proustiaans leven, hele dagen op bed of op de bank lag, eindeloos romannetjes lezend en dessertwijn nippend, als een oude vrijster die zich van de wereld heeft afgezonderd, of een Oblomow uit de tropen, of een homoachtige dandy uit de negentiende eeuw. Niets kon in zijn ogen zorgwekkender zijn voor de vorming van mijn persoonlijkheid en mijn toekomst dan dit, en van buitenaf gezien, door de ogen van een bedrijvige en praktische veehandelaar, en zelfs door mijn eigen ogen van tegenwoordig, moet ik toegeven dat het er nogal bedenkelijk uitzag, en misschien had mijn opa wel gelijk. Maar mijn vader, zoals altijd als het om mij ging, lachte alleen maar luid toen hij de brief las en zei dat mijn grootvader niet begreep dat ik op eigen houtje de universiteit doorliep. Waar haalde hij dat vertrouwen in mij vandaan, in weerwil van die ontstellende symptomen van indolentie?

In maart maakten we de eerste van verschillende reizen naar de Verenigde Staten, over land, in de superluxe BMW van de consul, die hij ons leende. Het was de eerste keer dat ik in dat grote land kwam en we staken bij Laredo de grens met Texas over. We gingen twee leerlingen van mijn vader opzoeken, een in San Antonio, Héctor Alviar, een anesthesist, en een andere in Houston, Óscar Domínguez, een plastisch chirurg. Verder gingen we taxfree een auto kopen, want dat kon mijn vader als diplomaat. We kochten een levensgrote Lincoln Continental, voorzien van een luxe die we nog nooit in ons leven gezien hadden: automatische versnellingsbak, elektrische ramen, airconditioning, stoelen en spiegels die met een druk op de knop bewogen, een zware motor die als een dronkelap benzine slurpte. Ik herinner me hoe ik met mijn negentien jaar, met mijn androgyne uiterlijk van adolescent die maar langzaam volwassen wordt en bijna nog een kind is, een lome en voluptueuze efebe, in die witte slee over de paden van het Chapultepec-park reed op weg naar het Casa del lago, waar ik mijn schaarse literatuurlessen volgde. Ik voelde me als Proust in het laatste model luxe cabriolet die op bezoek gaat bij de hertogin de Guermantes en zich onderweg met Odette de Crécy over cattleya's onderhoudt. Met uitzondering van een meisje dat me een keer meenam naar het huis van haar ouders, schatrijke industriëlen, die in Polanca woonden, als ik me niet vergis, herinner ik me niemand meer van mijn medeleerlingen; het is wel duidelijk dat wij ons nooit over cattleya's onderhielden. Ik heb nog een vaag idee van twee anderen. Er was een wonderschone leerlinge in het Casa de España, een vrouw van rond de dertig, die de minnares was van professor San José. En een mesties, heel intelligent, die een historische roman vol poëzie schreef over de indianen van Texcoco, in de tijd van de verovering door Hernán Cortés. Op de laatste dag van de cursus, toen ik afscheid nam omdat ik naar Colombia terugkeerde, zei die laatste tegen me: 'Héctor, ik meen het serieus: ga alsjeblieft door met schrijven.' Dat verzoek, aan mij gericht, klonk heel erg raar, want het was alsof iemand me aanraadde door te gaan met leven. Al in die tijd, hoewel het tien jaar duurde eer mijn eerste boek gepubliceerd werd, had ik er geen enkele twijfel over wat ik in het leven wilde. In Mexico schreef ik het verhaal waarmee ik een jaar later een nationale prijsvraag won: *Piedras de silencio* ('Stenen van stilte'). Ik geloof dat ik aan José de la Colina en Felipe San José de correcties dank die het verhaal verbeterden. En aan David Huerta, de zoon van Efraín, heb ik te danken dat ik voorgoed de brui gaf aan de poëzie, het genre waarvoor ik het meeste talent dacht te hebben, maar waar ik sindsdien niet meer voor schijn te deugen, en altijd als er een hendecasyllabe of een alexandrijn uit mijn pen vloeit, geef ik er de voorkeur aan hem te verstoppen in een paragraaf doodgewoon proza, in plaats van hem te publiceren.

Maar dat jaar van buitensporige intimiteit met mijn vader was ook het jaar waarin ik besefte dat ik me van hem moest ontdoen, al moest ik hem ervoor vermoorden. Dat is niet helemaal freudiaans bedoeld, want het was letterlijk zo. Een zo volmaakte vader kan op den duur onverdraaglijk worden. Hoewel alles wat je doet in zijn ogen goed is (of beter gezegd: omdát alles wat je doet in zijn ogen goed is), komt er een moment dat je, door god weet wat voor krankzinnige kronkels van de geest, zou willen dat die ideale god er niet meer is, om altijd maar tegen je te zeggen: 'wat goed', altijd maar: 'ja', altijd maar: 'zoals je wilt'. Alsof je met alle geweld aan het eind van je puberteit geen bondgenoot wilt maar een tegenstander. Het was echter onmogelijk om ruzie te maken met mijn vader, dus de enige manier waarop ik me tegen hem kon verweren was hem te laten verdwijnen, al zou ik daarbij zelf omkomen.

Ik geloof dat ik me pas echt van hem bevrijdde, van zijn excessieve liefde en zijn volmaakte omgang met mij, van mijn eigen excessieve liefde, toen ik in 1982 in Italië ging wonen met Barbara, mijn eerste vrouw, de moeder van mijn twee kinderen. Maar het toppunt van de totale afhankelijkheid en symbiose was in Mexico, in 1978, toen ik negentien was en hem, zoals ik al zei, wilde doden, hem doden en mezelf doden. Ik zal het heel kort houden, want het is een herinnering die ik niet graag ophaal, zo verward en vaag en gewelddadig is ze, hoewel er in werkelijkheid niets gebeurde.

We reden over een verlaten weg door het noorden van het land, op de terugreis uit Texas, in een oude auto met een zware motor (de eerste was al een paar weken na aankomst in Mexico-Stad gestolen), zo groot als een begrafenisslee, die we, ter vervanging van de gestolen Lincoln, van zijn leerling Óscar Domínguez geleend hadden. Het was een uitgestrekte woestijn, prachtig in zijn verlatenheid. Ik kreeg een soort suïcidale impuls en gaf zonder erbij na te denken gas. Ik dreef het krasse, oude vehikel, een Cadillac, naar tachtig, honderd, honderdtwintig mijl (bijna tweehonderd kilometer) per uur. De auto kreunde en sidderde, zijn oude carrosserie trilde als een raket die op het punt staat de aarde te verlaten, en ik had duidelijk het gevoel dat we ons dood gingen rijden, maar ik bleef het gas op de plank houden, ik had zin om zelfmoord te plegen. Mijn vader lag naast me te slapen. We zouden allebei op slag dood zijn, in de woestijn. Ik weet niet of ik dat echt dacht, maar toen er recht voor me, op een paar meter, een kudde geiten op de weg verscheen, zag ik de dood in de ogen en remde, ik remde en remde, net als toen ik voor doña Betsabé geremd had, en het oude Amerikaanse karkas doorstond de hele lange remweg zonder te slingeren en zonder om te slaan, wiegend in een hels kabaal, en de geiten doken opzij, hun enorme sprongen maakten donkere curven in de lucht en de geitenhoeder schreeuwde en maaide met zijn armen als molenwieken, maar we raakten niets, geen hoorntje, geen staartje, en de auto kwam ongeschonden tot stilstand, een paar meter voorbij de opgeschrikte kudde. Mijn vader schrok wakker van de gierende remmen, nog net op zijn plaats gehouden door de veiligheidsriem, en het leek of hij alles begreep, want zonder een woord te zeggen liet hij me van plaats verwisselen, en hoewel hij een beroerde chauffeur was, reed hij helemaal naar Mexico-Stad, met een snelheid van vijftig kilometer per uur, een halve dag lang, zonder dat er een woord over zijn lippen kwam.

Rechtdoorzee en humaan

35

In 1982, een paar maanden voordat ik voor het eerst in Italië ging wonen, en vlak voordat mijn vader eenenzestig werd, ontving hij een kort briefje van een secretaris van de afdeling Personeelszaken van de Universiteit van Antioquia. Op kille, bureaucratische toon werd hem te kennen gegeven dat hij ten burele diende te verschijnen om de formaliteiten van zijn pensioen met onmiddellijke ingang af te handelen. Het bericht, voor hem totaal onverwacht, kwam aan als een mokerslag. Zijn lievelingsstudente, Silvia Blair, die net tot hoogleraar aan de medische faculteit was benoemd, herinnert zich dat haar oude leermeester naar haar kantoor kwam, met bloeddoorlopen ogen van het huilen (mijn vader huilde zonder schaamte, niet zoals de Spaanse stoïcijnen, maar zoals de homerische heroën), want hij kon niet bevatten dat de universiteit, waar hij zeven jaar gestudeerd had en waar hij vijfentwintig jaar gedoceerd had, hem als een hond op straat zette, alleen maar omdat hij zestig geworden was, zonder zelfs maar een bedankje voor het werk waar hij zijn hele leven, met enkele onderbrekingen in het buitenland, aan had gewijd. Hij was de vertegenwoordiger van de studenten geweest bij het College van Bestuur, hij had de vakgroep Preventieve Geneeskunde opgericht, hij was de stichter van de Nationale School voor Volksgezondheid, hij had verschillende generaties volksgezondheidsspecialisten opgeleid, hij had stakingen georganiseerd om op te komen voor de belangen van de hoogleraren van wier genootschap hij verschillende keren voorzitter was geweest, vrijwel alle medici van Antioquia waren ex-studenten van hem, maar van de ene dag op de andere werd hij zonder pardon op straat gezet – gepensioneerd.

In zijn tweede boek, *Cartas desde Asia* ('Brieven uit Azië'), dat hij op de Filipijnen schreef, stelt mijn vader dat hij te vroeg hoogleraar was geworden en dat de echte leermeesters het pas na vele jaren van rijping en beraad worden. 'Wat vergisten we ons deerlijk,' schrijft hij daar, 'wij die dachten te kunnen onderwijzen zonder nog de geestelijke volwassenheid en de zekerheid van oordeel te hebben verworven, die met de ervaring en de grotere kennis aan het eind van het leven komen. Kennis alleen is nog geen wijsheid. Wijsheid sec bestaat ook niet. Om anderen te onderwijzen zijn kennis, wijsheid en goedheid noodzakelijk. Wat wij moeten doen, die ooit onderwijzer werden voordat we wijs waren, is nederig vergiffenis vragen aan onze leerlingen voor het kwaad dat we hun hebben berokkend.'

En nu, uitgerekend nu hij het gevoel had dat hij die levensfase in ging, nu de ijdelheid geen vat meer op hem had en zijn ambities niet veel belang meer hadden en hij zich minder liet leiden door zijn hartstocht en zijn gevoelens en meer door een volwassen ratio, die hij met veel moeite had verworven, nu zetten ze hem op straat. Hij associeerde onderwijs, dat niets te maken had met de strijdlust van de sport of met de schoonheid of de levensdrift van de jeugd, met de rijpheid en de serene wijsheid die meestal pas met de jaren komt. Als een docent zelf met pensioen wil gaan, dan is er geen bezwaar om hem dat te verlenen, maar als een docent nog goed bij zijn verstand is en de rijpheid en de sereniteit heeft bereikt om te weten wat echt belangrijk is in zijn vak, en als hij bovendien geliefd is bij zijn studenten, dan is het een regelrechte misdaad en een verspilling om hem van het ene moment op het andere het lesgeven te verbieden. In Europa, in de Oriënt en in de Verenigde Staten ontslaan ze hun grote professoren niet als ze oud worden, ze koesteren ze eerder nog meer, ze verlichten hun academische verplichtingen, maar ze laten hen op hun post, als de maestro's onder de maestro's die de intellectuele ontwikkeling van de studenten en van andere professoren begeleiden. Veel studenten protesteerden dan ook tegen zijn gedwongen pensionering, en Silvia Blair schreef een vlammende brief, die ze in duizenden exemplaren uitdeelde en liet tekenen door professoren en studenten. Daarin stelde ze dat er weinig toekomst was voor een universiteit die haar beste hoogleraren tegen hun wil met pensioen stuurde, alleen maar om drie jonge en goedkopere wetenschappelijk medewerkers aan te trekken die geen levenservaring hadden en geen ervaring met de stof die ze pretendeerden te onderwijzen.

Dat gedwongen pensioen kwetste hem diep, maar hij bleef niet lang bitter. Tijdens een kort huldebetoon van zijn meest geliefde leerlingen kondigde hij simpelweg aan dat hij gelukkiger zou gaan leven, dat hij meer ging lezen, dat hij meer tijd met zijn kleinkinderen ging doorbrengen en dat hij zich vooral ging wijden aan 'het kweken van rozen en vrienden'. En dat deed hij. Drie of vier dagen in de week, van donderdag tot en met zondag, zat hij op de finca in Rionegro, elke ochtend bracht hij door in zijn rozentuin met enten, kruisen, bloembedden wieden en planten, terwijl hij 's middags las of naar klassieke muziek luisterde of zijn radioprogramma ('Hardop denken', heette het) of zijn krantenartikelen voorbereidde. Tegen de avond bezocht hij zijn boezemvriend, de dichter Carlos Castro Saavedra, en 's avond laat las hij weer, tot de slaap hem overmande. De rozentuin kwam vol te staan met de meest exotische rozen, voor hemzelf en voor ons allemaal, als een tuin van grote reële en symbolische waarde. In het laatste interview dat hij gaf, eind augustus 1987, kwam het gesprek op rebellie, en hij verwees naar zijn rozentuin: 'Ik wil mijn rebelsheid nooit verliezen. Ik ben nooit een onderdanig mens geweest en het enige waar ik voor op mijn knieën ben gegaan zijn mijn rozen en het enige waaraan ik mijn handen heb vuilgemaakt is de aarde van mijn tuin.'

Velen van ons, vrienden en familieleden, bewaren herinneringen aan de rozentuin van mijn vader, die nog steeds bestaat, een tikje verwaarloosd, op de finca in Rionegro. Hij schonk zijn bloemen niet aan iedereen, alleen aan mensen die hij goed vond, en soms weigerde hij met een somber lachje en een stilzwijgen dat alleen wij begrepen. Maar tegen mensen die hij mocht, praatte hij honderduit over zijn kweek. 'De vrouwelijke rozen zijn de enige die bloeien, maar ze hebben doornen. De mannelijke rozen hebben geen doornen, maar ze bloeien niet', zei hij dan altijd met een lachje, als hij praatte over het enten van zijn rozen. Hij genoot ervan om de hele tuin van de finca te laten zien, niet alleen de rozentuin, maar ook de moestuin, de guavebomen met rode guaves, de avocado's, die het hele jaar door vruchten droegen omdat ze boven de septic tank waren gezaaid, en de ananaskersen die hij zelf voor ons pelde en in onze mond stopte. Vervolgens ging hij verongelijkt voor de enige struik staan die nooit bloeide, een onvruchtbare camelia die nog steeds op dezelfde plek staat, en zei, alsof die plant hem persoonlijk iets had aangedaan: 'Hoe komt het toch dat jij nooit bloeit?' Hij heeft nooit gebloeid, op één keer na, toen hij zich er uitgerekend over stond te beklagen tegen Monica, de zus van Barbara, mijn eerste vrouw, en hij ineens één enkele witte camelia zag. Hij plukte de bloem en gaf hem haar cadeau, blij verrast door die enige uitzondering na zoveel jaren.

Op maandagochtend kwam hij naar Medellín terug, en het was in die jaren zonder arbeidsverplichtingen dat hij al zijn vrije tijd van gepensioneerde (als hij niet zijn kleinkinderen verwende of rozen en vrienden kweekte) besteedde aan opkomen voor de mensenrechten, een strijd bovendien die hij op dat moment voor een medicus in Colombia het meest dringend vond. Hij wilde zijn dromen van gerechtigheid in praktijk brengen op de terreinen die hij het meest urgent achtte.

Hij was dol op tuinieren, want daarmee had hij het gevoel terug te keren naar de agrarische wortels van zijn familie, maar terwijl hij genoot van die vergroeidheid met het platteland en de aarde, bleef hij dromen van medische hervormingen. Hij droomde van een nieuw type arts, een 'poliater' zoals hij het noemde, een geneesheer van de *polis*, en hij wilde het voorbeeld geven van hoe die nieuwe maatschappelijke arts zich diende te gedragen: dat hij niet geval voor geval ziekten moest bestrijden en genezen, maar ingrijpen in de diepste, meest fundamentele oorzaken. Daarom had hij ook al eerder, als hoogleraar preventieve geneeskunde en volksgezondheid, steeds vaker de collegezaal verlaten en mocht hij graag met zijn studenten door de hele stad op excursie gaan: de volkswijken, de voorsteden, de waterleiding bezoeken, het slachthuis, de gevangenissen, de klinieken voor de rijken, de ziekenhuizen voor de armen, en ook buiten de stad, de latifundia en de minifundia, en de omstandigheden waarin de boeren in de dorpen en op het platteland leefden.

Twee jaar na zijn pensionering riepen ze hem, onder druk van studenten en collega's, weer terug naar de universiteit, zij het alleen voor een paar werkcolleges, en hij nam de opdracht aan, op voorwaarde dat hij, zoals hij altijd al had gewild, het merendeel van de colleges buiten de collegezaal kon geven. Mijn jongere zus Sol, die in die tijd ook begonnen was met een studie medicijnen aan een particuliere universiteit, herinnert zich dat mijn vader haar en haar medestudenten uitnodigde voor een college 'poliatrie' in de gevangenis van Bellavista. Mijn zus legde het aanbod aan haar jaargenoten voor, maar die waren ertegen. Een van hen, tegenwoordig cardioloog, stond op en zei, zo kwetsend en agressief als hij kon: 'Wij hebben in een gevangenis niets te leren.' Aangezien hij de leider van de groep was, aanvaardden al zijn kompanen zijn vonnis, dus de enige van de groep die meedeed was mijn zus, en voor haar behoren die excursies tot de weken waarin ze het meest over de medische wetenschap leerde, ofschoon het een heel andere medische wetenschap was, een sociale, in contact met de mensen die het meest te lijden hadden en met hun specifieke persoonlijke, economische of familiaire aandoeningen.

Op die uitstapjes naar het platteland leverde mijn vader nooit pasklare antwoorden, zoals meestal gebeurt in een les, maar gebruikte hij de klassieke socratische methode van vragenderwijs lesgeven. De studenten raakten van slag en protesteerden zelfs. Wat had je aan een professor die niet onderwees maar aldoor vragen stelde? Als ze naar het ziekenhuis gingen, dan was dat niet om de patiënten te behandelen, maar om ze te ondervragen of hun gegevens op te nemen. Hetzelfde gebeurde met de boeren. Ze moesten de maatschappelijke oorzaken opsporen, de economische en culturele bron van de ziekten: waaróm ligt dat ondervoede kind of die persoon met een schotwond of dat verkeersslachtoffer of die persoon met een steek- of snijwond in het ziekenhuis, en waaróm komt in bepaalde lagen van de bevolking meer tbc of meer leishmaniasis of meer malaria voor dan in andere? In de gevangenis bestudeerden ze het ontstaan van gewelddadig gedrag, maar ze probeerden er ook voor te zorgen dat de tbc-patiënten in ruimten geplaatst werden waar ze de andere gevangenen niet konden aansteken, of ze probeerden met alternatieve programma's (voorlichting, lezingen, cineclubs) drugsverslaving, seksueel misbruik, de verspreiding van aids enzovoort tegen te gaan.

Zijn originele idee dat geweld een nieuw soort epidemie was, dateerde van ver daarvoor. Al op de eerste Colombiaanse Conferentie voor Volksgezondheid, die hij in 1962 organiseerde, had hij een voordracht gehouden die een mijlpaal betekende in de geschiedenis van de sociale geneeskunde in ons land. De titel luidde 'Epidemiologie van het geweld', en in die voordracht drong hij aan op een wetenschappelijke bestudering van de factoren die leiden tot geweld. Zo stelde hij voor om de persoonlijke situatie en de familieomstandigheden te onderzoeken van de geweldplegers, hun graad van sociale integratie, hun 'denkkader', hun 'attitude tegenover seks en hun opvatting van mannelijkheid (machismo)'. Hij was vóór de uitvoering van 'een volledig lichamelijk, psychologisch en sociaal onderzoek van de geweldpleger, en een vergelijkend onderzoek, identiek aan het vorige, van een even grote groep niet-gewelddadigen van dezelfde leeftijd die in dezelfde omstandigheden en in dezelfde streken leven en van dezelfde etniciteit zijn, om vervolgens de verschillen tussen de ene en de andere groep te analyseren.'

Hij onderzocht nauwkeurig wat de meest frequente doodsoorzaak was, en vond bevestiging voor zijn indruk, die niet op cijfers was gebaseerd maar alleen op wat hij met eigen ogen zag en wat hij hoorde: dat in Colombia opnieuw de steeds weerkerende geweldsepidemie, die het land al sinds mensenheugenis teisterde, de kop had opgestoken, hetzelfde geweld dat zijn medeleerlingen van de middelbare school het leven had gekost en dat zijn grootouders in een burgeroorlog had gestort. Het schadelijkst voor de gezondheid van de mensen in dit land was niet honger of diarree of malaria of virussen of bacteriën of kanker of aandoeningen van de luchtwegen of hart- en vaatziekten. De ergste boosdoener, die de meeste doden onder de burgers van dit land maakte, was onze medemens. En die plaag, halverwege de jaren tachtig, had weer het bekende gezicht van politiek geweld. De staat, om precies te zijn het leger, geholpen door doodseskaders, de paramilitairen, geholpen door de veiligheidsdiensten en soms ook door de politie, waren bezig de linkse tegenstanders uit te roeien, om 'het land van de dreiging van het communisme te redden', zoals ze zeiden.

Zijn laatste strijd was dus tevens een medische strijd op het gebied van de volksgezondheid, zij het buiten de collegezalen en de ziekenhuizen. Altijd hield hij gretig de statistieken bij (hij zei dat het zonder een goed bevolkingsonderzoek onmogelijk was om adequaat beleid te voeren) en hij zag met afgrijzen hoe die nieuwe epidemie oprukte, die in het jaar van zijn dood een dodencijfer bereikte dat hoger lag dan dat van een land in oorlog en dat in het begin van de jaren negentig Colombia het treurige primaat opleverde van het meest gewelddadige land ter wereld. Het waren niet meer de ziekten waartegen hij het hardst streed (tyfus, darminfectie, malaria, tbc, polio, gele koorts) en die de belangrijkste doodsoorzaak van het land waren. In de steden en op het platteland van Colombia vloeide steeds meer bloed als gevolg van de ergste ziekte van de mens: geweld. En net zoals vroeger de artsen builenpest of cholera kregen in hun wanhopige poging die ziekten te bestrijden, zo werd ook Héctor Abad Gómez het slachtoffer van de ergste epidemie, de meest vernietigende plaag die een land kan teisteren: het gewapend conflict tussen verschillende politieke groeperingen, de ontwrichtende criminaliteit, terroristische bomaanslagen, de afrekeningen tussen maffiosi en drugshandelaren.

Tegen dat alles hielpen geen inentingen: het enige wat hij kon doen was praten, schrijven, aanklagen, uitleggen hoe en waar de slachtpartijen ontstonden, en van de staat eisen dat die iets deed om de epidemie te stoppen, wél met behulp van het geweldsmonopolie, maar binnen de regels van de democratie en zonder de aanmatigende wreedheid van de criminelen die de overheid beweerde te bestrijden. In het laatste boek dat hij bij leven publiceerde, een paar maanden voordat hij vermoord werd, getiteld *Teoría y práctica de la salud pública* ('Theorie en praktijk van de openbare gezondheidszorg'), schrijft hij met klem dat de vrijheid van meningsuiting 'een recht is dat door duizenden mensen in de loop van de geschiedenis duur bevochten is en dat we niet mogen verliezen. De geschiedenis heeft bewezen dat het handhaven van dit recht een voortdurende inspanning vereist, soms strijd, en bijwijlen zelfs persoonlijke offers. Tot dat alles zijn vele professoren in dit land en elders in de wereld bereid geweest en zullen zij in de toekomst bereid blijven.' En hij voegde er een overweging aan toe die nu nog even actueel is als toen.

'Het alternatief wordt met de dag duidelijker: ofwel we gedragen ons als intelligente en rationele wezens die de natuur respecteren en zo veel mogelijk het ontluikende proces van onze humanisering doorzetten, óf de kwaliteit van het leven gaat achteruit. Over de rationaliteit van menselijke groeperingen beginnen sommigen van ons hier en daar twijfels te krijgen. Maar als we ons niet rationeel gedragen, is ons hetzelfde lot beschoren als sommige culturen en sommige brute diersoorten, waarvan slechts enkele fossielen bewaard zijn gebleven als getuigenissen van hun lijden en uitsterven. Soorten die niet tegelijk met hun leefomgeving biologisch, ecologisch of sociaal veranderen, zijn gedoemd na een periode van onuitsprekelijk lijden ten onder te gaan.'

Vanaf 1982 (hoewel het comité al jaren daarvoor was opgericht) tot aan zijn gewelddadige dood in 1987 werkte hij onafgebroken voor het Comité voor Mensenrechten van Antioquia, waarvan hij voorzitter was. Hij streed tegen die nieuwe geweldsepidemie met het enige wapen dat hem restte: de vrijheid van meningsuiting: het geschreven en gesproken woord, vreedzame protestdemonstraties, het publiekelijk aan de kaak stellen van alle soorten schendingen van het recht. Hij stuurde voortdurend, en in de meeste gevallen zonder antwoord te krijgen, brieven aan overheidsfunctionarissen (de president van de republiek, de procureur-generaal, ministers, generaals, commandanten van legereenheden), waarin hij man en paard noemde. Hij schreef artikelen waarin hij de folteraars en de moordenaars aanwees. Hij stelde elke slachtpartij, elke ontvoering, elke verdwijning, elke marteling aan de kaak. Hij organiseerde stille protestmarsen, samen met enkele jongeren en docenten van de universiteit die in dezelfde zaak geloofden, nam deel aan discussiefora, conferenties en demonstraties in het hele land. En zijn kantoor werd bedolven onder honderden aangiften van verdwijningen, afkomstig van mensen die nergens terechtkonden, niet bij de rechtbank en niet bij de overheid, alleen bij hem. Mijn moeder heeft nog wat van die documenten bewaard, en je hoeft ze maar te zien of je wordt beroerd en dieptreurig: foto's van vermoorde en gemartelde mensen, wanhopige brieven van mensen wier kind of broer of zus verdwenen of ontvoerd is, pastoors die bij niemand gehoor krijgen en maar bij hem aankloppen, waarna binnen een paar weken het bericht volgt dat diezelfde protesterende pastoor in een afgelegen dorp vermoord is. Brieven waarin met naam en toenaam de leden van doodseskaders worden genoemd, maar die bij de overheid slechts op dedain en onverschilligheid stuitten, het onbegrip van journalisten en de onterechte aantijging dat hij onder één hoedje speelde met de subversieven, zoals enkele collega's van mijn vader in hun columns schreven.

Het was heus niet zo dat hij alleen de staat aanklaagde en zijn ogen sloot voor de gruweldaden van de guerrilla, zoals sommigen beweerden. Als je zijn artikelen en verklaringen doorleest, zie je dat hij gruwde van de ontvoeringen en de willekeurige aanslagen van de guerrilla, en dat hij die ook krachtig, wanhopig zelfs, veroordeelde. Maar hij vond het ernstiger dat dezelfde overheid die zei de wet te respecteren een vuile oorlog voerde en líét voeren door betaalde moordenaars (paramilitairen en doodseskaders). 'Maar als het zout zijn smaak verliest ...' Dat was een van zijn geliefde bijbelcitaten.

In het jaar van zijn dood keerden de vuile oorlog, het geweld, de selectieve moordenaars zich bruut en systematisch tegen de openbare universiteiten, omdat sommige vertegenwoordigers van de staat, en hun handlangers van de para-staat, meenden dat daar de wortels en de ideologisch levenssappen van de ondermijnende krachten te vinden waren. In de maanden vóór zijn gewelddadige dood waren er alleen al van zijn geliefde Universiteit van Antioquia zeven studenten en drie professoren vermoord. Je zou denken dat de burgers van dit land gealarmeerd en geschokt zouden zijn door die cijfers. In het geheel niet. Het leven ging gewoon door en alleen die 'gek', die beminnelijke professor, die vijfenzestigplusser met zijn kale kop, maar met een bulderende stem en een overweldigend jeugdige hartstocht, schreeuwde de waarheid van de daken en verwenste de barbarij. 'Ze roeien de intelligentsia uit, ze ruimen de meest geëngageerde studenten uit de weg, ze vermoorden de politieke tegenstanders, ze vermoorden de priesters die het dichtst bij hun dorpen of hun gelovigen staan, ze beroven de dorpen en de wijken van hun volksleiders. De staat beschouwt iedereen die actief is of die zijn hersens gebruikt als een gevaarlijke communist.' De ontmanteling van de

Unión Patriótica, een extreem-linkse politieke partij, vond in die tijd plaats en kostte in het hele land aan meer dan vierduizend burgers het leven.

Van een aantal misdaden werden gruwelijke details bekend, die mijn vader ons vertelde: een student was gemarteld en vermoord en aan een paal vastgebonden, waarna zijn lichaam door een granaat uiteen werd gereten. José Sánchez Cuervo werd gevonden met een gebroken neus, steekwonden in zijn buik, een kapotgeslagen oog, verscheidene afgesneden vingers en een schotwond in zijn oor. Ignacio (ze noemden hem Nacho) Londoño kreeg zeven kogels in zijn hoofd en een in zijn linkerhand. Eén vinger van zijn rechterhand was afgesneden toen ze hem vonden. Die jongen verdiende zijn brood als animator (vooral in bejaardentehuizen, want hij was heel lief voor de oudjes) en hij deed lang over zijn studie communicatiewetenschap omdat hij zijn vader onderhield, een man van tweeëntachtig. Die bejaarde man moest zelf zijn lijk gaan ophalen, in de wijk Belén, boven in de bergen, en het eerste wat hij zag was zijn hand, waar één vinger aan ontbrak, weggeworpen op een landje, daar herkende hij hem aan. Een klein eindje verderop lag zijn lichaam, dat sporen van marteling vertoonde. De jongen stond op het punt van afstuderen, maar de paramilitairen vonden hem verdacht, omdat hij al bijna tien jaar over zijn studie deed, en dat was typisch voor de infiltranten van de guerrilla, die weinig examens deden en weinig colleges volgden om zo lang mogelijk student te kunnen blijven. Londoño had niets met de guerrilla te maken, en de grote vreugde van zijn vader was dat hij binnenkort een afgestudeerde zoon zou hebben, die minstens 'zijn begrafenis zou kunnen bekostigen'. Nu moest hij hém begraven, met een verdriet waarmee hij niet meer verder wilde leven.

Bij ons gebeurde in die tijd het omgekeerde van wat in normale gezinnen gebeurt, waar ouders proberen hun kinderen in toom te houden en te voorkomen dat ze deelnemen aan protestdemonstraties die hun leven in gevaar kunnen brengen. Omdat mijn vader van de ouderen het minst conservatief was en met de dag liberaler en maatschappijkritischer werd, draaiden de rollen in ons gezin om en waren wij kinderen degenen die probeerden hem, vanwege het moordende klimaat dat heerste, ervan te weerhouden zich kwetsbaar op te stellen of mee te doen aan demonstraties of zijn onverbloemde aanklachten op te stellen. Bovendien begonnen er geruchten te circuleren dat zijn leven gevaar liep. Jorge Humberto Botero, die een hoge positie had bij de overheid, zei tegen mijn zus Clara, zijn ex-vrouw: 'Zeg tegen je vader dat hij voorzichtiger moet zijn, en zeg erbij dat ik weet waarover ik praat.' Federico Uribe, de man van Eva, mijn andere zus, die goed op de hoogte was van de praatjes die in de Club Campestre de ronde deden, zei hetzelfde: 'Je vader steekt heel erg zijn nek uit, en eerdaags vermoorden ze hem nog.'

Er waren ook indirecte aanwijzingen dat de algehele vijandigheid onder de kopstukken gevaarlijk toenam. Omdat de zonen van Eva polo speelden, net als haar man, ging ze soms naar polowedstrijden in de Club Llanogrande. En op een dag kwam ze toevallig naast een andere polospeler te zitten (die heel wat minder goed was dan mijn neefjes): Fabio Echeverri Correa. Die had een slok op en zei vals tegen haar: 'Ik bepaal zelf naast wie ik zit en ik sta niet toe dat de dochter van een communist naast me komt zitten.' Eva nam zonder iets te zeggen ergens anders plaats.

Mijn moeder was de enige die niet in die praatjes geloofde, nooit, tot op het laatst, en ze werd zelfs kwaad als ze er tegen haar over begonnen: 'Hoe verzín je het? Héctor kunnen ze niets doen!' Voor haar was mijn vader zo'n goede man dat niemand het ooit zou wagen een aanslag op hem te plegen. Twee weken later, toen hij dood was, probeerde ze, ook al was ze kapot, weer aan het werk te gaan en bracht een bezoek aan 'De Stal', zoals ze het gebouw noemden van de 'Heilige Koeien' van Medellín, ofwel de rijkste industriëlen en ondernemers. 'De Stal' heette, en heet, in werkelijkheid het Plaza Gebouw, maar nu zijn alle bewoners van destijds dood ofwel verhuisd. Van het ene op het andere moment verdroeg ze haar ellende en verdriet niet langer en ging op de trap ontroostbaar zitten huilen. Op dat moment kwam José Gutiérrez Gómez binnen, die net als Fabio Echeverri president was geweest van het Nationaal Genootschap van Industriëlen, sterker nog, hij had het opgericht. Don Guti ging naar haar toe en probeerde haar op te beuren en mijn moeder kon het niet helpen en zei tegen hem: 'Ik heb mijn twijfels over jullie allemaal; ik weet niet of het niet slecht en naïef van me is geweest dat ik de flats van de rijkste mensen in Medellín heb geadministreerd. Ik denk dat daar de mensen zitten die het bevel hebben gegeven Héctor te vermoorden, al bedoel ik niet u, don Guti.' Meneer Gutiérrez bleef nog lange tijd naast haar op de trap zitten, zonder een woord te zeggen.

Zowel aan mijn moeder als aan ons allemaal, haar kinderen, bleef en blijft de twijfel knagen die moeilijk te verdrijven valt: wie precies hebben Carlos Castaño een tip gegeven en wie gaven instructies aan de militairen die het bevel gaven en de persoon aanwezen die gedood moest worden? We hebben slechts indirecte en algemene aanwijzingen: dat het de bananenplanters van Urabá waren, dat het de veeboeren van Puerto Berrío en Magdalena Medio waren, die onder één hoedje speelden met de *paracos**, dat het agenten van de DAS** waren (de inlichtingendienst), opgestookt door extreem-rechtse politici, dat het overheidsfunctionarissen waren die benadeeld waren door de aanklachten van het Comité voor Mensenrechten ... Eén keer hoorde een neefje van me toevallig, toen hij op een grote haciënda aan de Atlantische kust, vlak bij Magangué, op vakantie was, een expliciete bekentenis van een groep paramilitairen die de haciënda bewaakte. Het was de verjaardag van zijn moord en mijn vader kwam even

* Paramilitairen.

** Departamento Administrativo de Seguridad.

in een nieuwsprogramma in beeld. 'Die klootzak was een van de eersten die we in Medellín afmaakten', zeiden ze. 'Het was een levensgevaarlijke communist en die zoon van hem moet je ook in de gaten houden, want die gaat dezelfde kant op.' Mijn neefje schrok zich rot en durfde niet te zeggen dat de man over wie ze praatten zijn grootvader was.

Toen mijn zus Maryluz, de oudste en zijn lievelingsdochter, mijn vader smeekte op te houden met die protestmarsen, omdat ze hem anders zouden vermoorden, antwoordde hij met kussen en schaterlachen, om haar gerust te stellen. Maar tijdens de marsen die hij organiseerde en op de protestmeetings was hij ernstig en diepbezorgd, hoewel hij, als hij zag hoeveel mensen eraan deelnamen, enthousiast, haast vrolijk voortmarcheerde, ook al waren zijn protesten slechts een wanhoopskreet en leek het soms of hij voor een lege zaal praatte. Bovendien was hij naïef. Op een keer marcheerde hij met een groep studenten, professoren en mensenrechtenactivisten naar het gouvernementsgebouw, in gesloten slagorde, en ineens merkte hij dat hij moederziel alleen met zijn spandoek liep, zonder ook maar één andere demonstrant. Iedereen was omgedraaid, want recht voor hen stond een waterkanon van de politie, maar hij marcheerde voort. Toen ze hem aanhielden en in een arrestantenbusje van de oproerpolitie smeten, vroegen andere arrestanten waarom hij niet op tijd was omgedraaid, zoals iedereen, en hij antwoordde dat hij het waterkanon van de politie voor een vuilniswagen had aangezien.

Ook kwam hij soms alleen te staan als hij een toespraak hield aan het eind van een protestmars. Dan zag hij het publiek van het ene op het andere moment alle kanten op stuiven, en als hij omkeek, zag hij een eenheid van het leger naderen. Ze krenkten hem nooit een haar, en als ze hem al arresteerden, lieten ze hem ook meteen weer vrij, alsof ze zich schaamden tegenover zijn evidente onschuld en waardigheid. Altijd was hij verzorgd, altijd keurig gekleed, in een pak met das, altijd naïef en open en goedlachs. Zijn beste schild was zijn aloude reputatie van goeiige professor, zijn beminnelijke manieren, zijn immense sympathie. Hij nam grote risico's, maar bijna iedereen dacht altijd: doctor Abad doen ze niets, hem zullen ze wel met rust laten, iedereen weet dat hij de goedheid zelve is. Per slot van rekening deed hij al vijftien jaar niets anders en ze hadden hem nog nooit iets gedaan. De autoriteiten riepen hem altijd te hulp als ze met de handen in het haar zaten: als er een kerk of een consulaat of een fabriek bezet was, als er een guerrillero of een ontvoerde moest worden overgedragen. Iedereen geloofde hem op zijn woord.

Op 11 augustus van dat ongeluksjaar schreef hij een pamflet, getiteld 'Ter verdediging van het leven en de universiteit'. Daarin stelde hij aan de kaak dat er in de voorafgaande maand vijf studenten en drie professoren van verschillende faculteiten waren vermoord (en soms gemarteld), een aanslag die hij aldus verklaarde: 'De universiteit wordt op de korrel genomen door mensen die willen dat niemand vragen stelt, dat iedereen hetzelfde denkt, ze is het doelwit van degenen voor wie kennis en kritisch denken een gevaar zijn voor de maatschappij, en ze gebruiken het wapen van de terreur om deze kritische gesprekspartner van de maatschappij aan het wankelen te brengen en haar door middel van afstraffing tot wanhoop en onderwerping te dwingen.'

Zijn artikelen hebben vrijwel altijd een tolerante en evenwichtige toon, ze zijn vrij van de dogmatiek van extreem-links, die zo kenmerkend was voor die helse periode. Toch ontbreken ook enkele opmerkingen niet die ons tegenwoordig overdreven kunnen voorkomen, vanwege de felheid en het optimisme waarmee hij de sociale eisen van links verdedigde. Soms, als ik ze lees, heb ik zelf de neiging hem te bekritiseren, en dat heb ik inwendig ook vaak gedaan. Maar één keer vond ik in een boek een tekst van Bertolt Brecht die hij dik had onderstreept, een fragment dat voor mij bepaalde dingen verklaart en me leerde die artikelen te lezen vanuit het perspectief van dat moment: 'Wij immers gingen, vaker van land dan van schoenen wisselend ... vertwijfeld wanneer er slechts onrecht was en geen verontwaardiging ... Ook de haat tegen gemeenheid misvormt het gelaat. Ook de woede over onrecht maakt de stem hees. Maar jullie, als het zover is dat de mensen elkander bijstaan, gedenk ons met mededogen.'

Als ik zijn artikelen van die jaren doorlees, bijna allemaal gepubliceerd in het dagblad *El Mundo* van Medellín, en een paar ook in *El Tiempo* van Bogotá, dan kom ik wel een aantal voorbeelden van zijn vertwijfeling tegen. Een daarvan, waarin hij zich keert tegen martelingen en dat gepubliceerd werd kort nadat een vriend en leerling van hem door het leger in Medellín gevangengenomen en gemarteld was, is vooral hard en moedig.

'Ik stel hier, ten overstaan van de president van de republiek en zijn ministers van Oorlog en van Justitie, en ten overstaan van de procureur-generaal van het land, de "ondervragers" van het bataljon Bomboná van de stad Medellín in staat van beschuldiging wegens fysieke en psychische marteling van de gevangenen van de IVde Brigade.

Ik beschuldig hen ervan dat zij de gevangenen, geblinddoekt en geboeid, dagen en nachten achtereen midden in een vertrek lieten staan en hen onderwierpen aan lichamelijke en geestelijke kwellingen van een uiterst geraffineerde wreedheid, zonder dat ze ook maar even op de grond mochten gaan zitten, zonder te slapen, terwijl ze hen op verschillende plekken van het lichaam schopten en sloegen, hen beledigden, hun de kreten lieten horen van de andere gevangenen in de naburige cellen, alleen hun blinddoek wegnamen opdat ze zagen hoe ze zogenaamd hun echtgenotes verkrachtten, hoe ze een revolver laadden en de gevangenen mee naar buiten namen voor een "ommetje" buiten de stad, waar ze hen dreigden te doden als ze niet bekenden en hun vermeende "medeplichtigen" verraadden; ze vertelden leugens over zogenaamde "bekentenissen" over de gemartelden, die gedwongen werden op hun knieën te gaan en hun benen tot fysiek onmogelijke wijdte te spreiden waarna ze folterende pijnen te verduren kregen die nog verergerd werden doordat ze boven op hen gingen staan, teneinde aldus het aanhoudende, uitputtende, intense "verhoor" voort te zetten; 's morgens in alle vroegte stonden ze met ontbloot bovenlijf en alle ramen open zodat ze bibberden van de kou; van het gedwongen stilstaan kregen ze oedeem in hun benen, en de krampen en de pijn en de lichamelijke uitputting en psychische wanhoop werden op den duur zo onverdraaglijk dat sommigen van hen uit het raam sprongen, of hun polsen met glasscherven doorsneden, dat ze gilden en huilden als kinderen of gekken, dat ze fantastische, verzonnen verhalen vertelden, alleen maar om een ogenblik verlost te zijn van de geraffineerde martelingen die ze ondergingen.

Ik beschuldig de ondervragers van het bataljon Bomboná te Medellín ervan dat ze meedogenloze folteraars zijn, zonder hart en zonder medelijden voor hun medemens, dat ze gedrilde psychopaten zijn, criminelen in dienst van de overheid, betaald door de Colombianen om politieke gevangenen van alle categorieën – van politieke bewegingen, vakbonden en andere beroepsorganisaties – te reduceren tot een toestand die onverenigbaar is met de menselijke waardigheid, dat zij vaak onherroepelijk en onherstelbaar leed toebrengen, dat levenslange, diepe wonden slaat.

Ik klaag formeel en publiekelijk deze handelwijze aan van het zogenaamde middenkader, dat systematisch de mensenrechten schendt van honderden medeburgers.

En ik beschuldig de hoogste gezagsdragers van het leger en het land die dit artikel lezen van medeplichtigheid aan misdaden, indien ze niet onmiddellijk een einde maken aan deze toestand, die grievend is voor de meest elementaire gevoelens van menselijke solidariteit onder de Colombianen die niet bevangen zijn van razernij en fanatisme.'

Heldere, dappere aanklachten zoals deze wekten de woede van het leger en van bepaalde overheidsfunctionarissen, maar zetten hen niet tot antwoorden aan. Heel af en toe was er een rechter of een procureur-generaal die op zijn aantijgingen probeerde in te gaan. Maar over het algemeen volgde op zijn beschuldigingen slechts een vijandig stilzwijgen. En de vijandigheid nam met het jaar toe, tot aan de eindontknoping. Mijn zus Vicky, die zich in de hoogste kringen van de stad bewoog, onder de geldmagnaten, zei een keer tegen mijn vader: 'Papa, ze houden niet van je hier in Medellín.' En hij antwoordde: 'Liefje, er zijn veel mensen die van me houden, maar die kom jij niet tegen, die zijn elders, en ik zal je weleens een keer meenemen, zodat je ze leert kennen.' Vicky zegt dat ze op de dag van mijn vaders begrafenis, toen de rouwstoet hem door het centrum begeleidde, met duizenden mensen die op straat en uit de ramen en op het kerkhof met witte doekjes zwaaiden, begreep dat mijn vader haar nu had meegenomen om de mensen te leren kennen die wel van hem hielden.

Het zou te ver voeren de tientallen artikelen te citeren waarin mijn vader, vaak met naam en toenaam, de wandaden aan de kaak stelde die door functionarissen van de staat, of door leden van de strijdkrachten of de politie, begaan werden tegen weerloze burgers. Hij deed het jaren achter elkaar, hoewel de strijd hem soms louter roepen in de woestijn leek. Indianen die van hun land werden verjaagd door grootgrondbezitters (waarbij de indiaanse priester die voor hen opkwam werd vermoord), de verdwijning van een student, de marteling van een professor, het in bloed gesmoorde protest, de moord, elk jaar, als een macaber ritueel, op vakbondsleiders, de niet goed te praten ontvoeringen door de guerrilla ... Dat alles stelde hij keer op keer aan de kaak, tegen de stilzwijgende woede van de aangeklaagden in, die er de voorkeur aan gaven niet te reageren, in de hoop dat zijn woorden door de strategie van stilte of onverschilligheid in vergetelheid zouden raken.

Het meest radicaal was hij in zijn streven naar een rechtvaardiger maatschappij, een die niet zo schandelijk klassenbewust en discriminatoir was als de Colombiaanse samenleving. Hij predikte geen gewelddadige revolutie, maar hij wilde wel een radicale wijziging van de prioriteiten van de staat, waarbij hij waarschuwde dat als niet aan alle burgers minstens gelijke kansen werden geboden, plus een waardig bestaansminimum, en wel zo snel mogelijk, we nog veel langer geweld en misdaad en gewapende benden en op leven en dood strijdende guerrillagroepen te verduren zouden krijgen.

'Een menselijke samenleving die *rechtvaardig* wil zijn, dient al haar leden dezelfde materiële, culturele en sociale omstandigheden te bieden. Anders worden kunstmatige ongelijkheden geschapen. De materiële, culturele en sociale omstandigheden waarin bijvoorbeeld rijke en arme kinderen in Colombia geboren worden, zijn heel verschillend. De eersten worden geboren in schone huizen met goede voorzieningen, met toegang tot bibliotheken, recreatie en muziek. De anderen worden geboren in krotten of in huizen zonder hygiënische faciliteiten, in wijken zonder scholen of mogelijkheden om te spelen, zonder medische zorg. De eersten gaan naar luxe particuliere praktijken, de anderen naar overvolle gezondheidscentra. De eersten gaan naar goede scholen, de anderen naar miserabele scholen. Krijgen zij dan dezelfde kansen? Helemaal niet. Vanaf het moment dat ze geboren worden, verkeren ze in een onrechtvaardige ongelijkheid. Al vóór ze geboren worden beginnen ze hun leven, als gevolg van het voedsel dat hun moeders te eten krijgen, in inferieure omstandigheden. In het ziekenhuis San Vicente hebben wij de groepen kinderen gewogen en gemeten die geboren werden in het paviljoen voor de particuliere patiënten (die het kunnen betalen) en het paviljoen voor de armen (die weinig of niets kunnen betalen), en we kwamen tot de bevinding dat het gemiddelde gewicht en de gemiddelde lengte van de pasgeboren kinderen in het particuliere paviljoen veel hoger lagen (statistisch significant) dan in het armenpaviljoen. Dat wil zeggen dat ze vanaf hun geboorte *ongelijk* zijn. En niet als gevolg van biologische maar van sociale factoren (levensomstandigheden, werkloosheid, honger).

Dit zijn onweerlegbare, evidente feiten, die niemand kan ontkennen. Waarom ontkennen we ze dan toch en doen we ons best deze situatie in stand te houden? Omdat egoïsme en onverschilligheid de kenmerken zijn van degenen die de ogen sluiten voor de werkelijkheid en van hen die zwelgen in hun eigen goede leven en de slechte omstandigheden niet willen zien waarin anderen verkeren. Ze willen niet zien wat overduidelijk is, zodat ze in alle opzichten hun privileges kunnen behouden. Wat moeten wij hieraan doen? Wie dient het heft in handen te nemen? Het is duidelijk dat degenen die zouden moeten optreden de getroffenen zelf zijn. Maar zij zijn zich, als gevolg van hun behoeften, hun zorgen en hun tragedies, vrijwel nooit bewust van hun objectieve situatie, die maken ze zich niet eigen, die subjectiveren ze niet.

Het moge paradoxaal lijken, maar – de geschiedenis heeft het bewezen – het zijn altijd de enkelingen die in gezegende omstandigheden verkeren die de onderdrukten en uitgebuitenen bewust moeten maken, zodat ze in beweging komen en de toestand van onrecht veranderen die hen achterstelt. Op die manier zijn belangrijke omwentelingen tot stand gebracht in de levensomstandigheden van de inwoners van veel landen, en we verkeren ongetwijfeld in een historische fase waarbij in al die landen groepen personen zijn – ethisch superieur – die het niet als een *natuurlijke* zaak wensen te beschouwen dat deze toestanden van ongelijkheid en onrechtvaardigheid voortduren. Die strijd tegen de "gevestigde orde" is een harde en gevaarlijke strijd. Hij dient gevoerd te worden tegen de woede en de aversie van de politiek en economisch machtigste groeperingen. Het is een strijd die zelfs negatieve gevolgen heeft voor het eigen welzijn en de eigen mogelijkheden, tégen het behalen van zogenaamd succes in de gevestigde maatschappij.

Maar er is een innerlijke kracht die hen voortdrijft om zich in te zetten voor degenen die hun hulp nodig hebben. Voor velen wordt die kracht de reden van hun bestaan. Die strijd geeft hun leven zin. De rechtvaardiging voor het leven bestaat er voor hen in dat bij hun dood de wereld dankzij hun arbeid en inspanning een beetje beter is geworden. Leven louter en alleen om te genieten is een legitiem dierlijk streven. Maar voor de mens, de homo sapiens, is dat lang niet genoeg. Om ons van de andere dieren te onderscheiden, om ons verblijf hier op aarde te rechtvaardigen, moeten we hogere doelen nastreven dan alleen genieten van het leven. *Het stellen van doelen onderscheidt de ene mens van de andere*. En het belangrijkste hierbij is niet het behalen van die doelstellingen, maar de strijd ervoor. Wij kunnen niet allemaal een hoofdrol spelen in de geschiedenis. Wij zijn slechts cellen van dat grote universele lichaam van de mensheid, maar we zijn ons niettemin bewust dat we ieder afzonderlijk iets kunnen doen om de wereld waarin we leven, en de wereld waarin degenen die na ons komen leven, beter te maken. We moeten werken voor het heden en voor de toekomst, en dat is voor ons mensen bevredigender dan louter materiële genietingen. Weten dat we een bijdrage leveren aan een betere wereld moet het hoogste streven van de mens zijn.'

In alles wat hij schreef proef je zijn geprononceerde, emotionele, vibrerende humanisme. Hij sprak met kennis van zaken en met overtuiging, om te proberen iedereen, rijk of arm, op te wekken iets te doen aan de onrechtvaardigheid in zijn land. Hij deed het tot aan zijn laatste snik, in een wanhopige poging om met woorden de barbaarse praktijk te bestrijden van een land dat zich verzette, en dat zich nog steeds verzet, tegen het opheffen van de enorme rechteloosheid die er heerst, en deze ontoelaatbare rechteloosheid zelfs probeert te bestendigen door degenen die er een einde aan willen maken te doden.

36

Ik wil geen hagiografie bedrijven en ik wil ook geen man ten tonele voeren wie de zwakheden van de menselijke natuur vreemd waren. Als mijn vader een beetje minder ontvankelijk was geweest, als hij zich helemaal bevrijd had van de ijdele zucht om uit te blinken, als hij af en toe zijn hartstochtelijke rechtvaardigheidsgevoel had ingetoomd, dat soms, vooral aan het eind van zijn leven, aan het fanatisme grensde, dan had hij misschien meer kunnen bereiken, want het ontbrak hem ook ten enenmale aan vasthoudendheid en volharding om de buitensporige hoeveelheid taken die hij op zich genomen had te klaren. Hij erkende die tekortkoming zelf en zei vaak: 'Ik ben een heel goede vader, maar een heel slechte moeder.' Waarmee hij wilde zeggen dat hij goed was in bevruchten, in het zaaien van de kiem van een goed idee, maar dat hij heel weinig geduld had om het tot wasdom te brengen.

Hij beging stommiteiten, zoals we allemaal wel doen: hij liet zich in met absurde bewegingen, hij was naïef en liet zich bedriegen, soms fungeerde hij als spreekbuis voor belangen die hem vreemd waren, omdat hij zich door vleierij had laten manipuleren. Als hij in de gaten kreeg dat ze hem hadden gebruikt, had hij altijd dezelfde komische, ontgoochelde uitspraak paraat: 'Mijn intelligentie heeft alleen maar gediend om een lomperik van me te maken.' Hij schaamde zich bijvoorbeeld dat hij een zwager van mijn oudste zus Maryluz in het gekkenhuis had laten stoppen, omdat die op een avond opgewonden had uitgeroepen dat hij achternagezeten werd door de maffia. Bij mijn vader wilde het er in de jaren zeventig niet in dat er maffiosi waren in Medellín. Laat staan dat het waar was wat die jongen, Jota Vélez, steeds maar als een gek herhaalde: dat de maffiosi mensen vermoordden, mensen bedreigden, cocaïne en marihuana exporteerden, aan vrouwenhandel deden, huurmoordenaars betaalden ... Mijn vader dacht dat het om het geraaskal van een gek ging, een schizofreen, en Jota werd in een dwangbuis gehesen en afgevoerd naar het gekkenhuis van Bello. Toen alles wat Jota gezegd had waar bleek te zijn en dat soort ten hemel schreiende toestanden aan de orde van de dag waren in een stad die bezig was af te glijden naar de barbarij, restte mijn vader niets anders dan zichzelf maar voor gek te verklaren, omdat hij blind en naïef was geweest, en zijn excuses aan te bieden aan Jota, de jongen die in een vlaag van geëxalteerde luciditeit de verschrikking aan de kaak had gesteld die mijn vader had aangezien voor een delirium.

Omdat ze zijn ijdelheid streelden, werd hij ook lid van het comité van vriendschap tussen de volkeren van Colombia en Noord-Korea. Hij kwam zelfs thuis met de boeken van Kim Il-sung over de 'Juche-ideologie' en nam deel aan een tenenkrommend congres in Portugal, waar de ideeën van die megalomane en bloederige dictator van de twintigste eeuw werden geanalyseerd. Het ergste was dat mijn vader doorhad dat het allemaal onzin was. Perplex was hij als hij over Juche praatte en hij lachte daverend van spot, maar hij was nu eenmaal lid geworden van dat genootschap, en god weet waarom hij zich liet meeslepen en tot zijn schande bondgenoot werd van een dictatuur. Hij wilde ook nooit naar Noord-Korea, misschien wel omdat hij wist dat hij, als hij min of meer van dichtbij de kloof zag tussen theorie en praktijk, de komedie niet langer zou kunnen volhouden.

In de laatste jaren van zijn leven werd hij een paar keer gemanipuleerd door extreem-links in Colombia. Hoewel hij altijd afkerig was geweest van de gewapende strijd, liet hij zich op het eind van zijn leven begripvol, haast verontschuldigend (hoewel hij het nooit met zoveel woorden zei) uit over de opstandelingen van de guerrilla; en omdat hij het op een aantal punten ideologisch met hen eens was (landbouwhervorming, ruimtelijke ordening, verdeling van de rijkdom, ontmanteling van de monopolies, weerzin tegen een corrupte oligarchie die het land in de meest beschamende misère en sociale ongelijkheid stortte), kneep hij soms een oogje toe als het de guerrilla was die wreedheden beging: aanvallen op kazernes, idiote bomaanslagen. Hij bleef wel altijd tegen ontvoeringen en terroristische aanslagen op willekeurige, onschuldige burgers. Zoals soms gebeurt met mensenrechtenactivisten had hij meer oog voor de wreedheden van de staat dan voor die van de gewapende vijanden van de staat. Hij had daar een min of meer coherente verklaring voor: het was erger wanneer een priester zich aan een kind vergreep dan wanneer een verdorven iemand dat deed. Het is het zout dat zijn smaak niet mag verliezen. De guerrillero's hadden zich buiten de wet gesteld, maar de staat heette de wet te eerbiedigen. Daar had hij gelijk in, maar op dat pad kan iemand gemakkelijk uitglijden, en hij gleed soms uit. Dat kan en mag nooit een rechtvaardiging zijn voor de moord op hem, maar het verklaart misschien wel deels de dodelijke woede van degenen die hem om het leven brachten.

Ik herinner me dat we een keer discussieerden over een uitspraak, ik meen van Pancho Villa, die hij heel graag mocht citeren: 'Zonder gerechtigheid kan er geen vrede zijn.' Of zelfs: 'Zonder gerechtigheid kan en mag er geen vrede zijn.' Ik vroeg hem of het dus nodig was om de wapens op te nemen tegen de rechteloosheid. Hij zei dat het tegen Hitler noodzakelijk was geweest – hij was niet tot elke prijs een pacifist. Maar in het geval van Colombia was hij er rotsvast van overtuigd dat de gewapende strijd niet de juiste weg was en dat de heersende omstandigheden het gebruik en misbruik van geweld door de guerrilla niet rechtvaardigden. Hij had er vertrouwen in dat het land langs de weg van radicale hervormingen getransformeerd kon worden. Nooit, ook al was hij nog zo furieus over de wreedheden van de militairen en de staat, liet hij zich door zijn woede van zijn diepgevoelde pacifisme afbrengen, en hoewel hij er begrip voor had dat anderen – Camilo Torres, José Alvear Restrepo – een andere weg waren ingeslagen, leek hem dat toch niet de oplossing. Hij zou nooit in staat zijn geweest een geweer ter hand te nemen of iemand te doden, voor geen enkele zaak, en hij kon zich ook niet achter degenen scharen die dat wel deden; hij gaf de voorkeur aan de methode van Gandhi: geweldloos verzet, tot aan het ultieme offer van zijn leven toe.

37

Een van de ergste dingen die we moeten doen als een dierbare komt te overlijden, of als hij vermoord wordt, is het opruimen en doorzoeken van zijn spullen. Twee weken na de moord op mijn vader werd ik belast met de taak zijn spullen (zijn laden, zijn archief, zijn papieren, zijn correspondentie, zijn rekeningen) op zijn kantoor uit te zoeken. Maryluz en mijn moeder ontfermden zich over de spullen in ons huis. Laden opentrekken is als kieren openen in het brein van de ander: waar hield hij het meest van, wie ontmoette hij (volgens de afspraken in zijn agenda of aantekeningen in een schrift), wat at hij of kocht hij (kassabonnetjes van warenhuizen, rekeningafschriften van creditcards, facturen), welke foto's of welke souvenirs koesterde hij, welke documenten lagen voor het grijpen en welke had hij verstopt?

Iets merkwaardigs was dat Isabelita, die de laatste tien jaar de secretaresse van mijn vader was geweest, op de dag dat hij doodging verdween. Dat wil zeggen, niet verdween in de treurige Latijns-Amerikaanse betekenis van het woord, maar in de zin dat ze ons, hoewel haar niets was overkomen, niet meer wilde zien, dat ze niet meer op kantoor wilde komen, dat ze geen antwoord gaf op welke vraag dan ook die ze (de familie of de rechterlijke macht) haar stelden, kortom, dat ze bang was. Het is nu bijna twintig jaar geleden dat we Isabelita voor het laatst gezien hebben, en inmiddels denk ik dat niemand van ons haar nog iets te vragen heeft. Twintig jaar geleden barstten we misschien van de vragen, maar nu zijn ze weggestopt en hebben een persoonlijk en intiem antwoord gekregen, in het diepst van onze gedachten.

Zo'n tien dagen na de misdaad viel mij de taak te beurt naar het mortuarium te gaan en de kleren en eigendommen van mijn vader op te halen. Ze zaten in een plastic zak en ik nam ze mee naar zijn kantoor in de Carrera Chile. Ik pakte alles uit op de binnenplaats: zijn bebloede pak, zijn overhemd vol bloedvlekken en kogelgaten, zijn das, zijn schoenen. Uit de kraag van zijn colbertje viel iets hards dat op de grond stuiterde. Ik keek goed: het was een kogel. De onderzoeksrechter had niet eens de moeite genomen zijn kleren te doorzoeken. De volgende dag bracht ik de kogel naar de rechtbank, ook al wist ik dat het vergeefs was. En omdat ze stonken, verbrandde ik zijn kleren, behalve zijn overhemd, dat ik met zijn afschuwelijke donkere bloedvlekken in de zon droogde.

Vele jaren heb ik dat bebloede overhemd stiekem bewaard, met bloedklonters en al, die in de loop van de tijd steeds meer leken te verbranden en zwarter werden. Ik weet niet waarom ik het bewaarde. Het leek wel of ik het bij me wilde houden als een soort priem om me wakker te porren telkens als ik dreigde te vergeten en mijn bewustzijn in slaap sukkelde, als een aansporing voor het geheugen, als een gelofte dat ik zijn dood moest wreken. Toen ik dit boek schreef, heb ik ook dat overhemd verbrand, want ik begreep dat de enige wraak, de enige nagedachtenis en tevens de enige mogelijkheid om te vergeten en te vergeven, was dat ik vertelde wat er gebeurd was, en verder niets.

In die dagen waarin ik zijn papieren doornam, heb ik beetje bij beetje een aantal fragmenten vergaard van zijn oude en nieuwe geschriften, die ik bundelde in een boekje, dat we vervolgens publiceerden met hulp van de gouverneur van Antioquia, Fernando Panesso Serna, die vanaf de eerste dag heel aardig voor ons allemaal was, en van de minister van Onderwijs, een arts, Antonio Yepes Parra, die een oud-student was van mijn vader en die zijn medewerking wilde verlenen aan de compilatie die ik vervolgens de titel 'Handboek der tolerantie' meegaf. Carlos Gaviria, in ballingschap in Argentinië, stuurde ons zijn voorwoord.

Maar in die papieren en documenten die ik op zijn kantoor

doornam, kwam ik ook veel persoonlijker dingen tegen, dingen die me bevielen, maar die me ook verrasten. Ik herinnerde me dat mijn vader vaak tegen me gezegd had dat ieder mens, elke persoonlijkheid, is als een kubus die op tafel staat. Eén kant ziet iedereen (de bovenkant). Andere kanten kunnen sommigen zien en anderen niet, of als we ons inspannen kunnen we ze allemaal te zien krijgen (de zijkanten). Maar er is één kant die geen enkele buitenstaander ziet (de onderkant). De laden van een dode opentrekken is als je verdiepen in de onderkant van de kubus, die alleen zichtbaar was voor hem en die alleen hij wilde zien, de kant die hij voor buitenstaanders afschermde: zijn intimiteit.

Mijn vader had me veel indirecte signalen gegeven over de intieme kant van zijn persoonlijkheid. Geen bekentenissen, geen bruuske ontboezemingen, die meestal meer een last zijn voor de kinderen dan een opluchting voor de ouders, maar kleine indicaties en signalen die lichtstralen op zijn schaduwkant wierpen, in het binnenste van de kubus die de zwarte doos is van ons bewustzijn. Ook ik had die signalen in een duister compartiment weggestopt, tussen weten en niet-weten in, zoals de inblazingen van de intuïtie, die we niet willen of kunnen concretiseren, of volledig tot ons bewustzijn laten doordringen, in heldere bewoordingen, met voorbeelden, geverifieerd of onomstotelijk bewezen.

Twee keer, bijvoorbeeld, twee keer nam mijn vader me mee naar de film *Dood in Venetië* van Luchino Visconti, die schitterende verfilming van een korte novelle van Thomas Mann, waarin een man in de herfst van zijn leven (Visconti dacht waarschijnlijk aan Mahler, en het is ook zijn muziek die hij voor de film gebruikt, een van zijn gelukkigste grepen) in vervoering raakt en bezwijkt voor de absolute schoonheid in de vorm van het Poolse jongetje Tadzio. Mann zei dat hij de schoonheid niet in een meisje had verbeeld maar in een jongen, opdat de lezers niet zouden denken dat de bewondering zuiver seksueel was, eenvoudig een lichamelijke aantrekkingskracht. Wat de hoofdpersoon, Gustav von Aschenbach, voelt is meer, en tegelijk minder: verliefdheid op een haast abstract lichaam, zeg maar de personificatie van een ideaal, platonisch, verbeeld door de androgyne schoonheid van een adolescent. Ik leefde nog te veel in mijn eigen wereld toen mijn vader erop aandrong dat we voor de derde keer naar die film zouden gaan, wellicht omdat hij besefte dat ik niet in staat was geweest zijn diepste en meest verborgen betekenis te doorgronden.

In een brief die hij me in 1975 schreef, en die hij als epiloog publiceerde in zijn tweede boek ('Brieven uit Azië'), zegt hij het volgende: 'Het wordt me geleidelijk aan steeds duidelijker dat wat ik het meest bewonder de schoonheid is. Ik ben helemaal geen wetenschapper, zoals ik mijn hele leven – zonder succes – heb proberen te zijn. Ook geen politicus, zoals ik graag had gewild. Ik had, als ik me ertoe had gezet, misschien schrijver kunnen worden. Maar jij weet en voelt al een beetje de inspanning en het werk en de angst en het isolement en de eenzaamheid en intense pijn die je in het leven moet verduren als je de moeilijke weg van het scheppen van schoonheid bewandelt. Ik ben ervan overtuigd dat je mijn uitnodiging zult aannemen om vanmiddag samen *Dood in Venetië* van Visconti te gaan zien. De eerste keer dat ik de film zag was ik alleen onder de indruk van de vorm. De laatste keer begreep ik de essentie, zijn diepere betekenis. We zullen het er vanavond over hebben.'

We gingen hem nog een keer zien, maar we praatten er die avond niet over, misschien omdat er iets was wat ik op mijn zeventiende niet wilde begrijpen. Ik geloof dat ik pas een decennium later, na zijn dood, toen ik in zijn laden wroette, goed begreep wat mijn vader wilde dat ik zag toen hij me opnieuw meenam naar *Dood in Venetië*.

We hebben allemaal schaduwzones in ons leven. Dat zijn niet noodzakelijk zones van schaamte: mogelijk zijn het zelfs de passages uit ons levensverhaal waar we het meest trots op zijn, die welke ons uiteindelijk het idee geven dat ons kortstondige bestaan op aarde, ondanks alles, gerechtvaardigd is, maar die we, omdat ze deel uitmaken van onze diepste intimiteit, met niemand willen delen. Het kunnen ook verborgen zones zijn, omdat we ons ervoor schamen, of minstens omdat we weten dat de mensen om ons heen ze op het moment zelf zouden verwerpen, als iets afstotelijks of monsterlijks of smerigs, hoewel ze dat voor ons niet zijn. Of die zones kunnen in schaduwen gehuld zijn omdat ze echt, onafhankelijk van tijd of cultuur, verwerpelijk, verfoeilijk zijn, dingen die geen enkele menselijke ethiek kan accepteren.

Het waren geen schaduwen van de laatste soort die ik in de laden van mijn vader aantrof. Alles wat ik tegenkwam maakt hem, in mijn ogen, nog grootser, nog aanzienlijker en nog waardevoller, maar aangezien hij niet wilde dat zijn vrouw of dochters die dingen te weten kwamen, laat ook ik die lade dicht, want die zou alleen maar dienen om het loze geroddel à la tv-soaps te voeden en een persoon onwaardig zijn die alle menselijke uitingen van schoonheid beminde en spontaan en discreet tegelijk was.

Hoe de dood ons allen genaakt

38

Er is een triviale waarheid waar we niet aan hoeven te twijfelen, maar die toch goed in het oog moet worden gehouden: we gaan allemaal dood, het leven loopt voor ons allemaal op dezelfde manier af. Het bestaan en het bewustzijn van de dood is een van de meest markante facetten van de klassieke Spaanse lyriek. Een aantal van de mooiste passages uit de Spaanse literatuur gaat over de dood, met een schoonheid die tegelijk lapidair en ontroerend is, vervuld van de paradoxale troost die de evocatie van de dood biedt wanneer deze bekleed is met de volmaaktheid van de kunst: Johannes van het Kruis, Cervantes, Quevedo ... Mijn vader reciteerde tijdens onze lange wandelingen door de bergen zo vaak uit het hoofd enkele *coplas** die Jorge Manrique bij de dood van zijn vader schreef, dat ik ze uiteindelijk ook uit mijn hoofd kende, en ik denk dat ze me mijn hele leven bij zullen blijven, zoals ze hem zijn hele leven zijn bijgebleven, met hun wonderschone ritme hamerend tegen de binnenkant van mijn schedel, met hun volmaakte, troostende melodie, die tot het gehoor en de geest komt vanuit de diepste plooien van een bewustzijn dat het onverklaarbare probeert te verklaren.

Laat de ziel haar sluimer varen
verkwik het vernuft en ontwaak
zie om je heen
hoe wij het leven verlaten
hoe de dood ons allen genaakt

* Vers, meestal vierregelig.

heim'lijk als geen;
hoe plots het geluk ons vervliegt
dat bij het opnieuw beleven,
smartelijk schrijnt;
hoe de herinnering ons bedriegt,
zodat alles in 't verleden
veel beter lijkt.

Ja, als wij zien hoe het heden
een punt is dat immer vergaat,
steeds weer verdwijnt,
dan vertrouwen wij maar beter
niet op wat ons te wachten staat,
't is niet wat 't schijnt.
Nee, laat niemand zich verbeelden
dat waarlijk zich voltrekken zal
wat is verhoopt;
al hetgeen wij mensen deden
vervliedt volgens hetzelfde plan,
wordt uitgedoofd.

Onze levens zijn rivieren
die stromen naar de grote zee:
dat is de dood;
daar gaan de hoge officieren
gestadig naar hun laatste stee
en worden schroot;
daarheen gaan de brede stromen
daar worden ook de kleine en
middelgroten,
altezaam in opgenomen;
daar zijn de armen en de rijken
lotgenoten.

We weten dat we doodgaan, door het simpele feit dat we leven. We weten dát we doodgaan, maar niet wannéér of hóé. En ook al is de eindontknoping zeker en onontkoombaar, wanneer het onvermijdelijke een ander overkomt, willen we toch precies weten wannéér en willen we de bijzonderheden vertellen van het hóé en de details te weten komen van het wáár en speculeren over het waaróm. Van alle mogelijke doodsoorzaken is er een die we min of meer gelaten aanvaarden: de dood door ouderdom, in het eigen bed, na een vol, intens en welbesteed leven. Zo was ook de dood van 'meester don Rodrigo Manrique, even vermaard als moedig', en daarom eindigen de *coplas* van zijn zoon, don Jorge, ofschoon ze over de dood van zijn vader gaan, niet alleen berustend, maar zelfs in zekere zin gelukkig. De vader aanvaardt niet alleen de dood, hij verwelkomt hem.

En aldus, geheel bij zinnen,
met al zijn vernuft en verstand
vol behouden,
met zijn gade, zijn rechterhand,
met allen die hem beminnen
en vertrouwen,
geeft hij zijn ziel aan wie hem gaf
(die make dat hij verpoost
in zijn glorie);
al nam de dood hem van ons af,
hij schenkt ons immer diepe troost
door zijn memorie.

Oud en nog volledig bij zinnen en omringd door zijn geliefden. Dat is de enige dood die we kalm en met de troost van de herinnering aanvaarden. Bijna alle andere sterfgevallen zijn schrijnend, en de minst acceptabele en meest absurde is de dood van een kind of van iemand die nog jong is of die vermoord is. Daartegen komt het gemoed in opstand en die veroorzaakt een verdriet en een woede die, tenminste, in mijn geval, nooit minder worden. Ik heb nooit berust in de dood van mijn zus en ik zal ook nooit kalm de moord op mijn vader kunnen aanvaarden. Feit is dat hij in zekere zin al tevreden was met zijn leven en klaar om dood te gaan, bereid om te sterven als het nodig mocht zijn, maar hij verafschuwde de gewelddadige dood die ze klaarblijkelijk voor hem in petto hadden. Dat is het meest pijnlijke en onaanvaardbare. Dit boek is een poging om te getuigen van die pijn, een getuigenis die tegelijk zinloos en noodzakelijk is. Zinloos omdat de tijd niet teruggedraaid kan worden en de feiten niet ongedaan gemaakt, maar noodzakelijk, in elk geval voor mij, omdat mijn leven en mijn werk geen zin zouden hebben als ik niet opschreef wat ik naar mijn gevoel móét opschrijven en wat ik bijna twintig jaar lang niet heb kúnnen opschrijven. Tot nu toe.

Maandag 24 augustus 1987, in alle vroegte, rond half zeven in de ochtend, werd mijn vader door een radiostation gebeld om hem te vertellen dat hij op een dodenlijst stond die in Medellín boven water was gekomen, en dat ze hem gingen vermoorden. Ze lazen hem de bewuste passage voor: 'Héctor Abad Gómez: voorzitter van het Comité voor Mensenrechten in Antioquia. Medisch handlanger van de guerrilla, zogenaamd democraat, gevaarlijk vanwege sympathie bij het volk voor verkiezingen burgemeester in Medellín. Nuttige idioot van de PCC-UP.*' Ze interviewden mijn vader op de radio en hij vroeg of ze nog andere namen op de lijst wilden noemen. Ze lazen ze op. Onder hen waren de journalist Jorge Child, de ex-minister van Buitenlandse Zaken Alfredo Vázquez Carrizosa, de columnist Alberto Aguirre, de politiek leider Jaime Pardo Leal (een paar maanden

* Partido Comunista Colombiano, de Colombiaanse communistische partij, en Unión Patriótica, Patriottische Unie, de politieke arm van de guerrilla.

later vermoord), de schrijfster Patricia Lara, de advocaat Eduardo Umaña Luna, de zanger Carlos Vives, en nog vele anderen. Mijn vader zei alleen maar dat het een hele eer was om in het gezelschap te verkeren van zulke uitmuntende en belangrijke mensen die zo veel voor hun land deden. Na het interview, dat over een interne telefoonlijn gevoerd werd, vroeg hij aan de journalist of hij hem alsjeblieft een kopie van de lijst naar zijn kantoor wilde sturen.

Ruim een week eerder, op 14 augustus, was het linkse parlementslid Pedro Luis Valencia vermoord, eveneens medicus en eveneens hoogleraar aan de universiteit, en mijn vader had op 19 augustus een protestmars tegen de moord georganiseerd, 'voor het recht op leven', waarin hij zelf vooropging. Die grote demonstratie trok in stilte door het centrum van Medellín en eindigde in het Berrío-park, waar mijn vader de enige spreker was. Veel mensen zagen hem op televisie, of zagen hem door de ramen van hun kantoor voorbijkomen, en later vertelden ze ons dat ze dachten: die gaan ze ook vermoorden, ze gaan hem vermoorden. In zijn voorlaatste artikel heeft hij het over deze misdaad en wijst met een beschuldigende vinger naar de paramilitairen. Hij hield ook een voordracht op de Universidad Pontificia Bolivariana, waarin hij het leger en overheidsfunctionarissen beschuldigde van medeplichtigheid met de misdadigers.

Diezelfde maandag 24 augustus belde hij midden op de dag Alberto Aguirre thuis op (hij had hem de hele ochtend zonder succes op zijn kantoor proberen te bereiken) en overtuigde hem ervan dat ze een onderhoud moesten aanvragen met de burgemeester, William Jaramillo, om meer te weten te komen over de herkomst van die bedreigingen en misschien een vorm van bescherming aan te vragen. Ze spraken af om woensdag om elf uur op het kantoor van mijn vader bij elkaar te komen. Diezelfde dag 's middags kwam het Comité voor Mensenrechten bijeen, dat gezien de ernst van de situatie besloot een communiqué uit te geven met een aanklacht tegen de doodseskaders en groepen paramilitairen die in de stad opereerden en mensen vermoordden die aan de universiteit verbonden waren. Die vergadering werd onder meer bijgewoond door Carlos Gaviria, Leonardo Betancur en Carlos Gónima. Leonardo en mijn vader werden de volgende dag vermoord, Carlos Gónima een paar maanden later, op 22 februari, en Carlos Gaviria redde het vege lijf door het land te verlaten.

Aan het eind van die vergadering vroeg Carlos Gaviria aan mijn vader hoe serieus hij de persoonlijke bedreiging nam waar ze die ochtend op de radio over hadden gesproken. Mijn vader vroeg hem om nog even te blijven, zodat hij het hem uit kon leggen. Hij maakte een klein, klokvormig flesje whisky open (dat Carlos die middag leeg mee naar huis nam en dat hij nog steeds als aandenken op zijn werkkamer bewaart) en las hem de lijst voor die ze hem hadden toegestuurd. Hij zei weliswaar dat hij de bedreiging serieus nam, maar zei nogmaals dat hij heel trots was in zo goed gezelschap te verkeren. 'Ik wil niet dat ze me vermoorden, daar is geen sprake van, maar misschien is dit niet de ergste dood, en als ze me vermoorden, zou het zelfs weleens ergens goed voor kunnen zijn.' Carlos was er niet gerust op toen hij naar huis ging.

Mijn vader praatte in die dagen meerdere malen op een ambivalente manier over de dood, tussen berusting en angst in. Hij had al behoorlijk veel, en al heel wat jaren, over zijn eigen dood nagedacht. Een van de weinige verhalen die hij in zijn leven heeft geschreven gaat zelfs over de Dood, over die mythische, oude figuur in een zwarte mantel met een zeis over zijn schouder, die hem één keer bezoekt, maar die hem nog respijt biedt. Tussen de papieren die ik na zijn dood vergaarde en die ik publiceerde onder de titel 'Handboek der tolerantie', vond ik deze overpeinzing: 'Montaigne zei dat de filosofie nut heeft omdat ze je leert te sterven. Voor mij, die in dit proces van geboren worden en doodgaan dat we leven noemen, dichter bij de laatste etappe sta dan bij de eerste, wordt het thema van de dood steeds simpeler, steeds natuurlijker en ik zou zelfs zeggen – niet langer als thema maar als realiteit – steeds wenselijker. En dat is niet omdat ik in enige zin ontgoocheld ben. Misschien wel integendeel. Want ik meen dat ik vol, intens en voldoende geleefd heb.'

Hij was ongetwijfeld klaar om te sterven, maar dat wil niet zeggen dat hij vermoord wilde worden. In een interview dat ze hem diezelfde week afnamen, bevroegen ze hem over de dood, of liever gezegd over de mogelijkheid dat ze hem vermoordden, en hij antwoordde het volgende: 'Ik ben heel tevreden met mijn leven en ik ben niet bang voor de dood, maar ik heb nog veel dingen om blij over te zijn: wanneer ik bij mijn kleinkinderen ben, wanneer ik mijn rozen kweek of praat met mijn vrouw. Nee, ik ben niet bang voor de dood, maar ik wil ook niet vermoord worden. Laten we hopen dat ze me niet vermoorden. Ik wil rustig sterven, omringd door mijn kinderen en kleinkinderen ... een gewelddadige dood moet iets verschrikkelijks zijn, dat zou ik niet willen.'

39

Die dinsdag 25 augustus stonden mijn oudste zus en ik vroeg op om naar La Inés te gaan, de finca in Suroeste die mijn vader van opa Antonio had geërfd. We hadden een zwembad laten aanleggen, en die dag werd het opgeleverd. Omdat er geen weg naar de finca liep, hadden we aan de naburige finca, Kalamarí, van doña Lucía de la Cuesta, toestemming gevraagd om het ijzerwerk en de bouwmaterialen over haar weilanden te transporteren. Van al dat af en aan rijden met een Suzuki-jeep vol stenen en cement was er een paadje in het land gesleten, dat Maryluz en ik volgden om het werk te inspecteren. Voor het eerst zagen we het zwembad vol water en we verheugden ons er al op er voortaan van te kunnen genieten. Vóór de middag gingen we weer terug naar Medellín en mijn zus had twee grote meloenen als cadeautje voor mijn vader meegenomen. Het waren de eerste van een struik die hij zelf een paar maanden eerder in de moestuin had geplant.

Omdat Maryluz de verrassing voor hem wilde bewaren tot december, wanneer we met vakantie zouden gaan naar de finca vlak bij de rivier de Cauca, wilde ze bij de lunch niet zeggen waar het zwembad precies was aangelegd (achter of voor het huis, en bovendien vertelde ze hem een leugentje, om de verrassing nog groter te maken: dat er niet genoeg geld was geweest om een muurtje af te breken dat de galerij afsloot en waar mijn vader een hekel aan had). Die middag belde ook doña Lucía de la Cuesta, om tegen mijn vader te zeggen dat het zwembad nu klaar was en dat dus de doorgang over haar land was opgeheven, want als we daar gebruik van bleven maken, dan zou het veranderen in een recht van overpad. Mijn vader vroeg haar of hij in december niet in zijn eentje met de auto mocht komen en Lucía zei vriendelijk: nee, want hij was goed ter been en kon te paard komen. 'En als ik oud ben en niet meer van mijn paard kan afstijgen?' drong mijn vader aan, en Lucía antwoordde: 'Dat duurt nog heel lang, Héctor, dan zien we wel weer.' Doña Lucía zelf heeft me jaren later deze conversatie naverteld; iedereen die op die dag met hem heeft gepraat, herinnert zich het gesprek nog woordelijk.

Op dat moment was mijn vader kandidaat in de voorverkiezing van de Liberale Partij voor het burgemeesterschap van Medellín. Dat was het jaar waarin voor het eerst de burgemeesters direct gekozen werden in Colombia, en donderdag had mijn vader op de finca in Rionegro een lunch met doctor Germán Zea Hernández, die uit Bogotá kwam om te proberen de liberale kandidaten tot overeenstemming te brengen en één man naar voren te schuiven. Bernardo Guerra, de partijvoorzitter, was tegen de kandidatuur van mijn vader, die de beste kaarten had, en hij wilde zelfs die donderdag niet naar de lunch op de finca komen, waar alle prekandidaten van de Liberale Partij aanwezig zouden zijn. Mijn moeder begon dinsdag al met de voorbereidingen voor de lunch. Een andere zus van me, Vicky, was bezig voor vrijdag een etentje bij haar thuis te organiseren, waar de voormannen van de liberale dissidenten zouden komen, onder wie haar vroegere vriend Álvaro Uribe Vélez, die parlementslid was. Ondanks zijn politieke naïviteit had mijn vader een scherpe intuïtie voor wie op dat terrein met zijn kop boven het maaiveld uitstak. In zijn laatste interview, dat postuum in november 1987 in *El Espectador* werd gepubliceerd, zei hij het volgende: 'Op dit moment gaat mijn voorkeur uit naar Ernesto Samper Pizano en Álvaro Uribe Vélez. Ze hebben goede voorstellen.' Beiden werden jaren later president van Colombia.

Op de ochtend van diezelfde dinsdag de 25ste werd de voorzitter van de bond van onderwijzers in Antioquia, Luis Felipe Vélez, vermoord voor de deur van het hoofdkwartier van zijn bond. Mijn vader was verontwaardigd. Vele jaren later, in een boek dat in 2001 werd gepubliceerd, zou Carlos Castaño, die ruim tien jaar de leider van de paramilitairen was, bekennen dat een groep in Medellín onder zijn aanvoering en met steun van de militaire inlichtingendienst een groot aantal mensen had vermoord, onder wie het parlementslid Pedro Luis Valencia (in het bijzijn van zijn kleine kinderen) en de voorzitter van de bond van onderwijzers, Luis Felipe Vélez. Allebei werden ze beschuldigd van ontvoeringen.

Die dinsdagmiddag, vertelt mijn moeder, reden ze samen van kantoor naar huis, en mijn vader wilde naar de nieuwsberichten luisteren over de aanslag op Luis Felipe Vélez, maar op alle radiozenders praatten ze alleen maar over voetbal. Mijn vader vond die overdaad aan sportuitzendingen de nieuwe opium van het volk, want die susten het in slaap, zodat de mensen geen enkele notie hadden van wat er werkelijk gebeurde, iets wat hij ook vaak met zoveel woorden geschreven had. Hij sloeg met zijn vuist op het stuur en zei woedend: 'De stad gaat naar de bliksem, maar hier praten ze alleen maar over voetbal.' Mijn moeder zegt dat hij die dag anders was, met een mengeling van woede en verdriet, op het wanhopige af.

Die ochtend van de 25ste augustus was mijn vader nog even op de medische faculteit geweest en daarna op zijn kantoor op de tweede verdieping van het pand waar het bedrijf van mijn moeder gevestigd was, in het centrum, in de Carrera Chile, naast het huis waar Alberto Aguirre in zijn jeugd had gewoond en waar zijn broer nog steeds woonde. Dat was de zetel van het Comité voor Mensenrechten van Antioquia. Ik denk dat op enig moment die ochtend mijn vader met de hand het sonnet van Borges overschreef, dat hij in zijn zak had toen ze hem vermoordden, samen met de lijst bedreigde personen. Het gedicht heet 'Epitaaf' en gaat als volgt:

Wij zijn reeds het vergeten dat ons wacht.
De oerstof die van ons geen kennis heeft,
die de rode Adam was en in ons leeft
en die wij worden buiten onze macht.

Wij zijn reeds de twee data op het graf
van het begin en van het eind. Het lijk,
het vuig bederf, de wade wit als krijt,
de triomfen van de dood, de jammerklacht.
Ik klamp mij heus niet onnadenkend vast
aan het magisch klinken van mijn naam.
Ik kijk al hoopvol uit naar een bestaan
dat niets weet van wat ik op aarde was.
Onder de hemel, onverschillig blauw,
is dit een troost die mij behoedt voor rouw.

's Middags ging hij terug naar kantoor, schreef zijn column voor de krant, voerde enkele besprekingen met zijn politieke-campagneteam en maakte een afspraak met het pr-team om tegen de avond in het gebouw van het partijbestuur bij elkaar te komen. Ze waren van plan die avond de stad 'onder te plakken' met affiches waarop de naam en de foto van de kandidaat prijkten. Voor hij naar het partijgebouw ging, kwam een vrouw, wier naam we niet kennen en die we nooit meer hebben teruggezien, met het voorstel om naar de bond van onderwijzers te gaan en de laatste eer aan de vermoorde leider te bewijzen. Dat vond mijn vader een goed idee en hij vroeg zelfs aan Carlos Gaviria en Leonardo Betancur om mee te gaan, en dat, toen hij daarnaartoe liep, was de laatste keer dat ik hem zag.

We kwamen elkaar tegen bij de deur van het kantoor. Ik kwam net aan met mijn moeder, in haar auto, en hij ging net de deur uit, samen met die gezette, tailleloze vrouw, gekleed in een paarse jurk, zoals de rouwbeelden in de week voor Pasen. Toen ik ze zag, zei ik schertsend tegen mijn moeder: 'Kijk eens, mama, papa bedriegt je met een andere vrouw.' Mijn vader liep naar de auto en we stapten uit. Stralend zoals altijd als hij me zag, plantte hij zijn luidruchtigste klapzoen op mijn wang en vroeg hoe het me was vergaan op de universiteit.

Ik was een paar maanden eerder uit Italië teruggekeerd. Ik was achtentwintig, ik had een vrouw, een dochtertje dat net leerde lopen en ik was werkloos. Om rond te komen was ik op het kantoor van mijn moeder gaan werken, brieven, akten en circulaires schrijven en de administratie van gebouwen doen, tot ik iets zou vinden dat meer bij mijn opleiding paste. Mijn vader had voor die middag een afspraak geregeld met een belangrijke professor in de humaniora, Víctor Álvarez, en ik had net een sollicitatiegesprek met hem achter de rug. Het was niet goed verlopen, want de professor had me geen enkele hoop kunnen geven op een van de nieuwe halve banen. Mijn titel werd niet erkend door de Universiteit van Antioquia en bovendien, zei hij, waren voor mijn vak, moderne literatuur, alle plaatsen al vergeven. Hij zou later nog eens kijken, misschien voor volgend jaar. Ik vertelde aan mijn vader hoe mijn sollicitatie was gegaan en zag de grote teleurstelling op zijn gezicht. Hij had een grenzeloos vertrouwen in mij, hij vond dat iedereen me met open armen moest ontvangen en alle deuren wagenwijd voor me moest openzetten. Na een seconde waarin er een schaduw over zijn gezicht gleed, een mengeling van droefheid en verbazing over de mislukking, klaarde zijn gezicht weer op en glimlachte hij vrolijk, alsof er op datzelfde moment een gelukkige gedachte door hem heen schoot, en terwijl hij me zoals altijd een afscheidszoen gaf, zei hij – en dat was de laatste zin in zijn leven die hij tegen me sprak (het was tien minuten voor ze hem doodschoten) –: ‘Maak je niet druk, lieve jongen, er komt nog wel een dag dat zíj je vragen.’

Op dat moment arriveerde Leonardo Betancur, zijn volgeling op wie hij het meest gesteld was, op de brommer. Mijn vader begroette hem uitbundig en nam hem mee naar boven, naar kantoor, om het laatste communiqué te tekenen van het Comité voor Mensenrechten (dat ze de avond tevoren hadden opgesteld en dat nu was uitgetypt), en hij nodigde hem uit even mee te gaan naar de wake voor de vermoorde onderwijzer, drie straten verderop, op het hoofdkwartier van de bond. Ze gingen te voet, onderweg pratend, en mijn moeder en ik gingen het kantoor binnen, ik om een vergadering van het Colseguros Gebouw voor te bereiden, die om zes uur gehouden zou worden, en zij voor haar eigen werkzaamheden. Het zal rond kwart over vijf geweest zijn.

40

Wat er daarna gebeurde heb ik niet gezien, maar kan ik reconstrueren aan de hand van wat een paar ooggetuigen me hebben verteld, of wat ik heb gelezen in dossier 319 van de Eerste Ambulante Rechter van Instructie betreffende het delict van moord/doodslag en het toebrengen van lichamelijk letsel, dat op 26 augustus 1987 werd geopend en een paar jaar later gesloten, zonder een verdachte of een arrestant, zonder enige opheldering, zonder enig resultaat. Dat onderzoek, dat ik nu twintig jaar later lees, lijkt meer op een oefening in verdonkeremanen en een medeplichtige poging tot bevordering van straffeloosheid dan een serieus onderzoek. Het volstaat te zeggen dat een maand na het openen van de zaak de vrouwelijke rechter met verlof werd gestuurd en dat functionarissen uit Bogotá van nabij het onderzoek kwamen volgen, dat wil zeggen voorkomen dat er een serieus onderzoek plaatsvond.

Mijn vader, Leonardo en de vrouw liepen door de Carrera Chile tot de Calle Argentina, waar ze links afsloegen en aan de noordkant verder liepen. Bij de hoek van El Palo staken ze over. Ze zetten hun weg voort naar de Carrera Girardot en op de volgende hoek klopten ze aan bij de Adida (Asociación de Institutores de Antioquia), de bond van onderwijzers. Er werd voor ze opengedaan en er vormde zich een klein groepje voor de deur, omdat ook andere onderwijzers op dat moment arriveerden om poolshoogte te nemen. Ruim twee uur tevoren was het lichaam van Luis Felipe Vélez naar een rouwkapel gebracht en was er een protestdemonstratie georganiseerd in het Coliseo. Mijn vader zocht bevreemd naar het gezicht van de vrouw die tot dan toe met hem was meegelopen, maar ze was er niet meer, ze was verdwenen.

Een van de ooggetuigen zei dat er een motor met twee jongens door de Calle Argentina kwam aanrijden, eerst langzaam en daarna keihard. Ze hadden hun haar kortgeknipt, zei iemand anders, gemillimeterd zoals typisch is voor militairen en sommige huurmoordenaars. Ze zetten de motor stationair draaiend voor het vakbondsgebouw aan de kant van de straat en liepen samen naar het kleine groepje voor de deur terwijl ze hun wapens uit hun broekband trokken.

Heeft mijn vader ze zien aankomen? Wist hij dat ze hem op dat moment gingen vermoorden? Bijna twintig jaar lang heb ik geprobeerd me in hem te verplaatsen, op dat moment. Ik stel me voor dat ik vijfenzestig ben, gekleed in een pak met das, en ik vraag aan de deur van een vakbondsgebouw waar de wake is voor de vakbondsleider die dezelfde ochtend is vermoord. Hij zal gevraagd hebben hoe het gebeurd is, die misdaad van een paar uur geleden, en ze hebben hem net verteld dat ze Luis Felipe Vélez daar, op precies dezelfde plek waar hij nu staat, vermoord hebben. Mijn vader kijkt naar de grond, naar zijn voeten, alsof hij zoekt naar bloedsporen van de vermoorde onderwijzer. Hij ziet geen sporen, maar hij hoort haastige voetstappen op hem toe komen en een hijgende adem die in zijn nek lijkt te blazen. Hij slaat zijn ogen op en ziet het boosaardige gezicht van de moordenaar, hij ziet de steekvlammen uit de loop van het pistool, hij hoort op hetzelfde moment de schoten en voelt een klap tegen zijn borst, die hem omverwerpt. Hij slaat achterover, zijn bril valt kapot, en terwijl hij op de grond ligt en voor het laatst denkt, aan iedereen die van hem houdt, dat weet ik zeker, met zijn ribbenkast brandend van de pijn, ziet hij nog net vaag de loop van de revolver die opnieuw vuur spuugt en hem afmaakt met meerdere schoten in het hoofd, in zijn keel, en opnieuw in zijn borst. Zes kogels, dat wil zeggen een heel magazijn van een van de twee huurmoordenaars. Intussen achtervolgt de andere moordenaar Leonardo Betancur tot binnen in het vakbondsgebouw, waar hij hem vermoordt. Mijn vader ziet zijn geliefde discipel niet sterven. In feite ziet hij niets meer, herinnert zich niets meer. Hij bloedt en kort daarna staat zijn hart stil en dooft zijn geest.

Hij is dood en ik weet het niet. Hij is dood en mijn moeder weet het niet, mijn zussen weten het niet, zijn vrienden weten het niet en hijzelf weet het niet. Ik ben net begonnen met de bestuursvergadering van het Colseguros Gebouw. De voorzitter van het bestuur, de advocaat en grafoloog Alberto Posada Ángel (die een paar jaar later ook met messteken vermoord zou worden), leest de notulen van de vorige vergadering voor en een laatkomer arriveert die, voor hij gaat zitten, vertelt dat er zojuist een paar straten verderop weer iemand vermoord is. Hij zegt iets over de schoten van de huurmoordenaars, hoe erg het is geworden in Medellín. Ik heb geen idee wie het is en ik vraag haast onverschillig wie de dode kan zijn. De man weet het niet. Op dat moment roepen ze me aan de telefoon. Het is vreemd dat ze me uit de vergadering halen, maar ze zeggen dat het dringend is, en ik ga. Het is een journalist, een oude bekende van me, die zegt: 'Blij dat ik je stem hoor, ze zeiden hier dat je vermoord was.' Ik zeg, nee, er is niets met me aan de hand, en hang op, maar dan denk ik na en weet ik wie de dode is, zonder dat ze het me verteld hebben. Als iemand zegt dat ze Héctor Abad vermoord hebben, dan is dat omdat ze iemand vermoord hebben die net zo heet als ik. Ik ga recht naar het kantoor van mijn moeder en zeg: 'Ik geloof dat het ergste is gebeurd.'

Mijn moeder zit aan de telefoon met een vriendin, Gloria Villegas de Molina. Ze hangt schielijk op en vraagt: 'Hebben ze Héctor vermoord?' Ik zeg dat ik denk van wel. We staan op, we willen naar de plaats waar volgens zeggen een dode ligt. We vragen het aan het bestuurslid en die geeft ons hoop: 'Nee, nee, de doctor ken ik, en die dode, dat was hij niet.' We gaan toch. Een boodschapper van het kantoor rent voor ons uit. We leggen te voet hetzelfde traject af als een paar minuten geleden mijn vader en Leonardo: de Carrera Chile, linksaf door de Calle Argentina, oversteken bij El Palo. Als we de Carrera Girardot naderen zien we vanuit de verte een menigte nieuwsgierigen bij de ingang van een gebouw, het hoofdkwartier van de vakbond. De boodschapper maakt zich los uit de groep en knikt van ja: 'Ja, het is de doctor, het is de doctor.' We beginnen te rennen en daar ligt hij, op zijn rug, in een plas bloed, onder een laken dat steeds donkerder en dikker rood kleurt. Ik weet dat ik zijn hand pak en hem op zijn wang kus en dat die wang nog warm is. Ik weet dat ik schreeuw en vloek en dat mijn moeder zich aan zijn voeten werpt en hem omhelst. Later, ik weet niet hoeveel later, zie ik mijn zus Clara aankomen met Alfonso, haar man. Daarna komt Carlos Gaviria, met een van verdriet vertrokken gezicht, en ik schreeuw tegen hem dat hij moet maken dat hij wegkomt, dat hij moet onderduiken, dat hij weg moet gaan want we willen niet nóg meer doden. Mijn zus, mijn zwager, mijn moeder en ik zitten rondom het lijk. Mijn moeder doet hem zijn trouwring af en ik haal zijn papieren uit zijn zak. Later zal ik zien welke het zijn: de dodenlijst, een fotokopie, en het gedicht van Borges, 'Epitaaf', dat hij met de hand heeft overgeschreven, het papier zit onder de bloedvlekken: 'Wij zijn reeds het vergeten dat ons wacht.'

Op dat moment kan ik niet huilen. Wat ik voel is een droog verdriet, zonder tranen. Een allesdoordringend maar perplex verdriet vol ongeloof. Nu ik dit schrijf kan ik wél huilen, maar op dat moment was ik verstard. Een haast serene verbazing tegenover de enormiteit van het kwaad, een woede zonder woede, een huilen zonder tranen, een pijn van binnen die niet schokkend is maar verlammend, een stille onrust. Ik probeer te denken, ik probeer te begrijpen. Tegenover de moordenaars, beloof ik mezelf, zal ik mijn hele leven mijn kalmte bewaren. Ik sta op het punt van instorten, maar ik laat me niet kleinkrijgen. Klootzakken! schreeuw ik. Dat is het enige wat ik schreeuw: Klootzakken! En nog steeds schreeuw ik elke dag van binnen hetzelfde tegen ze, wat ze zijn, wat ze waren, wat ze nog steeds zijn, als ze nog leven: Klootzakken!

Terwijl mijn moeder en ik naast het levenloze lichaam van mijn vader zitten, weten mijn zussen en onze vrienden het nog niet, maar ze zullen erachter komen. Ieder van ons, mijn vier zussen, mijn neefjes en nichtjes, weten nog haarscherp op welk moment we hoorden dat ze hem vermoord hadden. Op een middag in La Inés, terwijl we naar de aarde en het landschap keken die mijn vader ons had nagelaten, vertelden we om beurten wat we op dat moment aan het doen waren en wat er die middag met ons gebeurde.

Maryluz, de oudste, vertelde dat ze thuis in de huiskamer was. Ze kreeg een telefoontje van Néstor González, die net het nieuws op de radio gehoord had, maar hij kon het niet over zijn hart verkrijgen het haar te vertellen. Hij vroeg haar alleen, na een boel omwegen: 'En je vader? Hoe is het met hem?' 'Heel goed, nog steeds heel betrokken bij de dingen die hij doet, zijn campagne, de mensenrechten.' Néstor hing op, hij kon het niet over zijn lippen krijgen. Daarna belde een vriendin, Alicia Gil, en ook die kon haar het nieuws niet vertellen dat ze op de radio had gehoord. Op dat moment zag Maryluz een paar mannenschoenen de kamer in komen en een weekendtas. De Blonde Martínez. 'Wat een verrassing, waar hebben we dat aan te danken?' vroeg mijn zus. 'Mary, er is iets verschrikkelijks gebeurd.' En toen wist ze het. 'Hebben ze mijn vader vermoord?'

Allemaal raadden we het voordat we het wisten. 'Na een moment van aanvankelijke gekte', vertelde Maryluz, 'bedaarde ik en werd heel rustig, ik huilde niet en kalmeerde de anderen. Juan David (haar oudste zoon en het eerste kleinkind, van wie mijn vader het meest hield) gilde en sloeg tegen de muren, hij rende de straat op naar het huis van Aba (zo noemden de kleinkinderen hun opa). Mijn vriendinnen kwamen gillend naar me toe. Martis, die op Mary Mount-college zat, werd gebeld door een opgetogen klasgenootje: "Martis, joepie, morgen is er geen school, ze zeggen omdat er een belangrijk iemand vermoord is." Pila, mijn andere dochter, van zes, sloot zich op in haar kamer en deed voor niemand open: "Ik moet veel leren, ik heb een heleboel huiswerk, niet storen, alsjeblieft!" riep ze. Ricky was bij haar neven, bij de zonen van Clara.'

Maryluz vertelde ook dat er op dat moment oud zeer bij haar naar boven kwam. Ze zei tegen haar vriendinnen: 'Zeg tegen Iván Saldarriaga dat hij het maar uit zijn hoofd laat om hier te komen.' Saldarriaga was de eigenaar van een ijsfabriek, en hij en Maryluz hadden langgeleden woorden gehad over de dingen die mijn vader zei en schreef. Aan het eind van de discussie had ze tegen hem gezegd: 'Als ze mijn vader uiteindelijk vermoorden, waag het dan alsjeblieft niet om naar de begrafenis te komen.' Toen hij die avond kwam, in tranen, vergaf ze hem. Saldarriaga zette een advertentie in de krant en betaalde het eten voor iedereen die naar de begrafenis kwam.

Maryluz vertelt verder: 'Iedereen op de wake vroeg me waarom ik niet huilde. Ik huilde alleen toen Edilso kwam, die lieve opzichter van de finca in Rionegro, met een enorme bos rozen uit de rozentuin van mijn vader, die hij op de kist legde. Toen kón ik niet meer en huilde. Op de begrafenis niet. Ik keek naar mijn vrienden die zich verscholen achter de bomen van Campos de Paz, het kerkhof. Ik herinner me Fernán Ángel achter een boom, bang dat er geschoten zou worden, dat er een oproer of zo zou uitbreken. Het was een heel angstige begrafenis, met een heleboel mensen die bevelen schreeuwden en gewapende types die door het huis banjerden en over het kerkhof. Veel mensen dachten dat ze doodgeschoten zouden worden, dat er een oproer zou uitbreken en een vuurgevecht. Ik herinner me dat toen Carlos Gaviria sprak, de papieren in zijn hand trilden, maar hij sprak heel mooi. Ook Manuel Mejía Vallejo las een toespraak voor, met een megafoon, naast het graf.'

Ik heb de toespraken van Mejía Vallejo en Carlos Gaviria nog. De schrijver uit Antioquia, die in hetzelfde dorp, Jericó, geboren was als mijn vader, sprak over de dreiging van het vergeten die ons boven het hoofd hangt: 'We leven in een land dat zijn beste kanten vergeet, zijn beste krachten, zijn beste drijfveren, en het leven gaat door in zijn onverbiddelijke monotonie, met voorbijzien van hen die ons een reden van bestaan bieden en een reden om voort te leven. Ik weet dat ze jouw afwezigheid zullen betreuren, en in de ogen van hen die je gezien en gekend hebben, zullen waarachtige tranen blinken. Daarna komt het grote uitwissen, want we zijn een land waar het vergeten van dat wat we het meest liefhebben welig tiert. Men is bezig het leven hier te veranderen in een spookbeeld van de ergste soort. En dat vergeten zal komen, en het zal zijn als een monster dat alles verslindt, en ook aan jouw naam zullen ze geen gedachtenis meer hebben. Ik weet dat jouw dood vergeefs zal zijn en dat je heldendom zich zal voegen bij alle afwezigheid.'

Carlos concentreerde zich meer op de figuur van de humanist versus een land dat verloedert: 'Wat heeft Héctor Abad gedaan om dit lot te verdienen? Het antwoord op die vraag moeten we geven, bij wijze van contrapunt, door wat hij belichaamde te stellen tegenover de waarden die heden onder ons gelden. Getrouw aan zijn beroep vocht hij voor het leven, en de huurmoordenaars hebben deze slag van hem gewonnen. In overeenstemming met zijn roeping en zijn levensstijl (van academicus) streed hij tegen de onwetendheid die hij, op socratische wijze, opvatte als de oorzaak van al het kwaad dat de wereld verstikt. De moordenaars slingerden hem derhalve de barbaarse kreet van Millán-Astray in het gezicht, die ooit Salamanca deed sidderen: "Leve de dood, weg met de intelligentie!" Als rechtschapen man van beschaving deed zijn geweten hem besluiten de strijd voor het rijk der rechtvaardigheid tot een prioriteit te maken, terwijl de dienaren van de staat die met deze opdracht belast zijn meer vertrouwen op het bacchanaal der mitrailleurs.'

Maryluz herinnert zich ook dat ze de avond van de 25ste, kort nadat ze gehoord had wat er gebeurd was, naar het kantoor van mijn vader ging (ze wilde niet naar de plaats van de moord). Daar ontmoetten we elkaar, al zijn kinderen, behalve Sol, die zich in haar kamer had verschanst en pas heel laat weer naar buiten wilde komen. Ze herinnert zich nóg een detail: 'Die ochtend, toen we van La Inés terugkwamen, via Santa Bárbara, toen zei jij, krullenbol, tegen mij: "Marta is dan wel dood, maar wij hebben veel geluk gehad in het leven – deze prachtige finca, en het gaat ons allemaal zo goed." En ik antwoordde, ja natuurlijk, want het leven beloont het goede. Als wij niemand kwaad doen, als wij goede mensen zijn, waarom zou het ons dan niet goed gaan? zei ik tegen je. Het eerste wat je die avond, toen we elkaar op het kantoor van vader zagen, woedend tegen me schreeuwde, was: "Ja, natuurlijk, wij doen niemand kwaad en dus gaat het altijd goed met ons, nietwaar? Kijk eens wat er met vader is gebeurd, omdat hij altijd goed was voor iedereen." Je was kwaad op de hele wereld. Daarna kwam de schoonzus van Alberto Aguirre, Sonia Martínez, die in het huis ernaast woonde en die Marta gitaarles had gegeven, en je schreeuwde tegen haar: "Zeg tegen Aguirre dat hij onmiddellijk uit Colombia weg moet, hij is de volgende die aan de beurt is en we willen niet nog meer doden!"'

Clara, mijn op een na oudste zus, herinnert zich dat ze een ontmoeting had met haar man, Alfonso Arias, en Carlos López bij het persagentschap Ultra Publicidad. Van daar gingen ze nog vóór zessen naar ons kantoor. Carlos López hoorde het nieuws al na een paar minuten en dacht: ik hoop maar niet dat ze de radio aanzetten. Clara en Alfonso zetten de radio niet aan. Ze kwamen bij het kantoor en Clara vertelt.

'Meteen toen ik aankwam zag ik dat er een hoop mensen buiten stonden. Eerst vond ik dat raar, maar vervolgens bedacht ik dat het misschien normaal was, want de mensen kwamen van hun werk. Toen ik stopte zag ik dat iedereen me vreemd aankeek. De mensen gedroegen zich anders dan anders. Ligia, die in het pand van het kantoor woonde, kwam langzaam naar de auto. Ik durfde niet uit te stappen, ik beefde, ik dacht dat er iets verschrikkelijks gebeurd was, zoals ze naar me keken. Ligia kwam naar het raampje. "Ik heb slecht nieuws voor u. Ze hebben uw vader vermoord." Ik vroeg of ze me naar hem toe wilden brengen en niemand wilde. Darío Muñoz, de boodschapper, zei: "Ik breng u wel." Ik ging te voet, samen met hem en Alfonso. Op dat moment voelde ik een warme straal langs mijn benen lopen. Ik bloedde hevig, van onderen, net zoals toen papa en mama met Marta, die ziek was, op het vliegtuig naar Medellín stapten. Het was een afgrijselijke bloeding. Ik plensde. Ik liep en rende wanhopig, als een gek, die paar huizenblokken vanaf het kantoor. Toen ik dichterbij kwam zag ik het tumult, de menigte. "Is het daar?" vroeg ik aan de boodschapper. "Ja, daar is het." Toen ik aankwam waren mama en Quiquín* er. Ik kon het niet geloven, ik kon het niet geloven.

Ik zag Vicky in een hoekje staan, ze kwam niet dichterbij. Ik riep haar: "Vicky, kom, kom!" Waarom komt Vicky niet naar ons toe? Ze bleef de hele tijd maar in een hoekje drentelen en kwam niet dichterbij, ze kon het niet. Ze wilden het lichaam meenemen, maar wij wilden dat al zijn dochters hem eerst zagen. We zeiden, ik weet niet waarom: "We staan niet toe dat ze hem van hier meenemen voordat Maryluz en Solbia er zijn. Desnoods gaan we boven op hem zitten. Zij moeten zien wat ze hem hebben aangedaan." De rechter kwam en zei tegen ons dat ze hem mee moesten nemen, dat er anders een tumult zou ontstaan. Alfonso overtuigde ons, en uiteindelijk stonden we toe dat ze hem meenamen. Ze tilden hem met een paar man op, aan zijn handen en voeten, en gooiden hem plompverloren in de achterbak van een pick-up, ze smeten hem er ruw in, of het een zak aardappelen was, zonder enige eerbied, en dat deed pijn, alsof ze zijn botten braken, ook al voelde hij het niet meer.'

Alfonso Arias, destijds de echtgenoot van Clara, herinnert zich

---

* Koosnaam voor iemand die Joaquín heet (de schrijver heet voluit Héctor Joaquín). Een variant is *Quinquin*.

dat hij, toen hij met mijn zus ter plekke kwam, duizelig werd en dacht dat hij ging flauwvallen. 'We zaten op onze hurken naast je vader, en toen ik opstond, draaide alles om me heen en ging ik bijna tegen de vlakte, maar niemand had het in de gaten. Pas na zijn dood kwam ik erachter hoeveel erkenning je vader genoot en hoe belangrijk hij was voor de samenleving, voor het land, en voor een heleboel mensen. In de omgang beschouwde je hem als iemand van de familie, een geweldige vader en grootvader, maar we zagen bij lange na de waarde niet in van wat hij was en vertegenwoordigde en de enorme impact die zijn dood had voor al de mensen die hij hielp, zonder dat iemand van ons het wist. In de weekenden las hij altijd de kladversie aan ons voor van de artikelen die hij voor de krant van de week erna schreef. We lazen ze en bediscussieerden ze en gaven onze mening. Voor ons was het iets heel gewoons en we zagen de waarde van die artikelen niet helemaal in. Ik waardeerde hem als individu en als mens, maar als publieke persoonlijkheid, en wat betreft de maatschappelijke invloed die hij had, ben ik hem na zijn dood veel meer gaan waarderen.

Ik heb jarenlang voor de rozen van je vader gezorgd in Rionegro, ik deed het graag, met liefde zelfs. Ik vond het leuk omdat het een soort eerbetoon aan hem was. Het beeld van je vader die in zijn spijkerbroek op zijn knieën zit met zijn strohoed op, onder het zand, dat is het mooiste beeld dat ik van hem bewaar. Die rozentuin was een symbool voor veel dingen, en zo beschouwde je vader het ook, het was niet alleen een hobby, hij drukte er iets mee uit, al die inspanning en al dat werk dat hij besteedde aan het creëren van schoonheid. Iets wat nergens toe diende en alleen maar mooi was. Je vader drukte iets uit met al die inspanning en al dat werk dat hij ermee verrichtte. Daar zat een verborgen boodschap in. Die boodschap wilde ik oppikken. Ik kom er nog steeds weleens langs, soms zie ik hem vanuit het vliegtuig, door het raampje, want bij het landen scheren ze precies over een kant van de rozentuin, en dan zie ik die kleurvlekjes voorbijschieten en die kleurvlekjes is het laatste wat ik van die tuin gezien heb.'

Vicky, de op twee na oudste, vertelt dat ze in het winkelcentrum Villanueva was, met haar eigen en met Clara's kinderen, die ze op speeltoestellen hielp. Even voor zessen ging ze met de kinderen naar de flat van Clara in Suramericana. Bij aankomst zei Irma, de hulp in de huishouding: 'Doña Vicky, u moet naar het kantoor, er is iets heel verschrikkelijks gebeurd.' Ook Vicky wist het zonder dat ze het haar vertelden: 'Wat is er aan de hand? Hebben ze mijn vader vermoord?' 'Ik liet de kinderen achter, die onbedaarlijk huilden, want ze hadden het gehoord, en ik ging naar het kantoor. Ik kwam aan en ze zeiden: "Vlug, ze hebben uw vader vermoord." Ze huilden, gek van verdriet. Ze vertelden me waar hij was, daarginds. En ik rende erheen. Daar trof ik een hoop mensen aan, Clara gek van verdriet. Veel nieuwsgierigen, en ik zag mijn vader op de grond liggen met een laken over zich heen. Ik kon niet naar hem toe, ik was zo verpletterd dat ik niet van dichtbij wilde zien dat hij dood was. Ik herinner me nog heel goed dat later Pilar Castaño het nieuws begon met: "Vandaag kunnen we geen goedenavond zeggen, want er hebben in ons land te veel tragedies plaatsgevonden."' Vicky herinnert zich ook dat Álvaro Uribe Vélez, haar ex-vriend, die destijds parlementslid was, zich goed gedroeg. Ze hoorde dat hij de vergadering van de Senaat had laten schorsen voor een minuut stilte, waarna hij een motie van afkeuring en condoleance indiende voor mijn vader. Eva, die zich in de hoogste kringen van Medellín bewoog, ontving van ons allemaal de meeste aanwijzingen over magnaten die zich op de een of andere manier goedkeurend over de moord op mijn vader hadden uitgelaten. Ze zeiden dat het bananenplanters uit Urabá waren, boeren van de Atlantische kust, grootgrondbezitters van Magdalena Medio die onder één hoedje speelden met officieren van het leger. Niets van wat ze haar vertelden kon ze hard maken, en ik kan het niet opschrijven, want we weten niet zeker of het waar is, en we kunnen het ook niet natrekken.

Sol werkte als arts-assistent en kwam om ongeveer zes uur thuis. Ze trof Emma, onze geliefde huishoudster die al ons hele leven bij ons is, in tranen aan, en zij vertelde dat ze op de radio had gehoord dat Leonardo Betancur was vermoord. 'En naar het schijnt ook je vader', had Emma gezegd. Solbia wilde haar niet geloven en sloot zich in haar kamer op, woedend over de onzin die Emma uitkraamde. De telefoon ging en mensen zeiden schaterlachend: 'Heel goed, prima dat ze die klootzak hebben vermoord.' Sol pakte een schaar en knipte het snoer van de telefoon door. Een poosje later keek ze uit het raam en zag de rode auto van mijn vader aankomen, en ze dacht: wat is die Emma toch een dommerik, tegen mij zeggen dat ze mijn vader vermoord hebben, en daar komt hij aan. Maar toen ze zag dat er een chauffeur achter het stuur zat, geloofde ze haar wel en barstte in snikken uit.

Diezelfde avond nog belde ik met de bedrijfsleider van de PTT, Darío Valencia, die ons meteen een ander telefoonnummer gaf, zodat ze niet meer bleven bellen en vrolijk lachen om de moord. We repareerden het snoer dat Sol had doorgeknipt, maar de telefoon bleef toch nog wekenlang zwijgen, want nu wist weliswaar niemand die ons wilde pesten ons nummer nog, maar ook degenen niet die wilden bellen om ons te condoleren of steun te betuigen.

Toen ze zijn lichaam hadden meegenomen en mijn zussen en ik samen op zijn kantoor zaten, op de tweede verdieping van het bedrijf van mijn moeder, zagen we op zijn bureau een dichtgeplakte envelop liggen, gericht aan Marta Botero de Leyva, de adjunct-hoofdredacteur van *El Mundo*. Mijn moeder belde haar en in tranen kwam ze de envelop ophalen. Ze maakte hem open: het was zijn laatste artikel: 'Waar komt het geweld vandaan?' luidde de titel, en de krant drukte het de volgende dag als hoofdartikel af. Daarin had hij diezelfde middag nog geschreven: 'In Medellín is zo veel armoede dat je voor tweeduizend peso's een huurmoordenaar in de arm kunt nemen om een willekeurig iemand te vermoorden. We leven in een gewelddadige tijd, en dat geweld komt voort uit een gevoel van ongelijkheid. Er zou veel minder geweld kunnen zijn als we alle rijkdommen, inclusief wetenschap, techniek en moraal – die grootse scheppingen van de mensheid – beter over de aarde verdeelden. Dat is de grote uitdaging waar we heden voor staan, niet alleen wij, maar de hele mensheid. Als bijvoorbeeld de grote mogendheden toestonden dat een verenigd Latijns-Amerika zijn eigen weg koos, zouden we veel beter af zijn. Dat is een verre droom, maar dromen is een geweldloze activiteit die voorafgaat aan elke grootse prestatie. Een prestatie die kan zorgen voor een mensheid met een gezonde geest, waar onze nakomelingen ooit, over tienduizend jaar, getuigen van zullen zijn – als we niet nu of over enige tijd onze eigen ondergang bewerkstelligen.'

Ik schrijf dit op La Inés, de finca die mijn vader ons heeft nagelaten, die mijn grootvader hem heeft nagelaten, die mijn overgrootmoeder aan mijn grootvader had nagelaten en die mijn betovergrootvader begon toen hij met zijn blote handen de bergen ontgon. Ik haal deze herinneringen uit me zoals je een kind baart, zoals je een tumor verwijdert. Ik kijk niet naar het scherm, ik haal adem en kijk naar buiten. Het is een bevoorrecht plekje aarde. Beneden zie je de rivier de Cartama, die zich een weg baant door het groen. Boven, aan de andere kant, de pieken van La Oculta en van Jericó. Het landschap is bezaaid met de bomen die mijn vader en grootvader hebben geplant: palmen, ceders, sinaasappels, teakbomen, mandarijnen, papaja's, mango's. Ik kijk in de verte en voel me deel van deze aarde en dit landschap. Vogels zingen, er zijn zwermen groene lori's en blauwe vlinders, paardenhoeven schrapen in de boxen, er is de geur van koeienmest in de stal, honden die af en toe blaffen, cicades die zich verlustigen in de warmte, mieren die in rijen defileren, elk met een piepklein roze bloempje op de rug. Recht vooruit verheffen zich de indrukwekkende steile pieken van La Pintada, die mijn vader me leerde zien als de borsten van een naakte vrouw die op haar rug ligt.

Er zijn bijna twintig jaar verstreken sinds ze hem vermoord hebben en ik heb in die twintig jaar elke maand, elke week het gevoel gehad dat ik de dure plicht had om zijn dood zo niet te wreken, dan toch op zijn minst te vertellen. Ik kan niet zeggen dat zijn geest elke nacht voor me is verschenen, zoals de geest van Hamlets vader, om me te vragen 'zijn snode en hoogst onmenselijke moord' te wreken. Mijn vader leerde ons altijd wraak uit de weg te gaan. De weinige keren dat ik van hem gedroomd heb, met die spookbeelden van de herinnering en de fantasie die in ons opkomen als we slapen, waren onze gesprekken altijd eerder vredig dan beklemmend, en in elk geval vol van die lichamelijke genegenheid die we altijd voor elkaar koesterden. Wij hebben niet van elkaar gedroomd om wraak te eisen, maar om elkaar te omhelzen.

Wel heeft hij me misschien in mijn dromen gezegd, net als de geest van koning Hamlet: 'Gedenk mij', en ik, als zoon, kan hem antwoorden: 'U gedenken? Ach, arme geest, zeker, zolang de heugenis bestaat op deze aardbol, die niet langer dezelfde is. U gedenken? Zeker, van de tafels van mijn geest zal ik elke futiele en triviale herinnering wissen, alle leringen uit boeken, alle indrukken, alle beelden die de ervaring en de jeugd daarin hebben gegrift, en alleen uw wens zal voortbestaan in het boekwerk van mijn geest, dat van as is ontdaan.'

Mogelijk dient dit alles tot niets. Geen enkel woord kan hem weer tot leven wekken, het verhaal van zijn leven en dood zal zijn beenderen geen nieuw leven inblazen, zijn schaterlach niet herstellen, noch zijn immense moed, zijn overtuigende, nadrukkelijke manier van spreken, maar hoe dan ook moet ik het vertellen. Zijn moordenaars lopen nog vrij rond, met de dag worden ze machtiger, en met mijn handen kan ik ze niet aan. Alleen mijn vingers, die de ene toets na de andere indrukken, kunnen de waarheid vertellen en kond doen van de onrechtvaardigheid. Ik gebruik hetzelfde wapen als hij: woorden. Waarvoor? Nergens voor, of voor het meest simpele en essentiële: opdat de wereld het weet. Om zijn nagedachtenis nog even te rekken, tot het definitieve vergeten begint.

Toen Barcelona op het punt stond te vallen en de nederlaag van de Spaanse burgeroorlog al op handen was, schreef de goede Antonio Machado het volgende: 'Men vergeet dat moed de deugd is van de weerlozen, van de vreedzamen – nimmer van de moordenaars – en dat in laatste instantie oorlogen altijd gewonnen worden door de vreedzamen, nimmer door de oorlogshitsers. Alleen hij is moedig die zich de luxe kan veroorloven van het instinct dat naastenliefde heet en dat specifiek menselijk is.' Daarom heb ik me niet beperkt tot de wreedheid van degenen die hem vermoordden – de vermeende winnaars van deze oorlog – maar heb ik ook een leven willen tekenen dat gewijd was aan het helpen en beschermen van anderen.

Als herinneren weer in het innerlijk terugroepen betekent, dan heb ik me hem altijd herinnerd. Ik heb al die jaren niet geschreven, om een simpele reden: de herinnering aan hem greep me te zeer aan om erover te kunnen schrijven. De talloze keren dat ik het heb geprobeerd, waren mijn woorden klef, druipend van een bedroevende klagerigheid, en ik heb altijd de voorkeur gegeven aan meer nuchtere, meer ingehouden en meer afstandelijke taal. Nu zijn er twee decennia verstreken en ben ik in staat mijn sereniteit te bewaren terwijl ik dit memoriaal van grieven schrijf, om het zo maar eens te noemen. De wond is er, daar waar de herinneringen langs strijken als ze bovenkomen, maar het is eerder een litteken dan een wond. Ik geloof dat ik eindelijk in staat ben geweest op te schrijven wat ik weet van mijn vader zonder een overdaad aan sentimentaliteit, die altijd op de loer ligt bij dit soort geschriften. Zijn geval is niet uniek en misschien ook niet het meest trieste. Er zijn duizenden en nog eens duizenden vaders vermoord in dit land, waar de dood zo welig tiert.

Maar hij is een bijzonder geval, dat lijdt geen twijfel, en voor mij het meest trieste. Bovendien verenigt hij in zich talloze doden die we hier hebben moeten verduren.

Triest drink ik een kopje zwarte koffie en zet het *Requiem* van Brahms op, dat zich voegt bij het koor van de zangvogels en de loeiende koeien. Ik zoek een brief die mijn vader me van hieruit in januari 1984 schreef, in antwoord op een brief van mij waarin ik hem vertelde dat het niet goed met me ging in Italië, dat ik depressief was, dat ik alweer van studie wilde veranderen en naar huis terugkeren. Ik denk dat ik door liet schemeren dat het leven zelf me te veel werd. Zijn antwoord staat in een brief die nooit nalaat me vertrouwen en kracht te gegeven. Het is een beetje schaamteloos dat ik hem hier overschrijf, want hij hemelt me op in die brief, maar op dit moment wil ik hem herlezen, omdat hij de belangeloze liefde van een vader voor zijn zoon uitdrukt, die onverdiende liefde die, wanneer we het geluk hebben haar te mogen ontvangen, ons helpt de ergste dingen in het leven, ja, het leven zelf, te doorstaan.

'Mijn allerliefste zoon, Dat van die depressies op jouw leeftijd is in feite normaler dan het lijkt. Ik herinner me dat ik een keer een zware depressie had in Minneapolis, Minnesota, toen ik pakweg zesentwintig was en op het punt stond me van het leven te beroven. Ik denk dat de winter, de kou, het gebrek aan zon, voor ons mensen uit de tropen een katalysator is. En om je de waarheid te zeggen, het feit dat jij gauw hier je koffers komt uitpakken en heel Europa naar z'n mallemoer wenst, daar maak je je moeder en mij dolgelukkig mee. Jij hebt al ruimschoots het equivalent van een universitaire "titel" verdiend, en je hebt je tijd zo goed besteed aan je culturele en persoonlijke vorming dat het niet meer dan normaal is dat je je aan de universiteit verveelt. Wat je ook gaat doen, of je schrijft of niet, of je afstudeert of niet, of je in de zaak van je moeder gaat werken of bij *El Mundo* of op La Inés, of je gaat lesgeven op een middelbare school, of lezingen gaat geven zoals Estanislao Zuleta, of als psychoanalyticus van je ouders, je zussen en andere familieleden, of dat je gewoon Héctor Abad Faciolince bent, het is allemaal goed. Belangrijk is dat je jezelf blijft, een *mens*, die gewoon door te zijn zoals hij is, niet omdat hij al of niet schrijft, of omdat hij al of niet uitblinkt of bekend is, maar *omdat hij is wie hij is*, de genegenheid, het respect, het aanzien, het vertrouwen, de *liefde* heeft gewonnen van de overgrote meerderheid van de mensen die je kennen. Zo willen we je blijven zien, niet als toekomstig groot schrijver of journalist of redenaar of professor of dichter, maar als de zoon, de broer, het familielid, de vriend, de humanist die anderen begrijpt en die niet haakt naar het begrip van anderen. Wat maakt het uit wat anderen van je denken, wat geeft het klatergoud, voor ons die weten *wie jij bent*.

Ach, god, mijn lieve Quinquin, hoe kun je denken dat "wij je onderhouden" ... met het idee van "die jongen kan het nog ver schoppen". Maar je hébt het al heel ver geschopt, veel verder dan we hadden kunnen dromen, verder dan we ooit bij een van onze kinderen voor mogelijk hadden gehouden!

Jij weet heel goed dat je moeder en ik niet naar roem of geld talen, niet eens naar geluk, een woord dat zo mooi klinkt maar dat een toestand beschrijft die zo zelden bereikt wordt en dan nog maar heel kort (en misschien waarderen we hem daarom wel zo), voor *geen* van onze kinderen, maar dat het op z'n minst *goed met ze gaat*, een conditie die veel solider, duurzamer en haalbaarder is. Wij hebben het vaak gehad over de zielsbeklemming van Carlos Castro Saavedra, van Manuel Mejía Vallejo, van Rodrigo Arenas Betancourt en van zo veel andere halve genieën die we persoonlijk kennen. Of van Sábato of van Rulfo of van García Márquez zelf. Wat zou het. Bedenk wat Goethe zei: "Grijs, mijn vriend, is alle theorie (*en alle kunst*, zou ik eraan toe willen voegen) en groen de gouden levensboom." Wat wij willen is dat jij *leeft*. En leven betekent heel wat beters dan beroemd zijn, titels behalen of prijzen winnen. Ik geloof dat ik ook buitensporige politieke ambities had toen ik jong was, en daarom was ik niet gelukkig. Alleen nu, nu dat alles voorbij is, voel ik me gelukkig. En aan dat geluk hebben Cecilia, jij en al mijn kinderen en kleinkinderen deel. Het enige waardoor het verbleekt wordt, is de herinnering aan Marta Cecilia. Zo simpel liggen de zaken, geloof ik, na alle omwegen en complicaties. Je moet die hang naar zulke vluchtige zaken als roem, eer, succes de nek omdraaien ...

Goed, mijn Quinquin, je weet nu hoe ik over jou en je toekomst denk. Je hoeft je nergens zorgen over te maken. Je doet het goed en je zult het nog beter doen. Elk jaar beter, en als je mijn leeftijd bereikt of de leeftijd van je grootvader en je kunt genieten van het uitzicht over La Inés, dat ik aan jullie wil nalaten, met de zon die schijnt, met de warmte, met al het groen, dan zul je zien dat ik gelijk had. Hou het niet langer uit dan je denkt te kunnen. Als je wilt terugkomen, zullen wij je met open armen ontvangen. En als je spijt krijgt en weer weg wilt, dan zal het ons ook niet aan de middelen ontbreken om een ticket voor je te betalen, heen en *terug*. Maar vergeet niet dat het laatste het belangrijkste is. Een kus van je vader.'

Hier ben ik dan, terug, en ik schrijf over hem waar hij aan mij schreef, in de zekerheid dat hij gelijk had en dat het leven alleen (het groene, het warme, het gouden) het geluk is. Hier ben ik dan, op het land van La Inés, dat hij aan mijn zussen en mij heeft nagelaten. De armzalige moordenaars die hem van het leven, en ons vele jaren lang van het geluk en zelfs van het verstand, hebben beroofd, zullen niet van ons winnen, want de liefde voor het leven en de blijdschap (die we van hem meekregen) zijn veel sterker dan hun hang naar de dood. Maar hun verachtelijke daad heeft niettemin een onuitwisbaar litteken achtergelaten, want, zoals een Colombiaanse dichter zei: 'Wat met bloed geschreven staat, kan niet worden uitgewist.'

In een andere brief die hij me schreef, ook uit La Inés, in 1986, zei hij: 'Ik plant, behalve pompelmoezen, nog meer fruitbomen waarvan ik hoop dat niet alleen jullie en Daniela zullen kunnen genieten, maar ook de kinderen van Daniela.' Daniela, mijn dochter, was dat jaar geboren, en mijn vader kon haar nog net, een paar weken voor hij vermoord werd, helpen met leren lopen en haar opvangen toen ze haar eerste pasjes tussen ons in zette. Er is een familieketen die niet verbroken is. De moordenaars zijn er niet in geslaagd ons uit te roeien, en dat zal ze ook niet lukken, want hier hebben we een onvervreemdbaar erfgoed van kracht en vreugde, en van liefde voor het land en het leven, dat de moordenaars niet klein hebben kunnen krijgen. Bovendien heb ik van mijn vader iets geleerd wat die moordenaars niet kunnen: de waarheid verwoorden, opdat die langer duurt dan hun leugen.

41

Eind november 1987, drie maanden nadat ze mijn vader hadden vermoord, kwam ik met mijn moeder van een bijeenkomst in de departementsassemblee van Antioquia, toen ze heel duidelijk het gevoel kreeg dat ze me gingen vermoorden en me met haar lichaam beschermde. Twee types met een heuptas liepen snel op ons toe. Zij ging voor me staan, doodstil, en keek ze recht in de ogen. De types liepen een andere kant op. Ik weet niet of ze iets van plan waren geweest, maar ons allebei stolde het bloed in de aderen. Die avond waren we bijeengekomen om het Comité voor Mensenrechten van Antioquia opnieuw op te richten. Vier mensen namen het woord. De eerste was de nieuwe voorzitter, de advocaat en theoloog Luis Fernando Vélez, hoogleraar en actief in de Conservatieve Partij. Hij was een rechtschapen man, die antropologische boeken had geschreven over de mythen van de *katíos*, een indianenstam. Hij begreep niet en duldde niet dat ze zijn collega van het Genootschap van Hoogleraren, Héctor Abad Gómez, vermoord hadden, en hij wilde zijn vaandel overnemen. Ik heb de toespraak van professor Vélez nog, waar de volgende passage in voorkomt: 'De vaandeldragers van de waardige onderneming der mensenrechten in Antioquia is het martelaarschap te beurt gevallen. Vandaag dragen wij, de overlevenden van die eerste etappe, als een vlammend eerbetoon aan de gevallenen, de door zijn bloed gezuiverde vlag voort.'

Ook Carlos Gónima, lid van het oude comité, sprak, alsmede Gabriel Jaime Santamaría, afgevaardigde van de Communistische Partij. Ik voerde namens de familie het woord, en mijn toespraak was in feite de aanvaarding van een nederlaag. Ik zei onder andere: 'Ik geloof niet dat moed een eigenschap is die genetisch wordt doorgegeven, erger nog, ik denk dat die niet eens door het goede voorbeeld geleerd kan worden. Evenmin geloof ik dat optimisme erfelijk is of te leren. Het bewijs hiervoor is dat degene die tot u spreekt, de zoon van een moedig en optimistisch man, bevangen is van angst en overloopt van pessimisme. Wat ik ga zeggen zal dus geen enkele stimulans zijn voor degenen die deze strijd willen voortzetten, die voor mij verloren is.

U bent hier omdat u over de moed beschikt die mijn vader had en omdat u niet lijdt aan de wanhoop of de ontreddering van zijn zoon. In u herken ik iets waar ik van hield en waar ik van hou in mijn vader, iets wat ik diep bewonder, maar wat ik in mijzelf niet kan reproduceren en nog veel minder imiteren. U hebt het gelijk aan uw kant en daarom wens ik u alle succes toe, al kan die wens geen voorspelling zijn, hoe graag ik het ook zou willen. Ik ben hier alleen omdat ik deelgenoot ben geweest van een goed leven en omdat ik wil getuigen van mijn verdriet en mijn woede over de manier waarop ze ons dit leven hebben ontrukt. Een verdriet waarvoor geen leniging is en een woede waarvoor geen hoop is. Een verdriet dat geen troost vraagt of zoekt en een woede die niet naar wraak zucht.

Ik denk niet dat mijn verslagen woorden enige positieve uitwerking kunnen hebben. Ik spreek tot u met een verlamming die de weerslag is van het pessimisme van de rede en het pessimisme van de daad. Dit is de aanvaarding van een nederlaag. Het zou overbodig zijn te zeggen dat wij in onze familie het gevoel hebben dat we deze slag verloren hebben, zoals de retorica in dit soort gevallen wil. Wat heet. Wij hebben het gevoel dat we de oorlog verloren hebben.

Het is noodzakelijk om een gemeenplaats uit te bannen over onze huidige situatie van politiek geweld. Die gemeenplaats heeft de overtuigingskracht van een axioma. Weinigen twijfelen eraan, allemaal accepteren we hem passief, gedachteloos, zonder ook maar de argumenten die ervoor pleiten ter discussie te stellen of op de gaten in de redenering te wijzen. Die gemeenplaats luidt dat het huidige politiek geweld waaronder Colombia gebukt gaat blind is en redeloos. Is het geweld dat we meemaken amorf, ongericht, dwaas? Geheel integendeel. Het huidige instrument van moord is methodisch, georganiseerd, rationeel. Meer nog, als we een ideologisch portret maken van de gevallen slachtoffers, kunnen we heel precies het gelaat uittekenen van de toekomstige slachtoffers. En ons misschien verbazen dat we ons eigen gezicht zien.'

Ik moet erop wijzen dat iedereen die op die avond sprak (Vélez, Santamaría, Gónima) vermoord is, behalve ik. En ik moet erop wijzen dat ook de nieuwe voorzitter van het Comité, die Luis Fernando Vélez opvolgde, Jesús María Valle, vermoord is (en dat de leider van de paramilitairen, Carlos Castaño, heeft bekend dat hij ook voor die moord persoonlijk opdracht heeft gegeven). Toen op 18 december 1987 het lijk van Luis Fernando Vélez in de wijk Robledo gevonden werd, wist ik dat ik het land uit moest als ik niet een soortgelijk lot wilde ondergaan. Twee van de beste vrienden van mijn vader leefden in ballingschap. Carlos Gaviria in Buenos Aires en Alberto Aguirre in Madrid. Een andere vriend die in een wat minder ellendige tijd de wijk had genomen, Iván Restrepo, woonde in Mexico. Ik belde ze vanuit Cartagena en degene die me het meest aanspoorde om naar hem toe te komen was Aguirre. Daarom vloog ik via Panama naar Madrid, waar ik op Eerste Kerstdag 1987 aankwam. Op de 18de was ik uit Medellín vertrokken, zonder zelfs maar naar huis te gaan om mijn koffers te pakken, en was ondergedoken bij mijn oom en tante in Cartagena. Ik herinner me nog dat een vriend van hen, die bij de marine zat, me naar het vliegveld begeleidde, met zijn pistool goed zichtbaar op zijn heup, tot ik in het vliegtuig was gestapt dat me naar Panama bracht, vanwaar ik de volgende dag naar Madrid zou reizen. In de vroege ochtend van de 25ste stond Alberto Aguirre me op het vliegveld op te wachten. Zijn haar was lang en ongekamd, zijn overhemd kapot, en hij had een roze damessjaaltje om zijn hals geknoopt. Carlos

Gaviria zat in vergelijkbare omstandigheden in Buenos Aires. Ik belandde uiteindelijk in Italië, eerst in Turijn en later in Verona, waar ik Spaanse les gaf en boeken begon te schrijven. Het eerste daarvan, *Malos pensamientos* ('Slechte gedachten'), werd jaren later door de uitgeverij van de Universiteit van Antioquia gepubliceerd, met hulp van Carlos Gaviria, na zijn terugkeer uit ballingschap in Argentinië. Het beste wat mijn vader me heeft nagelaten zijn deze twee vrienden – alsof hij wist dat mijn broze volwassenheid nog een beetje vaderlijkheid behoefde.

De ontmoeting met Aguirre in Madrid was moeilijk en mooi tegelijk. Hij was al ruim drie maanden in Spanje. Stel je voor, een gek, een gek met lang grijs haar, heel erg lang, in een zwarte geleende overjas die hem te groot is, slecht geschoren, zijn overhemd bij de oksel gescheurd, een vuilsluier op zijn gelooide keel, een gat in zijn schoenzool waar het water door naar binnen dringt, een roze damessjaal om zijn hals geknoopt. Hij loopt over straat en praat in zichzelf. Hij praat en praat zoals gekken praten en hij kijkt met brandende ogen naar de meisjes, want hij heeft geen vrouw en hij troost zich met kijken, hij steekt nooit op de kruispunten de straat over, altijd ergens halverwege. Iedereen denkt dat hij gek is, ook ik dacht dat hij gek geworden was toen ik hem zag. Het is eind december en het is koud, een droge woestijnkou die als ijs in je huid krast. De gek steekt lukraak de Gran Vía over. Met opgeheven armen maant hij de auto's en bussen tot stoppen terwijl hij de chauffeurs woedend recht in de ogen kijkt. Ze toeteren en schelden hem uit, maar ze remmen. 'Dat heet de stierenvechtersoversteek', legt de gek uit, en het is waar, ik zie het met eigen ogen, dat hij als een stierenvechter zonder cape de auto's en de rode bussen uitdaagt op de Gran Vía, op de Avenida Castellana, en dan heb ik het nog niet over de straten Barquillo of Peñalver.

Hij gaat in een café zitten en de kelners bedienen hem niet. Als hij ziet dat ze niet komen, klapt hij in zijn handen, zoals de gewoonte is in zijn land. Als ze dan nog niet komen roept hij:

'Hallo!' Maar ze bedienen hem niet, dus trekt hij zijn kapotte schoenen uit zodat ze zijn sokken vol gaten kunnen zien en legt zijn voeten op de stoel tegenover hem. Hij haalt een verfrommelde krant uit de zak van zijn overjas en begint te lezen, terwijl hij met zijn tong zijn vingers natmaakt om de bladzijden om te slaan. Eindelijk, na een poos, komt er een kelner, met het air van iemand die je op straat gaat zetten, maar de ogen van de gek treffen hem als een bliksemstraal. Hij bestelt een *tinto.** Als de kelner hem een glas rode wijn brengt, zegt de gek gepikeerd: 'Ik heb koffie besteld, jullie begrijpen ook niks. Een kop zwarte koffie, graag, slap, op zijn Amerikaans, zoals jullie zeggen.' Zo gaat het vaak, vertelt hij. Tot de gek besluit voortaan alleen nog maar Engels tegen de kelners te praten. Ze verfoeien zijn *sudaca***-accent, zijn *sudaca*-woorden, zijn onduidelijke *sudaca*-taal, zijn *sudaca*-schoenen, maar vooral zijn overduidelijke *sudaca*-armoede. *Waiter, please, a coffee, an American coffee, if you don't mind.* Zo vergaat het hem beter, ze beschouwen hem als een excentrieke toerist.

Niet altijd ziet hij er als een gek uit. Als hij net in bad is geweest en zijn lange manen heeft gekamd, zien ze hem voor de dichter Rafael Alberti aan. Soms komen er jongeren naar hem toe in de cafés en bars. 'Señor Alberti, maestro, mogen we een handtekening van u?' En de gek zegt ja, pakt het papier of het servetje dat ze hem aanreiken en zet zijn hoekige en makkelijk te ontcijferen handtekening: Alberto Aguirre, gevolgd door de uitroep: zak in de stront! Altijd dezelfde opdracht: Alberto Aguirre, zak in de stront! Ja, die gek is gek.

Soms loopt hij op straat te huilen. Of niet huilen: er schiet hem gewoon een detail te binnen over het verre land en zijn

---

* Een *tinto* is in Spanje een glaasje rode wijn, maar in Colombia een kopje zwarte koffie.

** In Spanje scheldwoord voor Zuid-Amerikanen (van *Sudamérica*).

ogen worden rood van de visioenen in de verte, zijn oogweefsel raakt geïrriteerd van het niet-zien en het water loopt in stralen over zijn wangen, maar hij huilt niet, laten we zeggen dat het regent op zijn gezicht en dat hij zich door de regen nat laat maken, alsof er niets aan de hand is. En zoals er zoute tranen uit zijn ogen komen, zo komen er zoete woorden over zijn lippen. De mensen denken dat hij in zichzelf praat, dat die gek in zichzelf praat, maar dat is niet zo. In werkelijkheid reciteert hij, hij reciteert hele lappen poëzie, van *el Tuerto* López: 'Nobel oord van mijn voorvaderen: niets', van León de Greiff: 'Ik hou van de eenzaamheid, ik hou van de stilte', Spaanse romances: 'Gerineldo, Gerineldo, lieve page van de koning, had ik je maar in mijn hof vol honing'.* Wat dan ook. Hij loopt door de straten van Madrid en reciteert. Als een gek? Nee, als een balling.

Ik herhaal: het is de vroege ochtend van 25 december 1987. Ik ben net de Atlantische Oceaan overgestoken in een leeg vliegtuig. Zo herinner ik het me en het is waar: een Jumbo zonder passagiers, helemaal leeg, die op Eerste Kerstdag 1987 de Atlantische Oceaan overstak. De Jumbo vertrok tegen de avond van Panama-Stad. De vijftien bemanningsleden lopen verveeld rond. Piloten, stewardessen, pursers en ondergetekende. Vroeg in de ochtend landt de spook-Jumbo, twee rode knipperlichten tegen de pikzwarte hemel, in Madrid, en meert aan tegen een vliegtuigslurf. Er zijn nog geen visa of rijen immigranten. Ze zetten een stempel in mijn paspoort zonder me aan te kijken. Jaren later, toen Spanje de visumplicht invoerde voor Colombianen, tekende ik een brief waarin ik zwoer nooit meer naar Spanje terug te keren. Zij begrijpen niet waarom: als er in 1987 een visumplicht was geweest (niemand kende me, ik bezat geen cent, ik kon niet bewijzen dat ze achter me aan zaten), dan had ik

---

* *Romance de Gerineldo y la Infanta*, 'Romance van Gerineldo en de koningsdochter', vijftiende eeuw, anoniem.

nooit een visum gekregen, niet eens per ongeluk, en dan had ik misschien niet kunnen gaan, zoals Aguirre ging, zonder visum, om het vege lijf te redden.

Ik ga door de douane, een loodzware koffer achter me aan slepend, vol met oude kleren. Bij de uitgang zit de gek op een bank naast de deur. Ik sta stil om naar hem te kijken. Hij is oud geworden in die vier maanden. Hij zit te dutten, zijn kin is op zijn borst gezakt, zijn rode oogleden heeft hij stijf toegeknepen. Hij heeft een zwarte versleten overjas aan, hij draagt een roze damessjaal, zijn haar is erg lang, erg grijs, ongekamd, hij heeft een baard van een paar dagen. Hij lijkt een clochard, zo een die liters goedkope rode wijn drinkt om te slapen. Hij ruikt niet naar wijn. Hij is het.

Ik leg mijn hand op zijn schouder en hij opent verschrikt zijn ogen. We kijken elkaar aan en we weten dat het een zwaarwichtig moment is. We zouden ter plekke in huilen en schreeuwen kunnen uitbarsten, als kalveren die geslacht worden. We slikken. Een sobere omhelzing, een paar gemompelde woorden. 'Goede reis gehad?' 'Ik geloof het wel, ik heb veel geslapen, het vliegtuig was leeg en ik ging languit in het midden liggen.' 'Laten we een taxi nemen en naar het pension gaan.' We komen bij het pension. De gek woont bij een heks. Lange hoektanden, er ontbreekt een voortand, knokige handen met vuile nagels die het vooruitbetaalde geld in ontvangst nemen voor tien dagen bed, ontbijt en siësta. Het loopt tegen de middag en we gaan door het centrum wandelen. Daar laat hij me zien hoe je de straat op zijn manier oversteekt, als een stierenvechter, en daar vertelt hij dat hij soms voor Rafael Alberti speelt. We lachen en terwijl we lachen zie ik ook dat zijn schoenen kapot zijn. Daarna vertelt hij me waarom de kelners hem niet bedienen.

Onvermijdelijk komt het gesprek op de doden. Ja, ze hebben nog meer mensen vermoord. Gabriel Jaime Santamaría. Een week geleden Luis Fernando Vélez, de theoloog, de etnograaf, die het vaandel van het Comité voor Mensenrechten overnam.

Een dappere man, een martelaar, een zelfmoordenaar, wat je maar wilt. Ze vonden zijn lijk in de wijk Robledo, mishandeld. Onvermijdelijk komt het gesprek op 25 augustus, die fatale dag waarop de dood zo nabij kwam en Aguirre onderdook, als een konijn, dat zegt hij zelf, als een konijn in een flat. Sindsdien hebben we elkaar niet meer gezien: vier maanden op de kop af hebben we elkaar niet meer gezien. Op de middag van de 24ste, vertelt hij, praatte hij met mijn vader over de lijst die ze verspreidden: daarop stond hun beider vonnis. Alberto Aguirre, omdat hij communist is en omdat hij in zijn artikelen voor de vakbonden opkomt, omdat hij in zijn columns de onvrede aanwakkert. Héctor Abad Gómez, omdat hij een nuttige idioot is van de guerrilla. Iets dergelijks, ik wil het niet letterlijk herhalen, want ik word misselijk, elke keer als ik het lees.

Aguirre vertelt: 'Ik praatte met hem die maandagmiddag en hij zei tegen me dat het ernst was, dat we iemand moesten zien te vinden, kijken of we niet een soort bewaking konden krijgen. We zouden elkaar de woensdag daarop zien. Dat ging niet.' Op zijn onderduikadres schreef Aguirre zijn laatste artikel, dat als volgt eindigde: 'Er is een ballingschap die erger is dan die van landsgrenzen: de ballingschap van het hart.' Pas na vele jaren schreef hij weer voor de krant. Na terugkomst, in 1992, verbrak hij zijn stilzwijgen met een reeks afstandelijke, droge beschouwingen over zijn ervaring: *Del exilio* ('Over de ballingschap') heten ze, en ik drukte ze af toen ik hoofdredacteur was van het universiteitsblad van de Universiteit van Antioquia. Nu, terwijl ik dit boek schrijf, kan ik het blad niet vinden. Op Google, in de nieuwe Library of Babel, is er niets over te vinden. Het raakt in de vergetelheid, hoewel het nog niet zo lang geleden is. Ik moet het opschrijven, ook al voel ik me beschroomd, opdat het niet vergeten wordt, of ten minste opdat het enige jaren bekend blijft.

Er is nog iets anders, een ander verhaal dat ik bekend wil maken. Keren we terug naar 25 augustus 1987. Dat jaar, zo dichtbij voor mij persoonlijk, lijkt alweer heel lang geleden in de wereldgeschiedenis: internet was nog niet uitgevonden, de Berlijnse muur was nog niet gevallen, we bevonden ons nog in de doodsstuipen van de Koude Oorlog, het Palestijns verzet was communistisch en niet islamitisch, in Afghanistan waren de taliban bondgenoten van de Amerikanen in de strijd tegen de Sovjet-Russische bezetter. In die tijd was er in Colombia een verschrikkelijke heksenjacht gaande: het leger en de paramilitairen vermoordden de activisten van de UP en ook de gedemobiliseerde guerrillero's, in het algemeen iedereen die de schijn tegen had en voor links of communist werd aangezien.

Carlos Castaño, de leider van de AUC*, die moordenaar die een hoofdstuk van de Colombiaanse geschiedenis heeft geschreven met een loden pen gedoopt in bloed, die moordenaar die naar het schijnt vermoord werd op bevel van zijn eigen broer, zei iets macabers over die tijd. Net als alle megalomanen heeft hij de onbeschaamdheid om trots te zijn op zijn misdaden, en hij bekent zonder spijt in een ellendig boek: 'Ik legde me toe op het elimineren van de hersenen van degenen die zich daadwerkelijk gedroegen als de ondermijners van de stad. Daar heb ik geen spijt van en zal ik ook nooit spijt van krijgen! Voor mij was dat een wijs besluit. Doordat ik wist wie ik moest hebben, heb ik minder mensen hoeven te executeren. Ze zouden de oorlog langer hebben laten duren. Vandaag ben ik ervan overtuigd dat ik degene ben die de oorlog beëindigt. Als God mijn geest al ergens voor heeft verlicht, dan is het om dit te begrijpen.'

Deze van God verlichte geest, die op zijn wijze manier onze oorlog (die nog steeds voortduurt) bijna twintig jaar geleden heeft beëindigd, vertelt even verderop hoe de moordenaars tot hun besluit kwamen: 'Daar komt de Groep van Zes in het spel.

---

* Autodefensas Unidas de Colombia ('Verenigde Zelfverdedigers van Colombia'), ofwel de paramilitairen.

Je moet je voorstellen dat die groep al heel lang in onze nationale geschiedenis bestaat, het zijn mannen van het hoogste niveau, uit de bovenste laag van de Colombiaanse maatschappij. De crème de la crème! In 1987 leerde ik de eerste van hen kennen, een paar dagen na de dood van Jaime Pardo Leal ... Ik overhandigde hun een lijst met de namen en de functies van de vijanden, of waar ze te vinden waren. Wie moeten er geëxecuteerd worden? vroeg ik, en ze namen het papier met de lijst mee naar een andere kamer. Toen het daarvan terugkwam, waren een of meer namen van de personen die geëxecuteerd moesten worden gemarkeerd, en de actie werd met succes uitgevoerd ... Het waren echte nationalisten, die me nooit zonder een heel goede reden hebben gevraagd of opgedragen iemand te liquideren. Ze leerden me van Colombia te houden en in Colombia te geloven.' Vervolgens bekent hij dat hij Pedro Luis Valencia een week vóór mijn vader vermoord heeft, met hulp van de inlichtingendienst. Daarna bekent hij dat hij Luis Felipe Vélez heeft vermoord, op dezelfde plek en op dezelfde dag dat ze mijn vader vermoordden.

Ik zal verder niets meer van deze patriot citeren, mijn vingers worden er maar vuil van. Laten we terugkeren naar 1987, naar die plas bloed waar hij en zijn handlangers verantwoordelijk voor waren. Het is op de hoek van de Calle Argentina en de Carrera Girardot, in Medellín. Een plas bloed en een lijk op zijn rug op de grond, met een laken eroverheen, net als op een schilderij van Manet, ik weet niet of u het kent, maar als u het ziet, weet u wel wat ik bedoel. Ik zit aan de rand van die plas bloed. Toen dat bloed begon te stromen, werden er hersens geëlimineerd, zoals de moordenaar zegt. 'De hersens elimineren' is het eufemisme dat de moordenaar gebruikt voor het werkwoord doden. Maar het is heel raak: daar gaat het om, een einde maken aan de intelligentie. Ik zit daar en er komt een meneer met grijs haar en een grijze baard als een gek aangerend, wanhopig. Een meneer die zich nooit gedraagt als een gek, een kalm, bedaard, rationeel mens. Daar komt hij en op dat moment zeg, nee, smeek ik hem: 'Carlos, maak dat je wegkomt, verberg je. Je moet hier weg, anders vermoorden ze jou ook, en we willen niet nog meer doden!' Hij zou samen met mijn vader en Leonardo naar de wake voor de vermoorde onderwijzer gaan, maar hij kwam niet op tijd, omdat de afspraken van zijn tandarts, Heriberto Zapata, de tandarts van ons allemaal, van mij, van mijn vader, van hem, uitliepen en hij hem pas later kon helpen. Dat redde zijn leven.

We praten even, tussen tranen van machteloze woede door. Na een poos gaat hij weg, maar nog niet het land uit. Op de begrafenis de volgende dag slaagt hij erin, met trillende handen maar met vaste stem, een toespraak te houden. Hij had het allemaal aangevoeld, zonder dat hij het precies weten kon: we hebben te maken met een ordinaire fascistische daad. 'De trouw van Héctor Abad Gómez aan de hoogst humanistische idee van het liberalisme maakte hem flexibel en tolerant, terwijl er in Colombia alleen nog maar plaats is voor fanatici.' Tot slot roept hij de weerzinwekkende woorden van Millán-Astray in de herinnering, en hij herhaalt ze, in de zekerheid dat dit exact het motto van de moordenaars is: 'Leve de dood! Weg met de intelligentie!' Het is hetzelfde als dat andere: doden om hersens te elimineren.

Luttele maanden later loopt diezelfde meneer met de sneeuwwitte haren en baard over de Avenida de Mayo en blijft voor nummer 829 staan. Hij is gekleed in een eenvoudig pak met das, en hij heeft een boek onder zijn arm. Het huisnummer is van een café, misschien wel het mooiste van Buenos Aires, Café Tortoni. De kelners aarzelen niet om hem te bedienen, want die meneer is het toonbeeld van fatsoen en waardigheid. Hij bestelt een droge rode vermout en een glas mineraalwater met prik. Niemand vraagt hem om een handtekening. Hij opent het boek en leest en onderstreept en maakt zorgvuldig aantekeningen van wat hij leest. Het is een dialoog van Plato. Ik kan niet goed zien welke, maar laten we aannemen dat het Lysis is, over de vriendschap. Merkwaardig genoeg wordt daarin over grijs haar gesproken: 'Welnu, sprak Socrates. Als jij je haar, dat van nature blond is, met loodwit zou verven, zou het dan echt wit zijn of alleen maar zo lijken?'

Eerlijk gezegd weet ik niet goed wat Socrates in deze dialoog wil zeggen. Ze hebben het over de vriendschap, over goed en kwaad, over iemand die niet zijn grijze haren verft, maar, integendeel, zijn haren wit verft en er grijs uitziet maar het niet is. Elke keer als ik de dialogen van Plato lees, raak ik in de war. Ik heb een grijze professor nodig, zoals deze, over wie ik het heb, die zijn blonde haren niet wit verft en zijn grijze haar niet zwart, maar die al van jongs af aan grijs is. Grijs zoals de gek van Madrid grijs is.

Grijs haar wordt geassocieerd met ouderdom, maar ook met onverstoorbaarheid en wijsheid. De meneer van Café Tortoni is een andere Colombiaanse balling, met spierwit haar, die na verloop van jaren naar zijn land is teruggekeerd en een aantal vonnissen heeft geveld en een aantal wetten heeft opgesteld die ons nog enige hoop geven dat dit land van ons niet geheel en al barbaars is. Carlos Gaviria is een van de weinige onafhankelijke en liberale denkers, in deze tijd waarin opnieuw de vrees de kop opsteekt dat Colombia terug kan vallen in de duisternis die aan het eind van de jaren tachtig heerste. Ik heb hem in die jaren niet in Buenos Aires gezien, maar we schreven elkaar regelmatig, en toen ik voor het eerst naar Argentinië ging, niet zo lang geleden, vertelde hij me over zijn dagelijkse routine, de straten en cafés die hij frequenteerde toen hij in ballingschap was. Zijn parken, de borgesiaanse wandelingen, de boekwinkels, van nieuwe en oude boeken.

Ik twijfel er niet aan dat er ook vandaag nog zullen zijn die de behoefte hebben om 'de hersens te elimineren' van mensen zoals Alberto Aguirre en Carlos Gaviria, twee Colombianen die in ballingschap vluchtten, hun leven redden en weer terugkwamen, en die hier blijven fungeren als ons meest vrije en onontbeerlijke geweten. Niet zo heel lang geleden, in 1987, gebeurde dit allemaal. Van sommigen werden inderdaad 'de hersens geëlimineerd'. Maar sommigen redden het vege lijf door in ballingschap te gaan, naar Spanje of Argentinië of andere landen, en nu zijn ze terug. Even grijs als toen, nog wijzer dan toen. Elke dag word ik grijzer, maar niet zoals zij. Wel wil ik dat ik elke grijze haar die ik krijg verdien. Het zijn twee geweldige vrienden die ik heb geërfd van mijn beste vriend, dat andere stel hersens, dat er niet in slaagde in ballingschap te gaan en dat geëlimineerd werd door de bloederige handen van de moordenaars.

42

Allemaal zijn we tot stof en vergetelheid gedoemd, en de personen die ik in dit boek ten tonele heb gevoerd zijn óf al dood, óf staan op het punt te sterven, of ze – liever gezegd, wij – gaan dood binnen een tijdsspanne die niet in eeuwen maar in decennia gemeten wordt. *Gisteren weg, aan morgen nog niet toe, / vandaag snelt voorbij, zonder dralen: / ik ben een was, een wordt, een is zo moe*, dichtte Quevedo toen hij het had over het vluchtige karakter van ons bestaan, dat altijd onafwendbaar naar het moment toe gaat waarin we ophouden te bestaan. Na onze dood leven we nog enkele ijle jaren voort in de herinnering van anderen, maar ook die persoonlijke herinnering komt elk ogenblik dichter bij het punt van verdwijnen. Boeken zijn slechts een schijnherinnering, een geheugenprothese, een wanhopige poging om een beetje langer te laten duren wat onherroepelijk eindig is. Al deze personen, met wie het innigste stramien van mijn geheugen geweven is, al die presenties die mijn kindertijd en mijn jeugd vormden, zijn reeds verdwenen en nog slechts spookbeelden, en wij zelf zijn op weg te verdwijnen, toekomstige spoken die nog op aarde rondlopen. Kortom, al die mensen van vlees en bloed, al die vrienden en familieleden van wie ik zo veel hou, al die vijanden die me met toewijding haten, zullen niet reëler zijn dan een romanpersonage en uit dezelfde fantasmagorische stof bestaan van evocaties en spookbeelden. En dat nog in het gunstigste geval, want van de meesten van hen zal slechts een handvol stof overblijven, en een opschrift op een zerk waarvan de letters langzaam vervagen. In perspectief gezien, omdat de tijd van de beleefde herinnering zo kort is, zijn we goed beschouwd 'reeds de herinnering die ons wacht', zoals Borges zei. Voor hem was dat vergeten en die oerstof waarin we vergaan iets wat hem 'onder de hemel, onverschillig blauw' troost schonk. Als de hemel, zoals het ernaar uitziet, onverschillig is voor onze vreugde en tegenspoed, als het het universum een zorg zal zijn of er mensen bestaan of niet, dan is onze terugkeer naar het niets waaruit we zijn voortgekomen misschien wel de ergste tegenspoed, maar tegelijk ook de grootste opluchting en de enige rust, want dan lijden we niet meer onder de tragedie die het besef is van het verdriet en de dood van degenen die we liefhebben. Ik kan me wel, maar wil me niet het smartelijke moment voorstellen waarop ook de mensen van wie ik het meeste hou – kinderen, vrouw, vrienden, familieleden – ophouden te bestaan, wat ook het moment zal zijn waarop ik definitief, als iemands levendige herinnering, zal ophouden te bestaan. Mijn vader wist ook niet, en wilde niet weten, wanneer ik dood zou gaan. Wat hij wel wist, en dat is misschien een schrale troost voor ons allemaal, is dat ik hem nooit zou vergeten, en dat ik mijn best zou doen hem op zijn minst nog enkele jaren langer, ik weet niet hoeveel, met de evocatieve kracht van het woord voor de vergetelheid te behoeden. Als we met woorden onze ideeën, onze herinneringen en onze gedachten, zij het deels, kunnen overbrengen – en we hebben er tot nog toe geen beter vehikel voor gevonden, het is dermate adequaat dat er nog steeds mensen zijn die denken en taal door elkaar halen – als we met woorden een landkaart kunnen tekenen van onze geest, dan is een groot deel van mijn geheugen naar dit boek overgeheveld, en aangezien wij mensen in zekere zin broeders zijn, omdat we allemaal ongeveer hetzelfde denken en zeggen, omdat we vrijwel precies dezelfde gevoelens hebben, hoop ik in u, lezers, enige bondgenoten, enige handlangers te vinden bij wie dezelfde snaren gaan trillen in die zwarte doos van de ziel, die onze geest is en die we met ieder van onze soort gemeen hebben. 'Laat de ziel haar sluimer varen', zo begint een van de belangrijkste gedichten in het Spaans, dat de primaire inspiratie is geweest voor dit boek, want het is tevens een hommage aan de nagedachtenis en het leven van een voorbeeldig vader. Wat ik hoopte te bereiken was dit: dat mijn diepste geheugenis zou ontwaken. En als mijn herinneringen resoneren met enkele van u, en als wat ik gevoeld heb (en zal ophouden te voelen) begrijpelijk is en gedeeltelijk samenvalt met wat u voelt of hebt gevoeld, dan kan het vergeten dat ons wacht nog even worden uitgesteld, in het vluchtig zinderen van de neuronen, dankzij de ogen, veel of weinig, die ooit een blik in dit geschrift werpen.

Lijst van de belangrijkste in dit boek genoemde personen

Abadía Méndez, Miguel (1867-1947). Colombiaans conservatief politicus en jurist. Was president van Colombia van 1926 tot 1930.

Aguirre Ceballos, Alberto (1929-). Colombiaans advocaat, journalist, schrijver, criticus en columnist.

Alvear Restrepo, José (1913-1953). Colombiaans advocaat en revolutionair.

Arango Arias, Gonzalo (1931-1976). Colombiaans dichter, vertegenwoordiger bij uitstek van het 'nadaïsme'.

Arellanes Tamayo, Rufino (1899-1991). Mexicaans kunstschilder.

Arenas Betancourt, Rodrigo (1919-1995). Colombiaans beeldhouwer.

Balmes y Urpiá, Jaime Luciano Antonio (1810-1848). Spaans (Catalaans) filosoof en theoloog.

Barba-Jacob, Porfirio (1883-1942). Een van de pseudoniemen van de Colombiaanse dichter **Miguel Ángel Osorio.**

Benítez, Fernando (~1910-2000). Mexicaans schrijver-journalist.

Berges Rábago, Consuelo (1899-1988). Spaans schrijfster en vertaalster.

Betancur Taborda, Leonardo (1946-1987). Colombiaans medicus en mensenrechtenactivist.

Borges, Jorge Luis (1899-1986). Argentijns dichter, romanschrijver en essayist.

Builes Gómez, Miguel Angel (1888-1971). Conservatieve bisschop van Santa Rosa de Osos. Hij voerde twee nieuwe zonden in, die exclusief golden voor de vrouwen van zijn bisdom en waarvoor alleen hij de absolutie kon verlenen: het dragen van broeken en schrijlings te paard zitten.

Castaño Gil, Carlos (1965-2004). Paramilitair die in de jaren negentig leider werd van de AUC (Autodefensas Unidas de Colombia). Samen met zijn broer Fidel had hij de leiding over talloze massamoorden in het land.

Castro Saavedra, Carlos (1924-1989). Colombiaans schrijver-dichter.

Colina, José de la (1934-). Mexicaans, van geboorte Spaans, schrijver.

Cruz Alfonso, Celia (1925-2003). Cubaanse zangeres, bekend als de *Queen of Salsa*.

Cuevas, José Luis (1934-). Mexicaans kunstschilder.

Darío, Rubén (1867-1916). Nicaraguaans dichter.

Escrivá de Balaguer, Josemaría (1902-1975). Spaanse priester en stichter van de katholieke orde Opus Dei.

Franco Bahamonde, Francisco (1892-1975). Dictator (*caudillo*) van Spanje, van 1936 tot aan zijn dood in 1975.

García Benítez, Joaquín (1883-1958). Van 1942 tot 1958 aartsbisschop van Medellín.

García Lorca, Federico (1898-1936). Spaans surrealistisch dichter, componist en toneelschrijver. Wordt beschouwd als de meest invloedrijke en populaire schrijver van de Spaanse literatuur in de twintigste eeuw.

García Márquez, Gabriel (1927-). Colombiaans schrijver. Wordt gezien als de belangrijkste exponent van het magisch realisme. In 1982 kreeg hij de Nobelprijs voor Literatuur.

García Ordóñez, Joaquín (1919-1995). Bisschop van Santa Rosa de Osos, opvolger van bisschop Builes.

Gaviria Díaz, Carlos (1937-). Colombiaans jurist en politicus. Van 1996 tot 2001 president van het Constitutionele Hof, van 2002 tot 2006 senator en van 2006 tot 2009 leider van de politieke beweging Polo Democrático Alternativo, de partij van verenigd links.

Gónima López, Carlos (?-1988). Colombiaans advocaat, leider van de Unión Patriótica in Medellín en coördinator van het

Comité voor Mensenrechten in Medellín.

González Ochoa, Fernando (1895-1964). Colombiaans advocaat, schrijver, filosoof en politicus. In Envigado, tegenwoordig een wijk van Medellín, waar hij zijn leven begon en eindigde, liet hij een huis bouwen dat hij Otraparte noemde. Vandaar zijn bijnaam: 'de filosoof van Otraparte'.

Greiff, León de (1895-1976). Colombiaans dichter, algemeen beschouwd als de grootste van de twintigste eeuw.

Guerra Serna, Bernardo (1930-). Colombiaans jurist en liberaal politicus. Was burgemeester van Medellín, gouverneur van Antioquia, ambassadeur bij de Verenigde Naties en senator.

Henao Botero, Félix (1899-1975). Stichter en rector van de Universidad Pontificia Bolivariana in Medellín.

Hoyos Vásquez, Jorge (1923-2003). Jezuïet, rector van het Colegio de San Ignacio in Medellín en later van de Universidad Javeriana.

Huelin, Enrique S.J. (1913-2008). Spaanse jezuïet die in 1961 naar Colombia kwam om leiding te geven aan de *Gran Misión*.

Huerta, David (1949-). Mexicaans schrijver, essayist en vertaler.

Lleras Restrepo, Carlos (1908-1994). Colombiaans jurist en politicus. Van 1966 tot 1970 president van Colombia.

López, 'El Tuerto' (Luis Carlos López) (1879-1950). Colombiaans dichter. De bijnaam *el Tuerto* betekent 'de eenoog', maar hij was scheel.

López Michelsen, Alfonso Antonio Lázaro (1913-2007). Jurist en politicus. Van 1974 tot 1978 president van Colombia.

López Trujillo, Alfonso (1935-2008). Aartsbisschop van Medellín. In 1983 werd hij kardinaal en van 1987 tot 1990 was hij voorzitter van de Colombiaanse bisschoppenconferentie. Van 1990 tot 2008 was hij voorzitter van de Pauselijke Raad voor het Gezin in Rome.

Machado Ruiz, Antonio (1875-1939). Spaans dichter die gerekend wordt tot de stroming van het *modernismo*.

Manrique, Jorge (~1440-1479). Spaans dichter-militair. Zijn beroemdste werk zijn de *Coplas a la muerte de su padre* ('Verzen bij de dood van zijn vader').

Mejía Vallejo, Manuel (1923-1998). Colombiaans journalist en (roman)schrijver.

Mesa Jaramillo, Antonio (1911-1971). Colombiaans architect, journalist en hoogleraar.

Millán-Astray y Terreros, José (1879-1954). Spaans militair, oprichter en bevelhebber van het Spaanse Vreemdelingenlegioen. Tijdens de Spaanse burgeroorlog riep hij bij de bezetting van de Universiteit van Salamanca: 'Leve de dood! Weg met de intelligentie!'

Monsiváis, Carlos (1938-). Mexicaans schrijver.

Monterroso, Augusto (Tito) (1921-2003). Guatemalteeks schrijver.

Ospina Pérez, Luis Mariano (1891-1976). Colombiaans ingenieur en politicus, van 1946 tot 1950 president van het land.

Pacheco, José Emilio (1939-). Mexicaans romanschrijver, dichter en essayist.

Pardo Leal, Jaime (1941-1987). Colombiaans advocaat en politicus. Lid van het Centraal Comité van de Colombiaanse communistische partij.

Pastrana Borrero, Misael (1923-1997). Colombiaans conservatief politicus. President van 1970 tot 1974.

Paz Lozano, Octavio (1914-1998). Mexicaans schrijver, dichter en diplomaat. Kreeg in 1990 de Nobelprijs voor Literatuur.

Pérez Prado, Dámaso (1916-1989). Cubaans-Mexicaans bandleider en componist. Stond bekend als de *King of Mambo*.

Poniatowska Amor, Elena (1932-). Mexicaans schrijfster en journaliste.

Raquel Mercado, José (1913-1976). Politicus en voorzitter van de grootste vakcentrale van Colombia toen hij in 1976 door de guerrillagroep M-19 werd ontvoerd en vermoord.

Restrepo, Ñito (1855-1933), voluit **Antonio José Restrepo**. Colombiaans schrijver, jurist, historicus en econoom.

Rojo Almazán, Vicente (1932-). Mexicaans schilder en beeldhouwer van Spaanse afkomst.

Rulfo, Juan (1917-1986). Mexicaans schrijver en essayist.

Salinas y Serrano, Pedro (1891-1951). Spaans dichter en vertaler.

Samper Pizano, Ernesto (1954-). Colombiaans jurist, econoom en liberaal politicus. Was president van 1994 tot 1998.

San José González, Felipe (1935-). Mexicaans hoogleraar letterkunde en auteur van *La literatura mexicana* (1985).

Sanín Echeverri, Jaime (1922-2008). Colombiaans schrijver, journalist en hoogleraar. Werd in 1960 rector van de Universiteit van Antioquia.

Santamaría Montoya, Gabriel Jaime (?-1989). Colombiaans ingenieur en links politicus, volksvertegenwoordiger in het departement Antioquia voor de Unión Patriótica.

Su, Margo (1930-1993). Mexicaanse actrice.

'Tongolele, La' (1932-). Artiestennaam van **Yolanda Ivonne Móntez Farrington**, Spaans-Amerikaanse danseres die voornamelijk in Mexicaanse films optrad.

Torres Restrepo, Camilo (1929-1966). Colombiaans priester. Pionier van de Bevrijdingstheologie en later medestrijder van de guerrillagroep ELN (Ejército de Liberación Nacional – 'Nationaal Bevrijdingsleger').

Turbay Ayala, Julio César (1916-2005). Liberaal politicus. Van 1978 tot 1982 president van Colombia.

Umaña Luna, Eduardo (1931-2008). Colombiaans advocaat en schrijver. Is vooral bekend om zijn boeken over het geweld in Colombia.

Uribe Vélez, Álvaro (1952-). Colombiaans jurist en politicus. Sinds 2002 president van Colombia.

Valencia Giraldo, Pedro Luis (1939-1987). Colombiaans medicus en parlementslid voor de Unión Patriótica.

Valle Jaramillo, Jesús María (1942-1998). Colombiaans jurist en mensenrechtenactivist. Het Inter-Amerikaanse Hof voor Mensenrechten heeft inmiddels de Colombiaanse staat verantwoordelijk gesteld voor de moord op hem.

Vázquez Carrizosa, Alfredo (1909-2001). Colombiaans jurist en conservatief politicus. Was in de jaren vijftig minister van Buitenlandse Zaken.

Velasco Ibarra, José María (1893-1979). Vijf keer president van Ecuador en groot sociaal hervormer van zijn land.

Vélez Escobar, Ignacio (1918-). Colombiaans medicus en politicus. Was burgemeester van Medellín, rector van de Universiteit van Antioquia, gouverneur van het departement Antioquia en presidentskandidaat.

Vélez Herrera, Luis Felipe (1954-1987). Colombiaans onderwijzer en linkse activist. Voorzitter van de onderwijsbond.

Vélez Vélez, Luis Fernando (1944-1987). Colombiaans jurist en theoloog. Actief in de mensenrechtenbeweging.

Villa, Pancho (1878-1923). *Nom de guerre* van **Doroteo Arango Arámbula**. Mexicaans revolutionair.

Vives, Carlos (voluit **Carlos Alberto Vives Restrepo**) (1961-). Colombiaanse zanger, acteur en componist. Zijn muziek is een mengeling van rock en *vallenato* (volksmuziek van de Colombiaanse Caribische kust).

Zea Hernández, Germán (1905-1993). Colombiaans liberaal politicus. Was onder meer burgemeester van Bogotá en minister van Buitenlandse Zaken.

Zuleta, Estanislao (1935-1990). Colombiaans filosoof, schrijver en pedagoog.

Dankwoord van de vertaler

De vertaler dankt Héctor Abad Faciolince,
Olga Góngora Valbuena en Erik Coenen
voor hun hulp en adviezen.

De Geus/Oxfam Novib-reeks

Ieder mens heeft recht op een fatsoenlijk bestaan. Honderden miljoenen mensen leven echter in armoede. De belangrijkste oorzaak van armoede is onrechtvaardigheid. Structureel armoede bestrijden begint daarom bij de basisrechten van ieder mens. Oxfam Novib strijdt voor een rechtvaardige wereld zonder armoede. Samen met mensen, organisaties, bedrijven en overheden. Via projecten en lobby. Lokaal én internationaal, want armoede en onrecht zijn wereldwijde problemen en hebben te maken met onrechtvaardige economische en politieke verhoudingen. Daarom werkt Oxfam Novib samen met Oxfam International. Samen hebben we meer invloed en bereiken we meer in onze strijd voor een rechtvaardige wereld zonder armoede.

Met de boekenreeks waarin *Het vergeten dat ons wacht* is opgenomen, biedt Oxfam Novib, samen met uitgeverij De Geus, schrijvers uit niet-westerse landen een podium. Hiermee willen we de betrokkenheid van lezers bij niet-westerse landen en culturen vergroten.

Meer informatie over Oxfam Novib en de boeken in de De Geus/Oxfam Novib-reeks kunt u vinden op www.oxfamnovib.nl. U kunt zich op die site ook abonneren op de Oxfam Novib-boekenabonnementen of de leverbare titels bestellen in de webwinkel.

Oxfam Novib, Postbus 30919, 2500 GX Den Haag, is telefonisch bereikbaar op 070 3421777 en per e-mail op info@oxfamnovib.nl.